御刻足本

三希堂法帖

国家行政学院出版社

御刻三希堂石渠寶笈法帖 第十七册

宋吴琚書

神物登天擾可
騎如何孔甲但能

羈當時若更無劉
累龍意茫然豈
得知

長歸不覺鬢

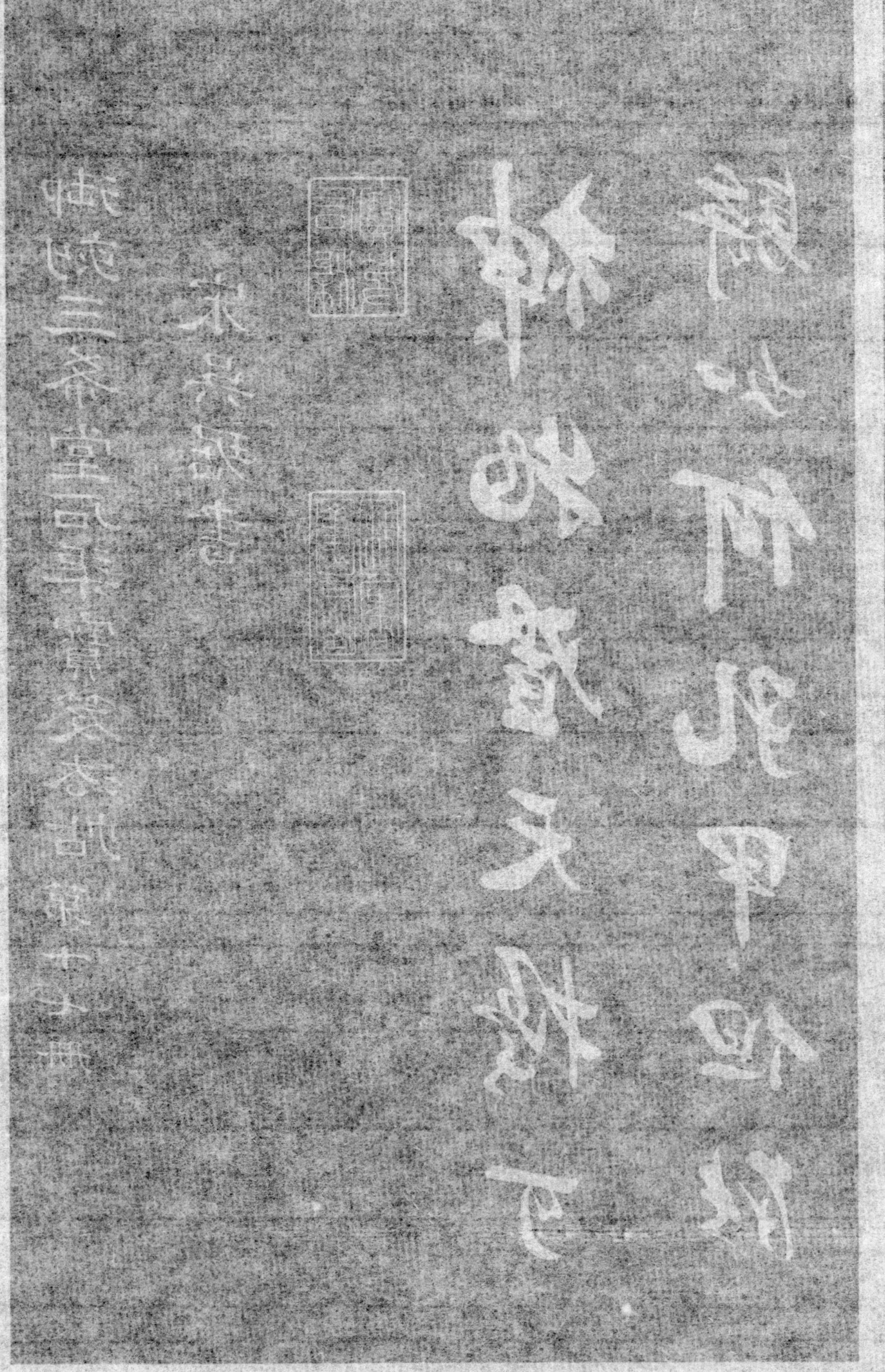

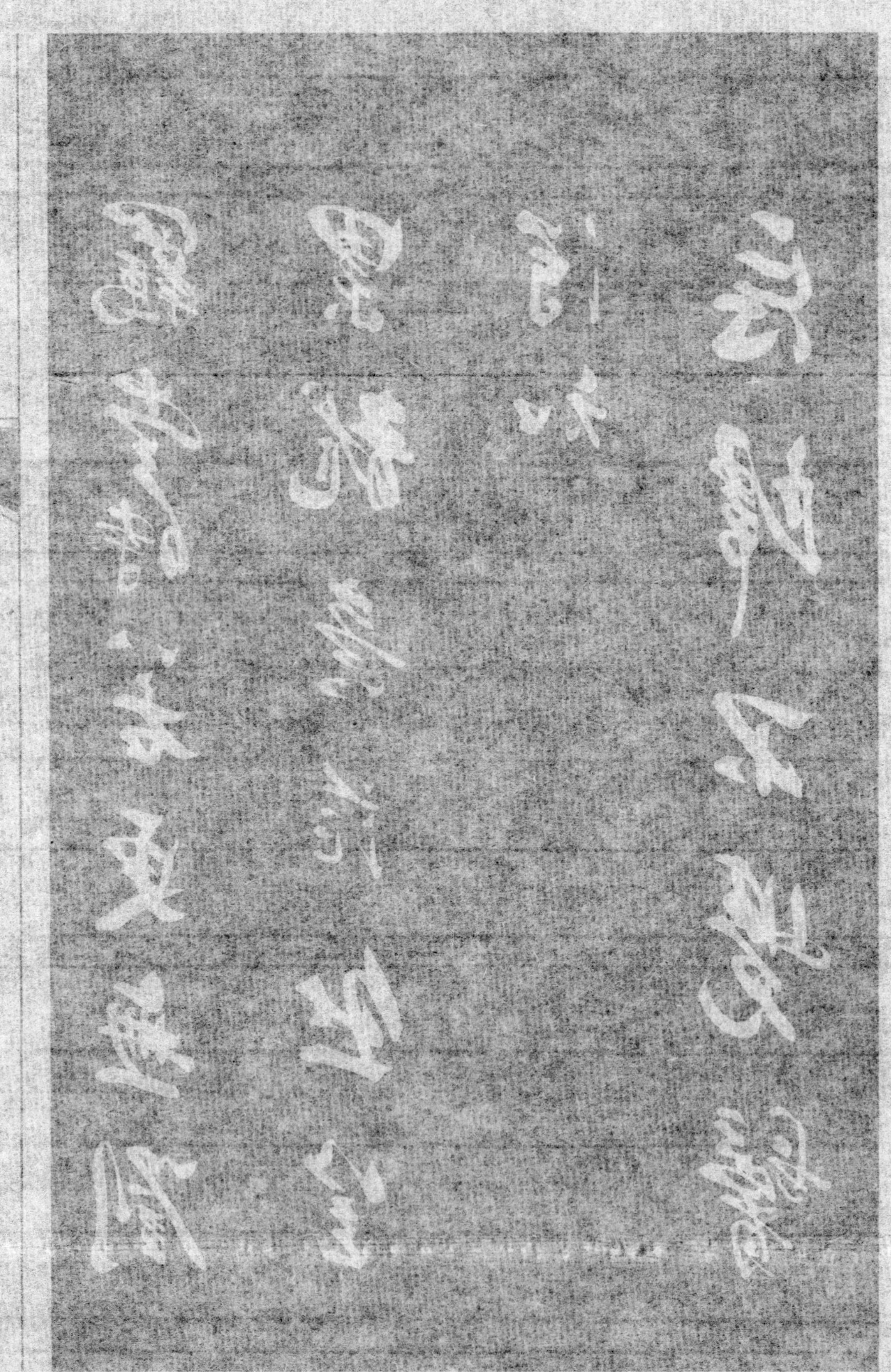

毛班好事鄉人尚
往還斷嶺不遮西
滿眼送君直過慧
王山

卞和潛幽寶難
能證奇璞冀顧
神龍來揚光以
見燭

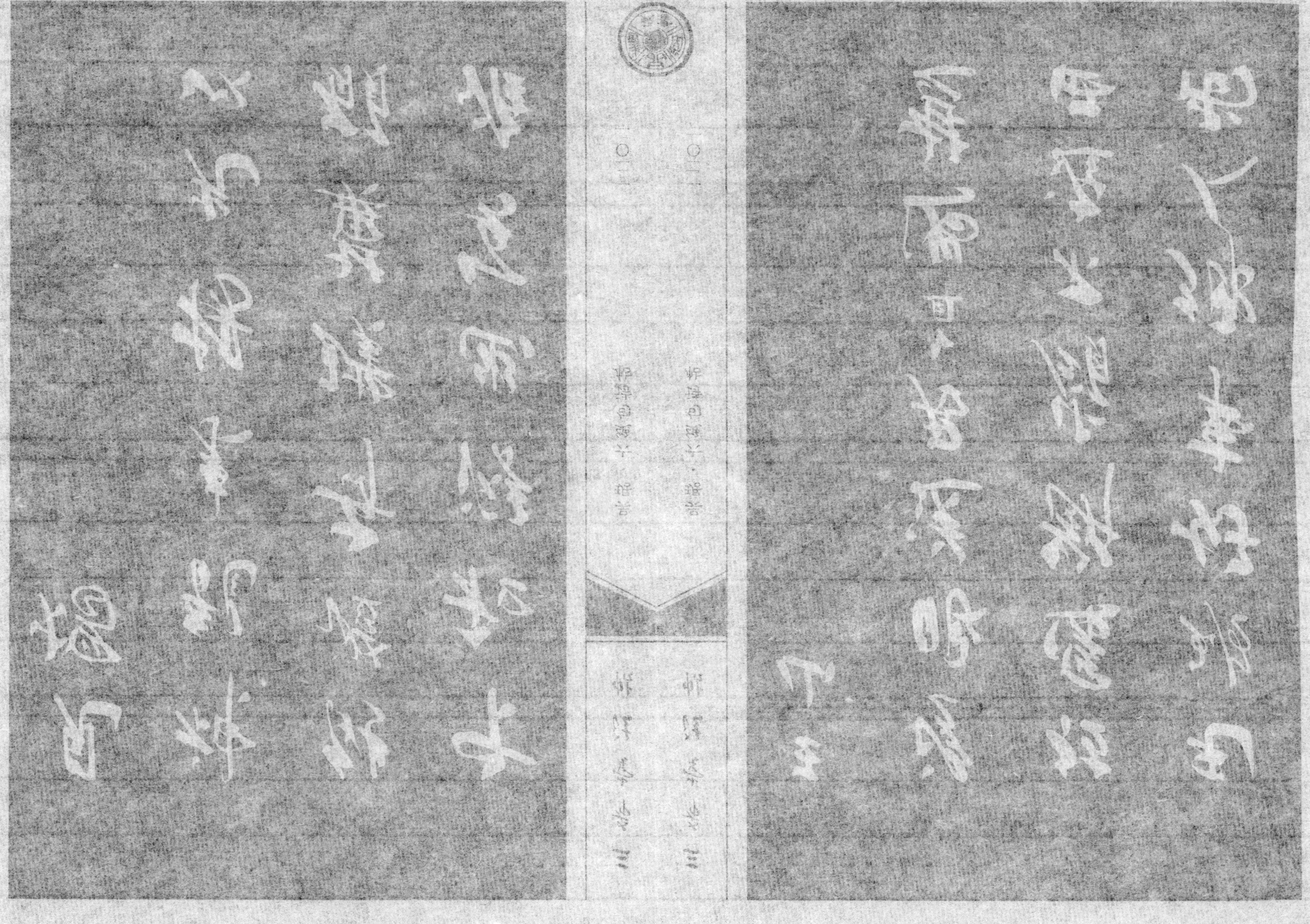

屏居南山下临此
岁方秋悄哉时不
与日暮无轻舟
柳惠善直道孙登

三希堂法帖

庶几人写怀良未远
岁赠以书绅
翩飞安得翼
河汉无梁向风长

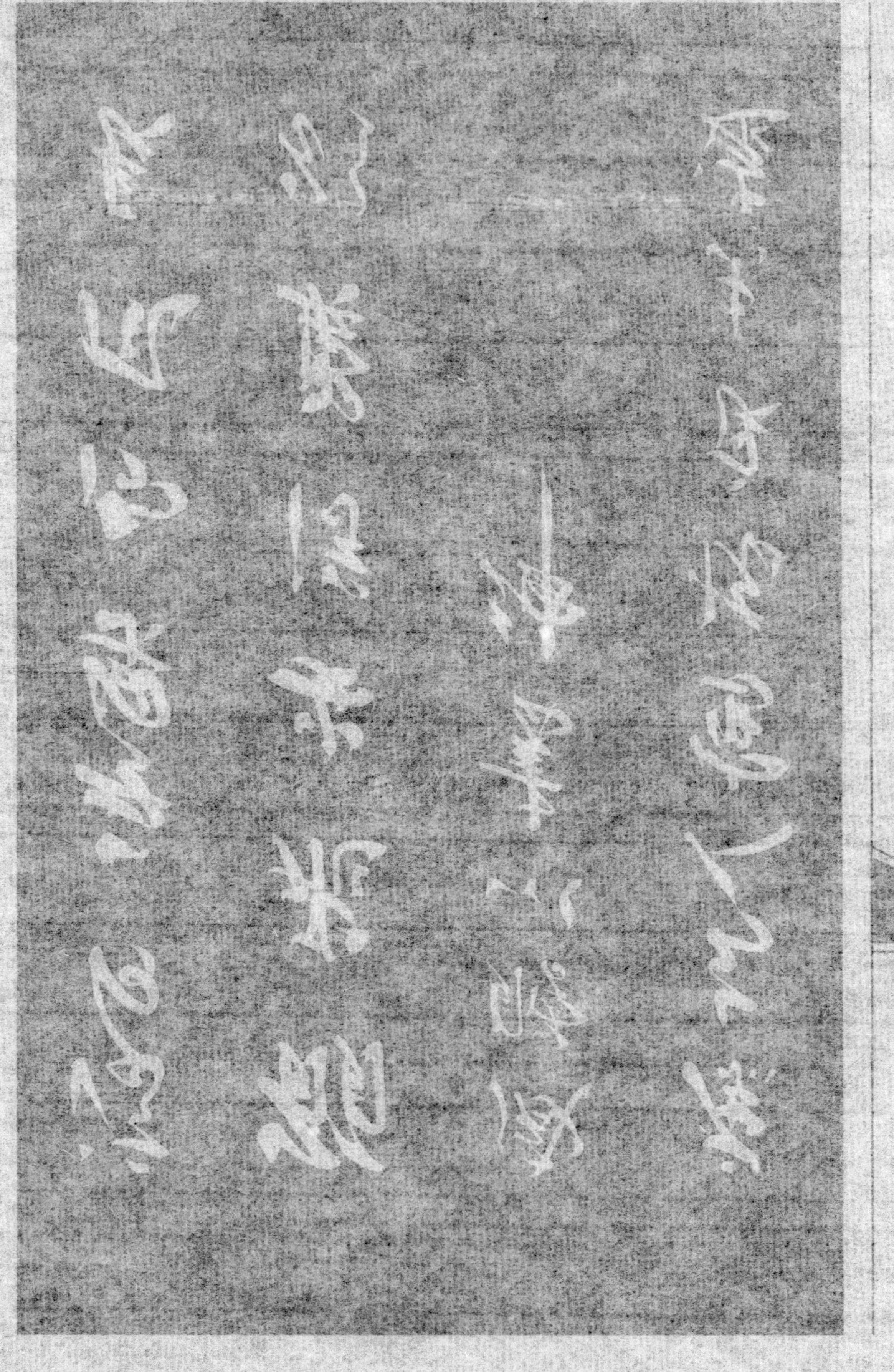

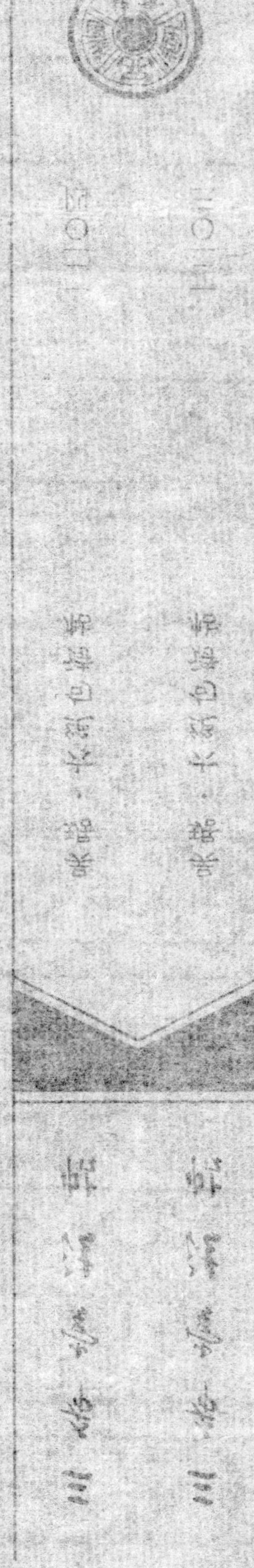

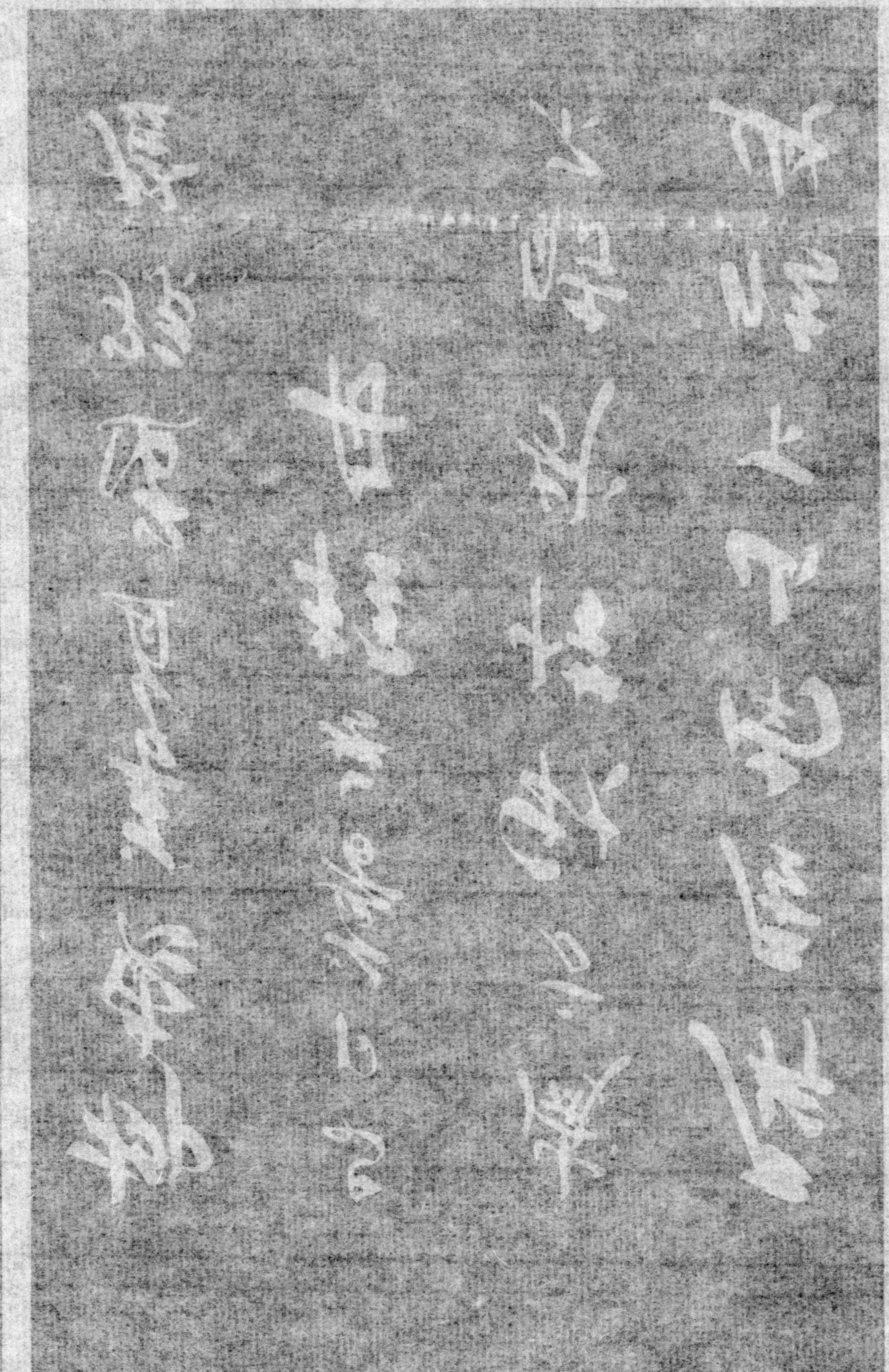

數且斷絕我中
脈
杞宋之文獻不足而孔子無所證
先聖惆之今觀唐李氏譜牒
命誥完然具存洒知未嘗

善守其家者如此攬卷為
之三歎時淳熙歲丙午中秋
後四日書于淮東提舉官舍
延陵吳琚
九月廿日
焦山題名
延陵吳居父解組襄陽汝

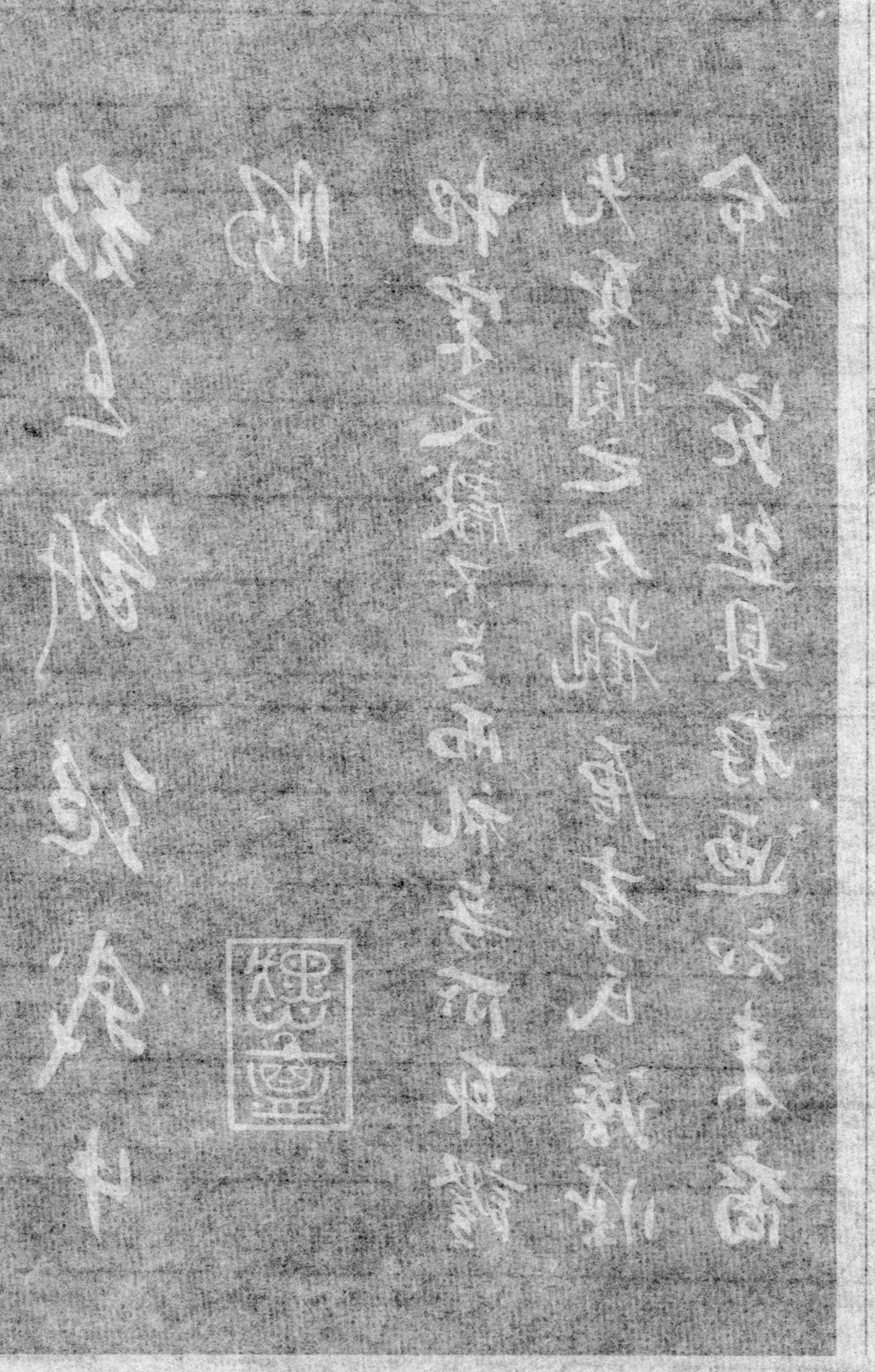
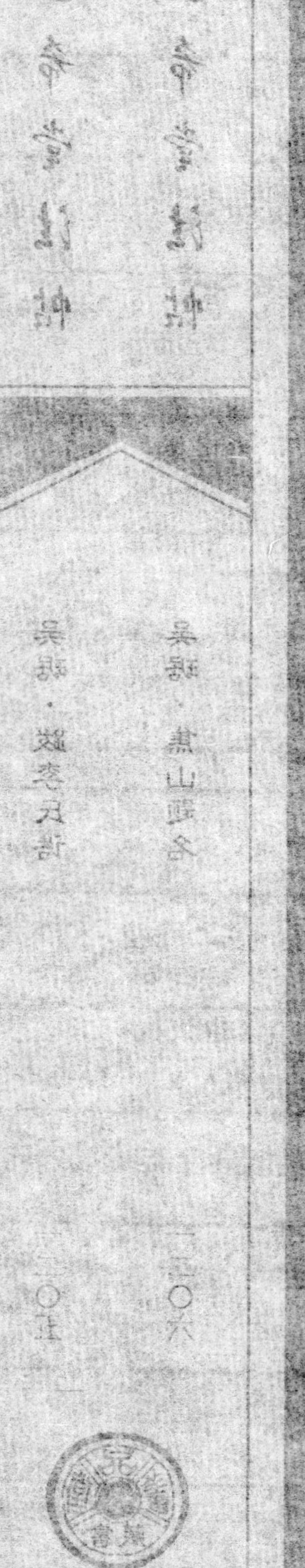
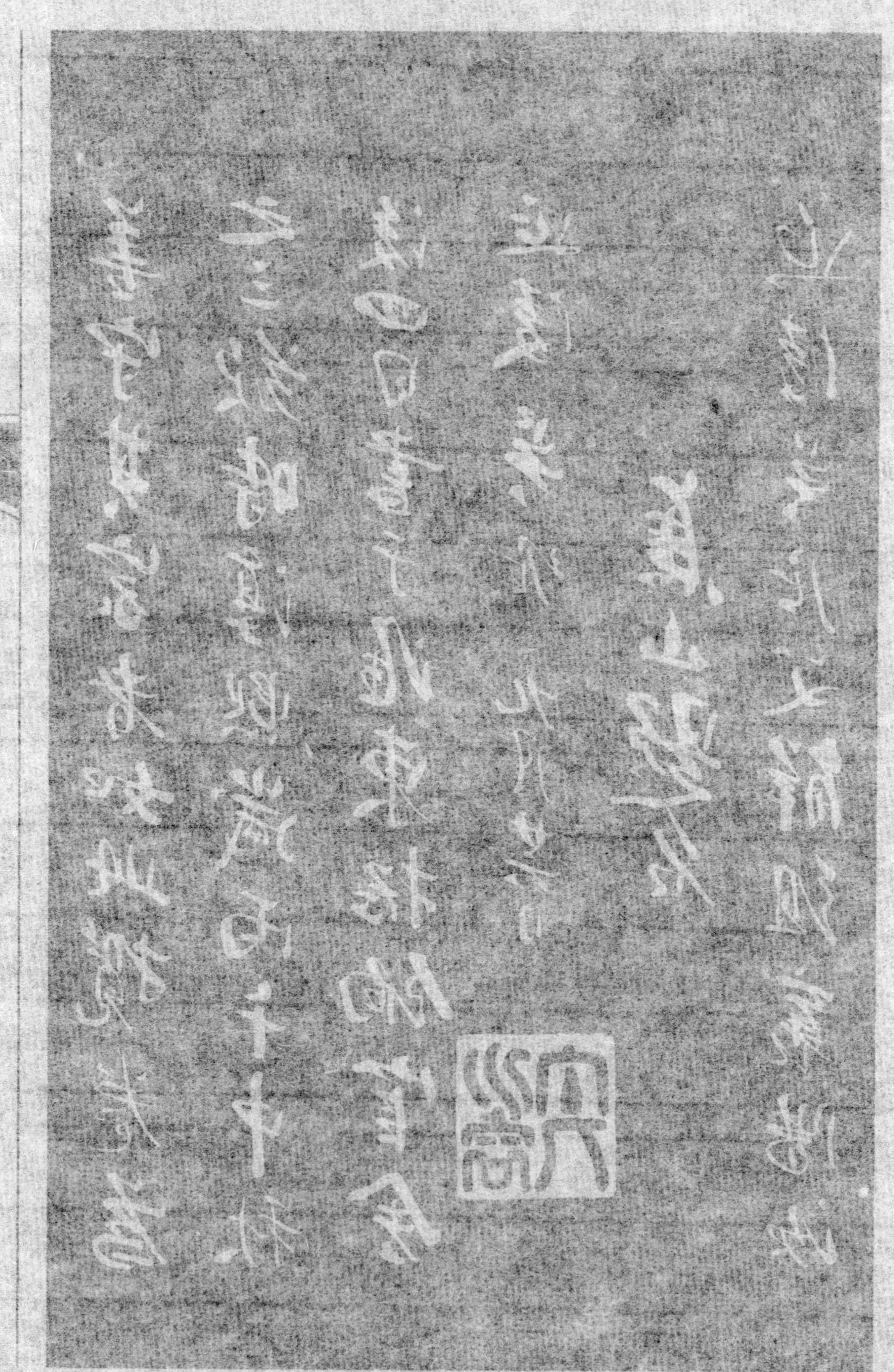

陰[illegible]子開州常州度[illegible]一時
秋潮般舟東下泊紫金山越
三日來浮玉觀新建飛仙亭
又三日絕江而南紹興辛巳
季秋丙寅題
比卷﹑附書後亦在下

三希堂法帖

旬可到進中收十月言
手筆并詩深以為慰
示喻﹑卷襄州之行非
所惜也不謂以常式辭
免就降改命琚辭難

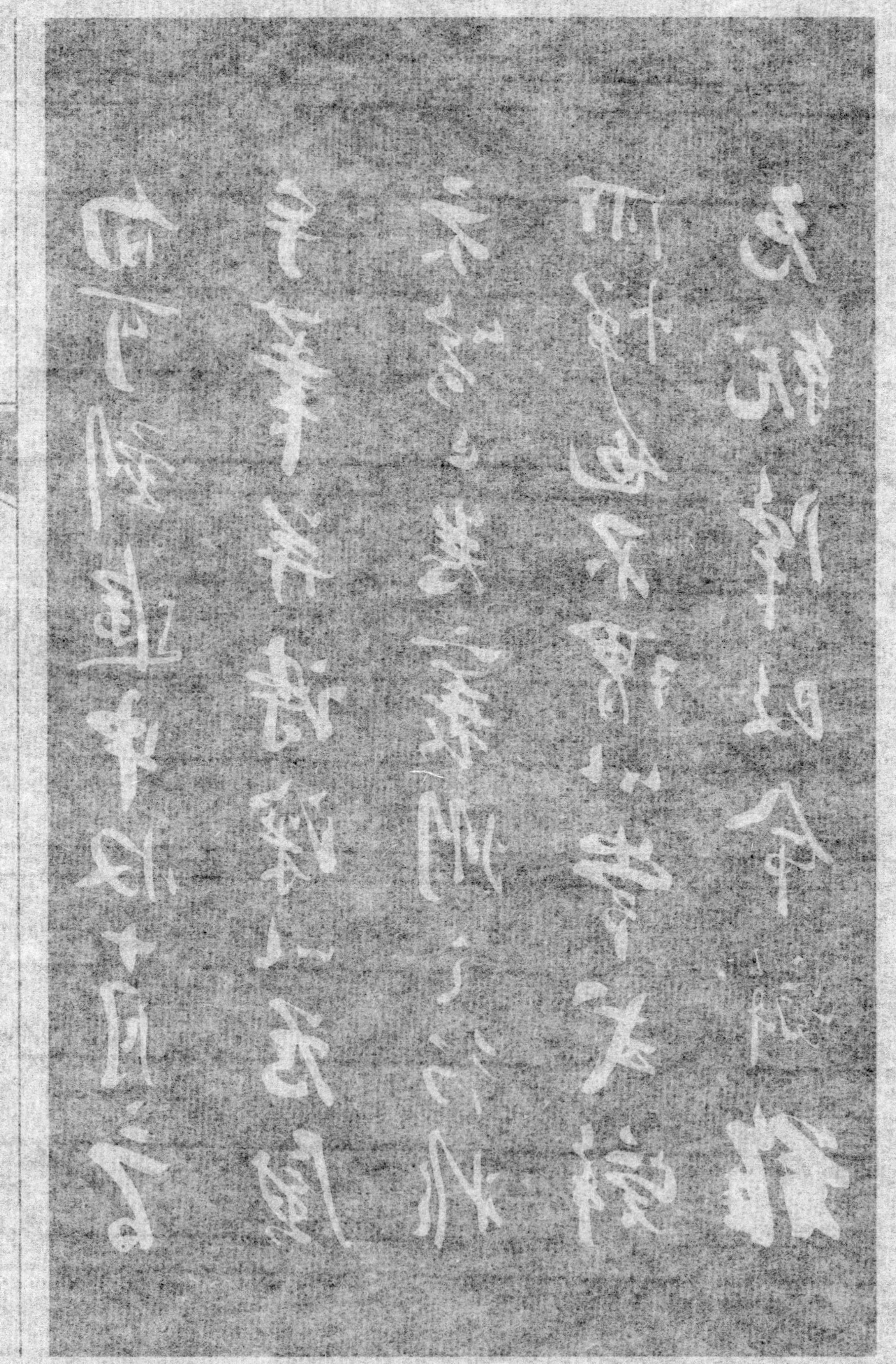

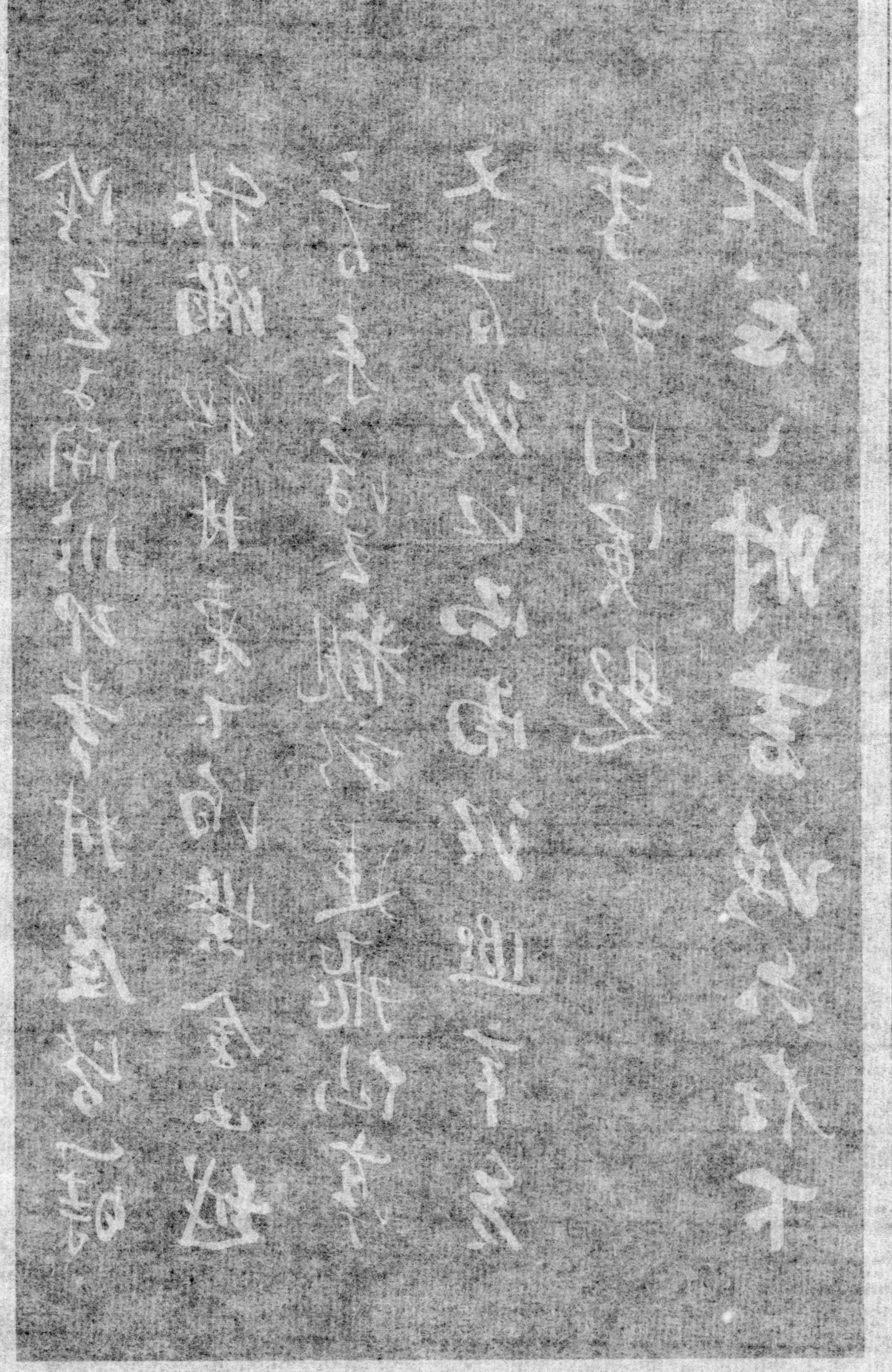

雖年何以自文罪知閱

古之意有今必有定論

矣十九日入魚西界受劄

安撫司職事廿日方得

將差劄子已具辭免且

三希堂法帖

吴琚·与寿父书帖

在郢州境上伺候回

陳若省劄更遲數日

則已到襄陽郢去襄

只二百餘里江陵亦然

歲晚客裏逢迎不

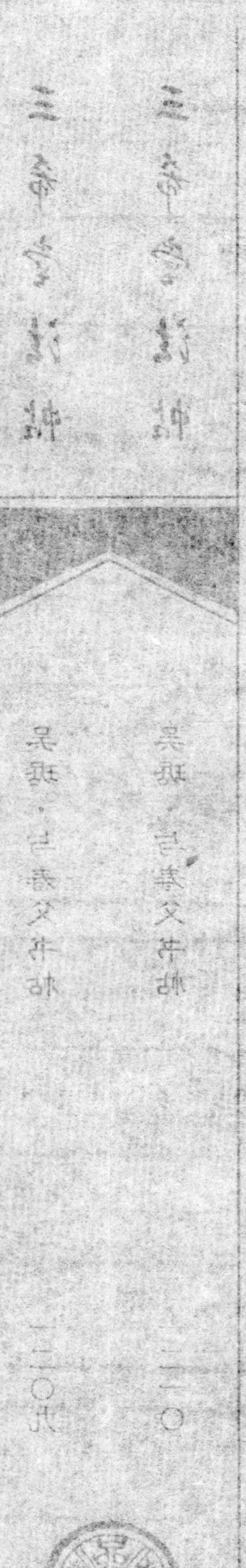

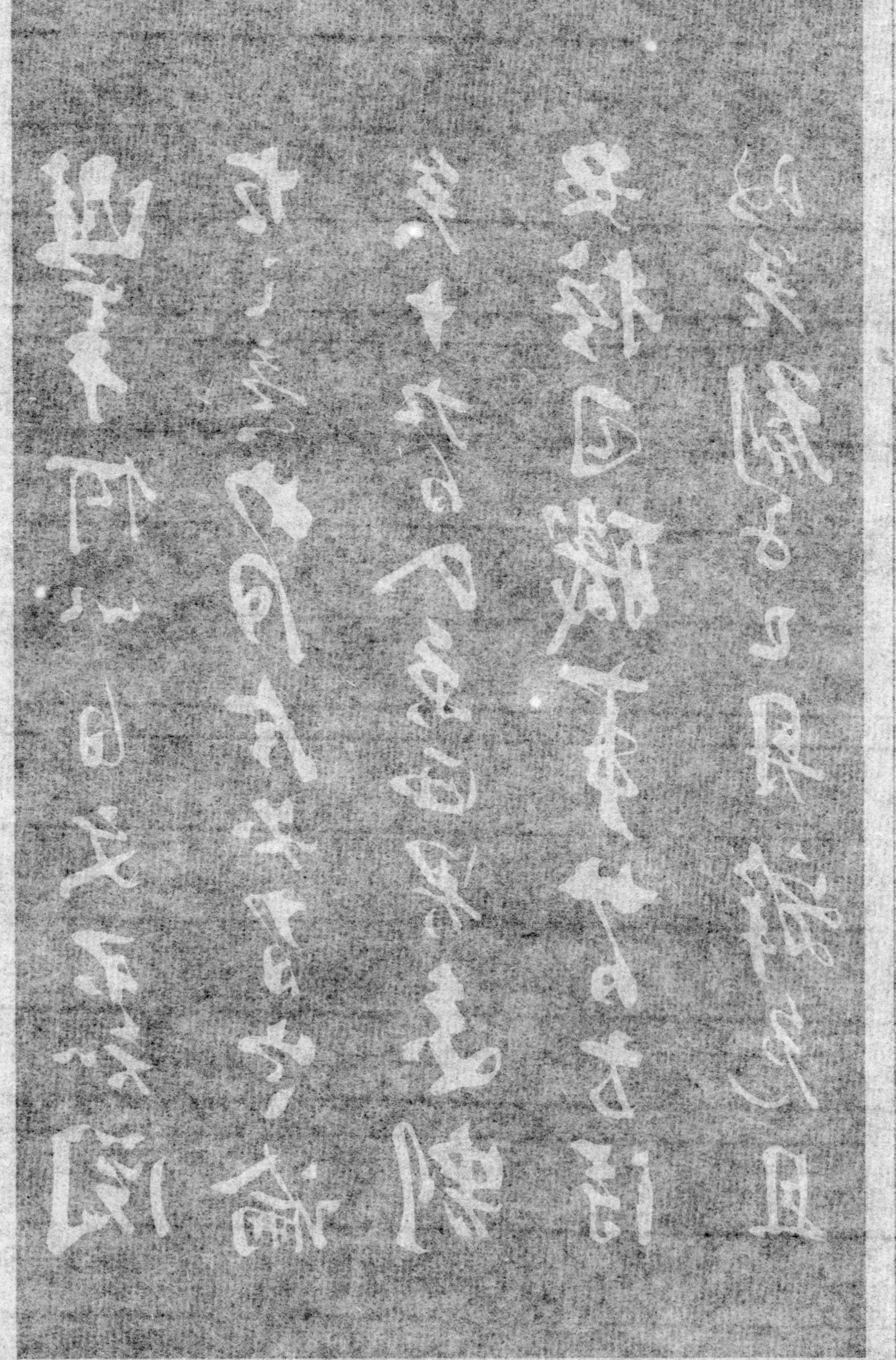

能勢須等候月十日方
見次第地遠往返動
是許時去官非便留此
數也旅中燈下作此亦
不盡意餘希加愛不宣

十月廿日琚上
壽父判事契兄
吳琚

筆勢峻峭絶似元章

宋朱敦儒書

三希堂法帖

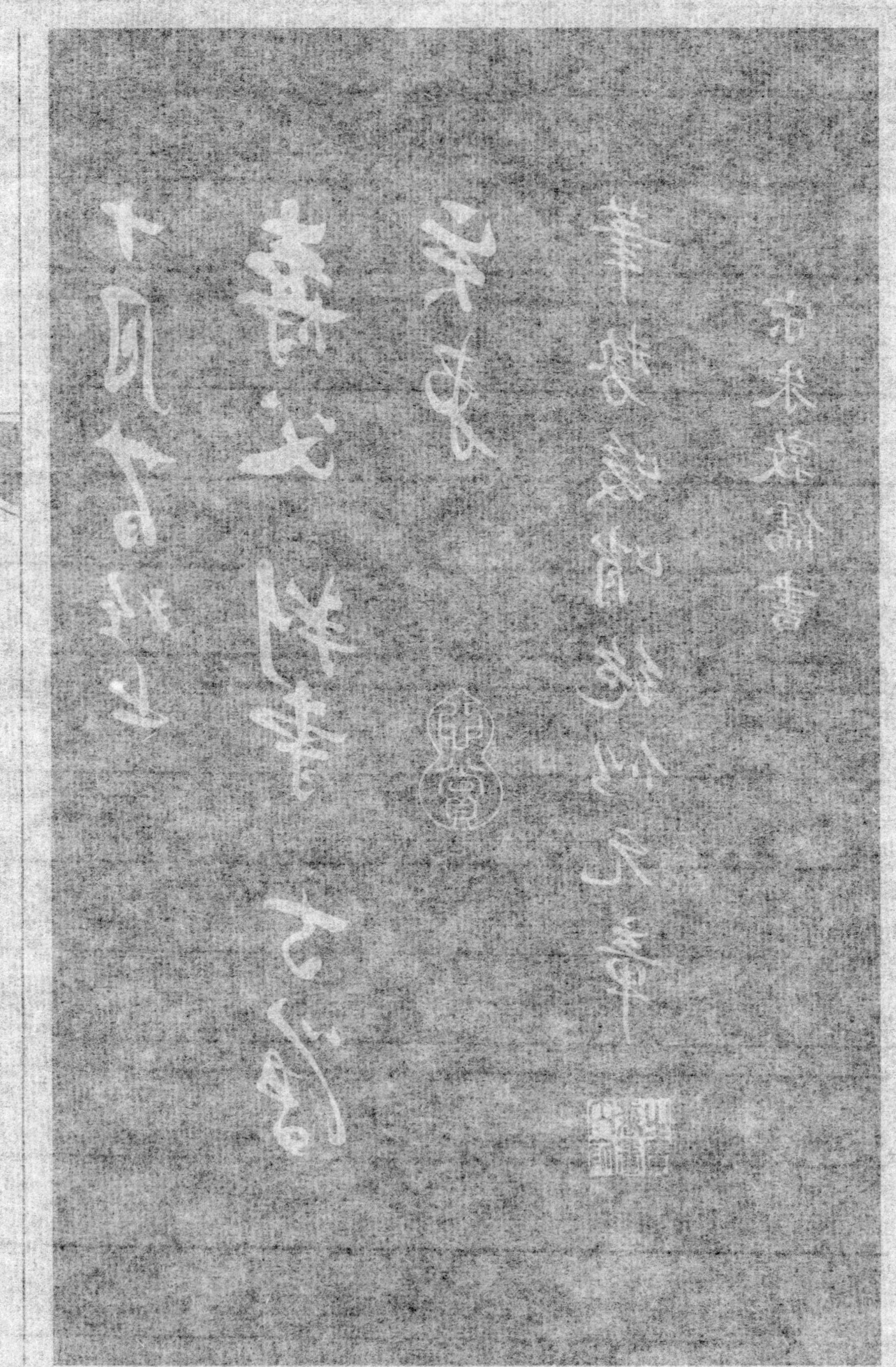

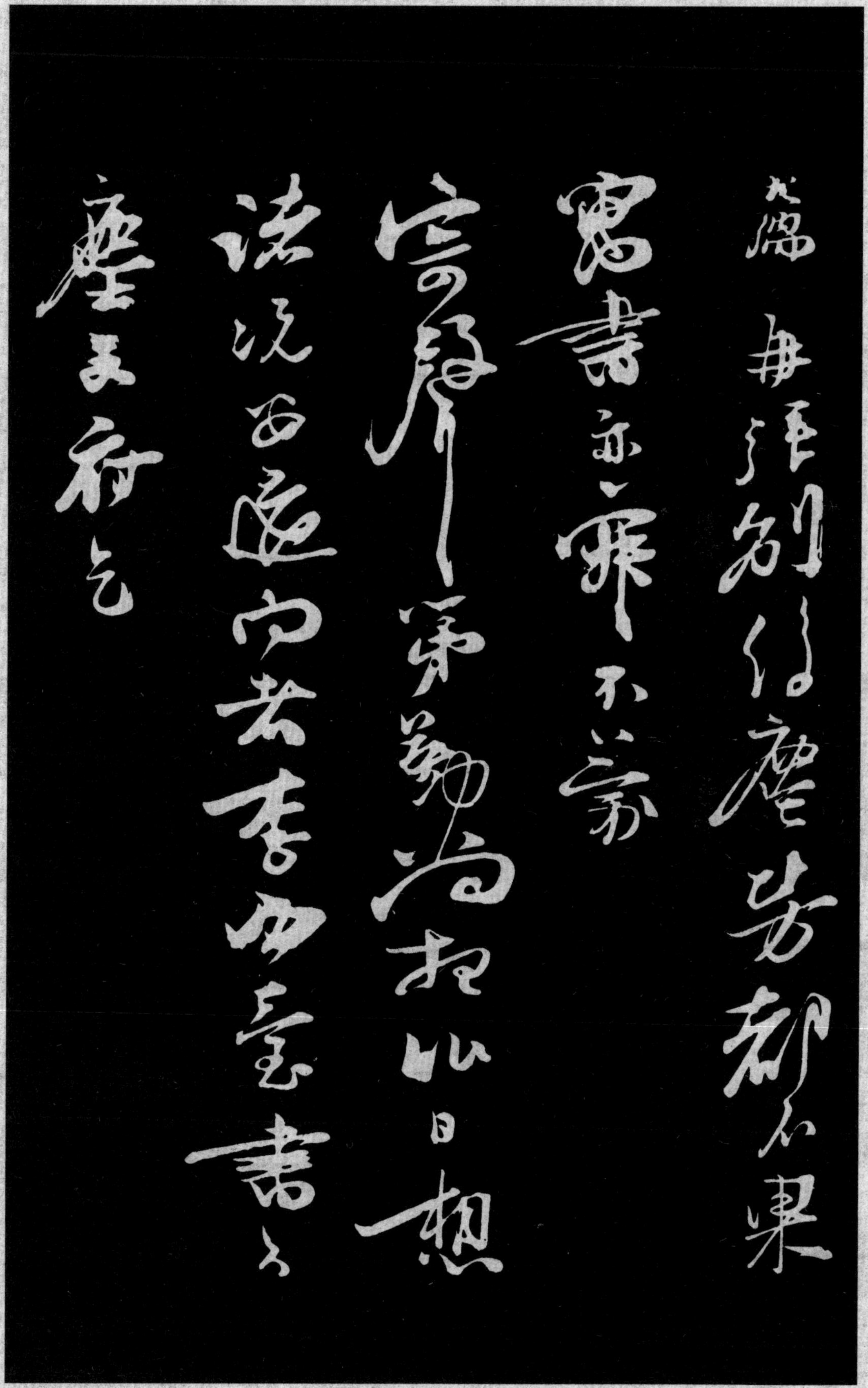

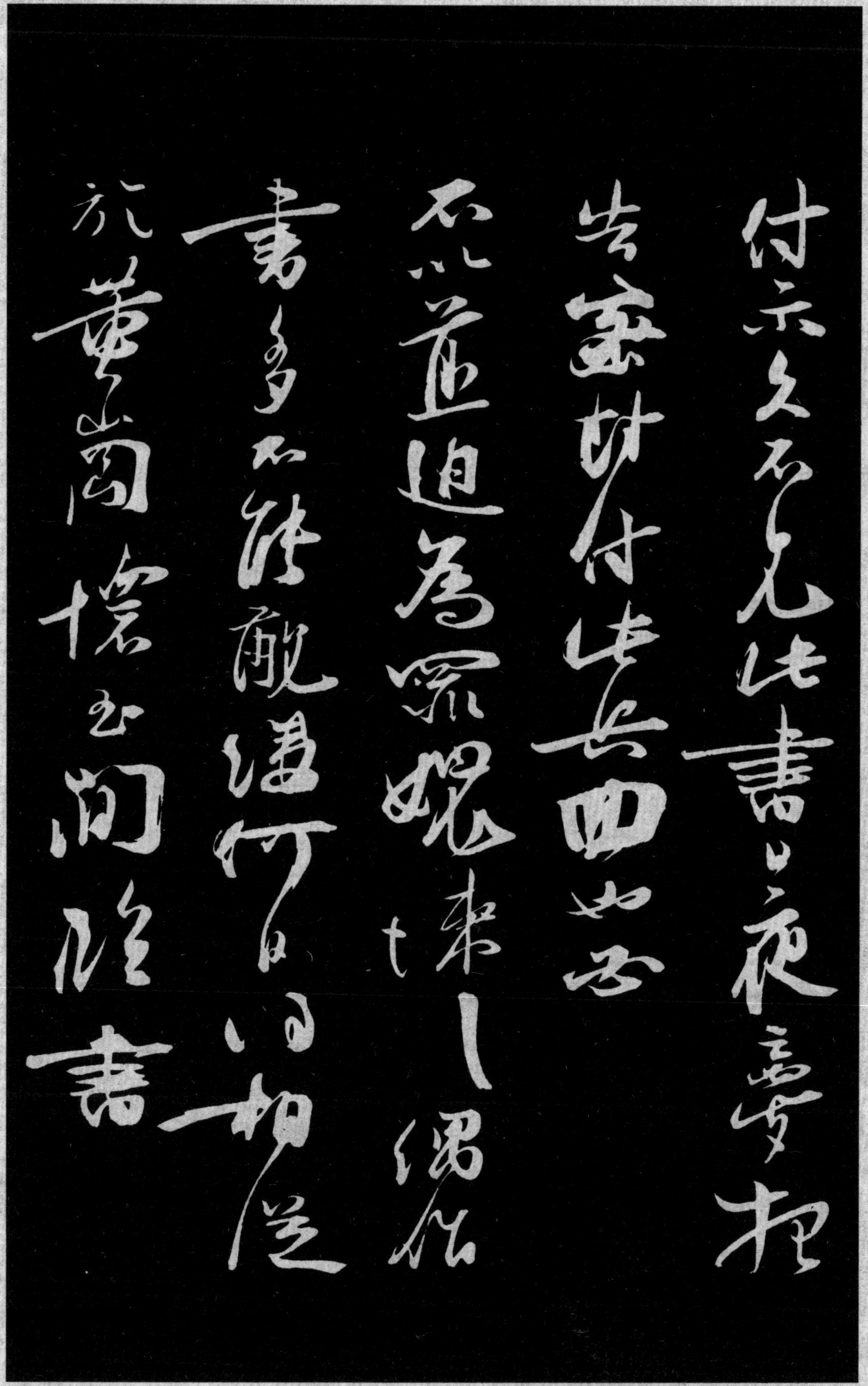

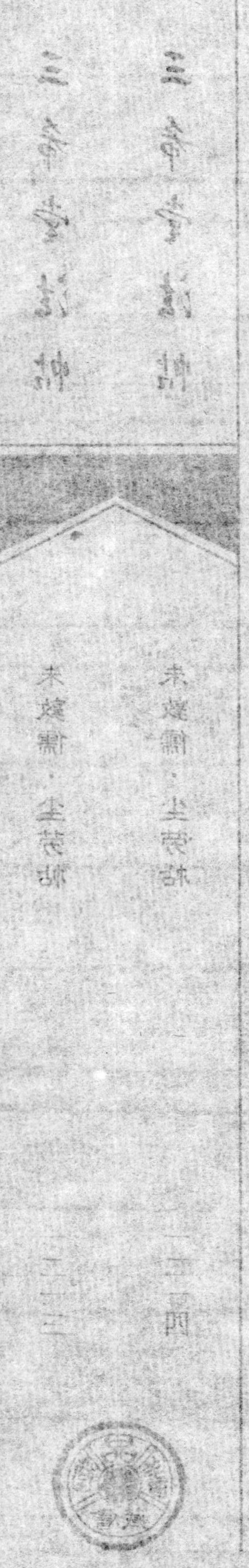

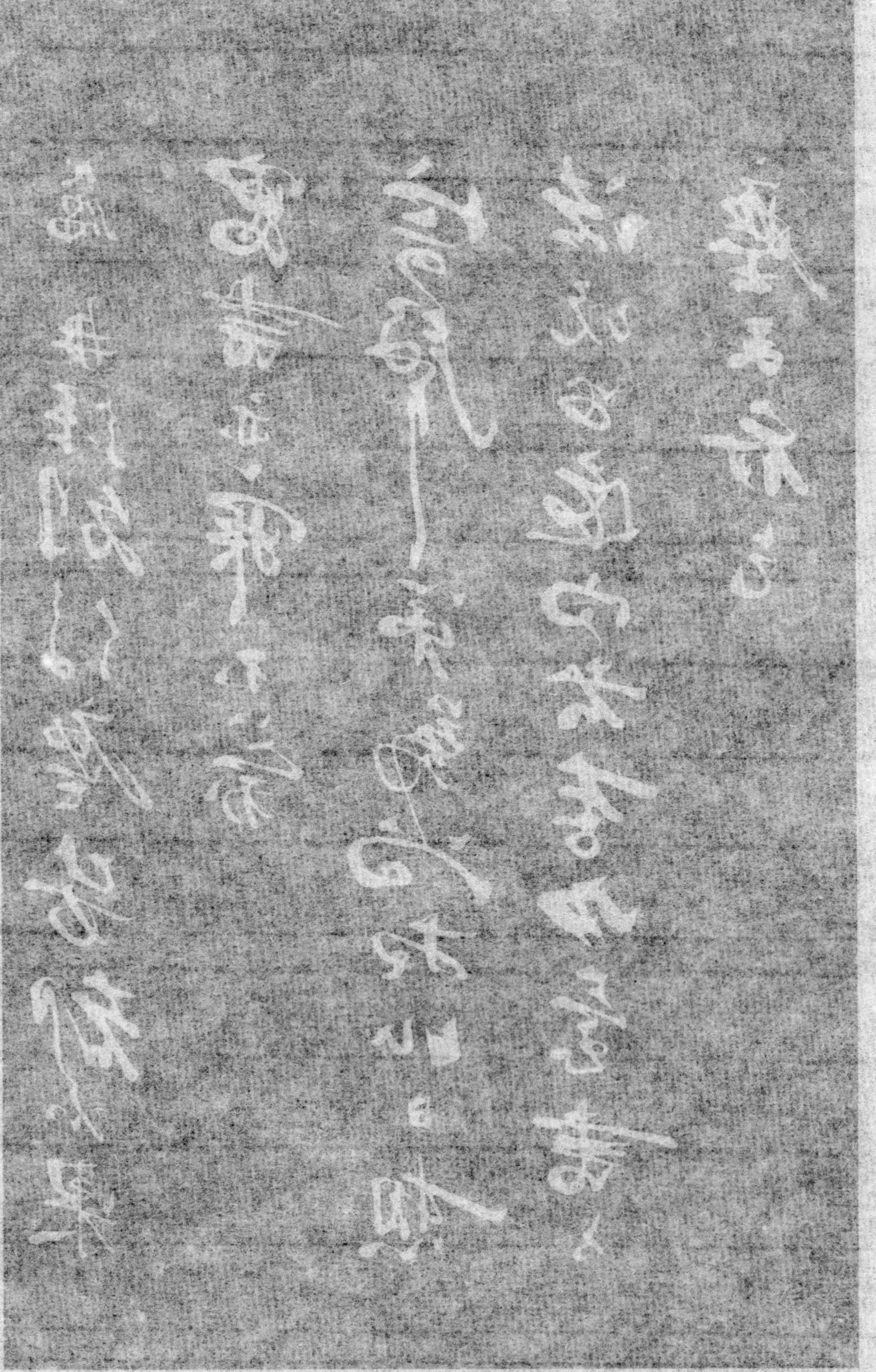

宋趙令畤書

令畤頓首

惠翰伏承久雨

起居佳勝蒙

餉梨栗愧荷比拜

上恩賜茶分一餅可奉

尊堂餘藥

為時自愛不宣

三希堂法帖

赵令畤·与仲仪帖

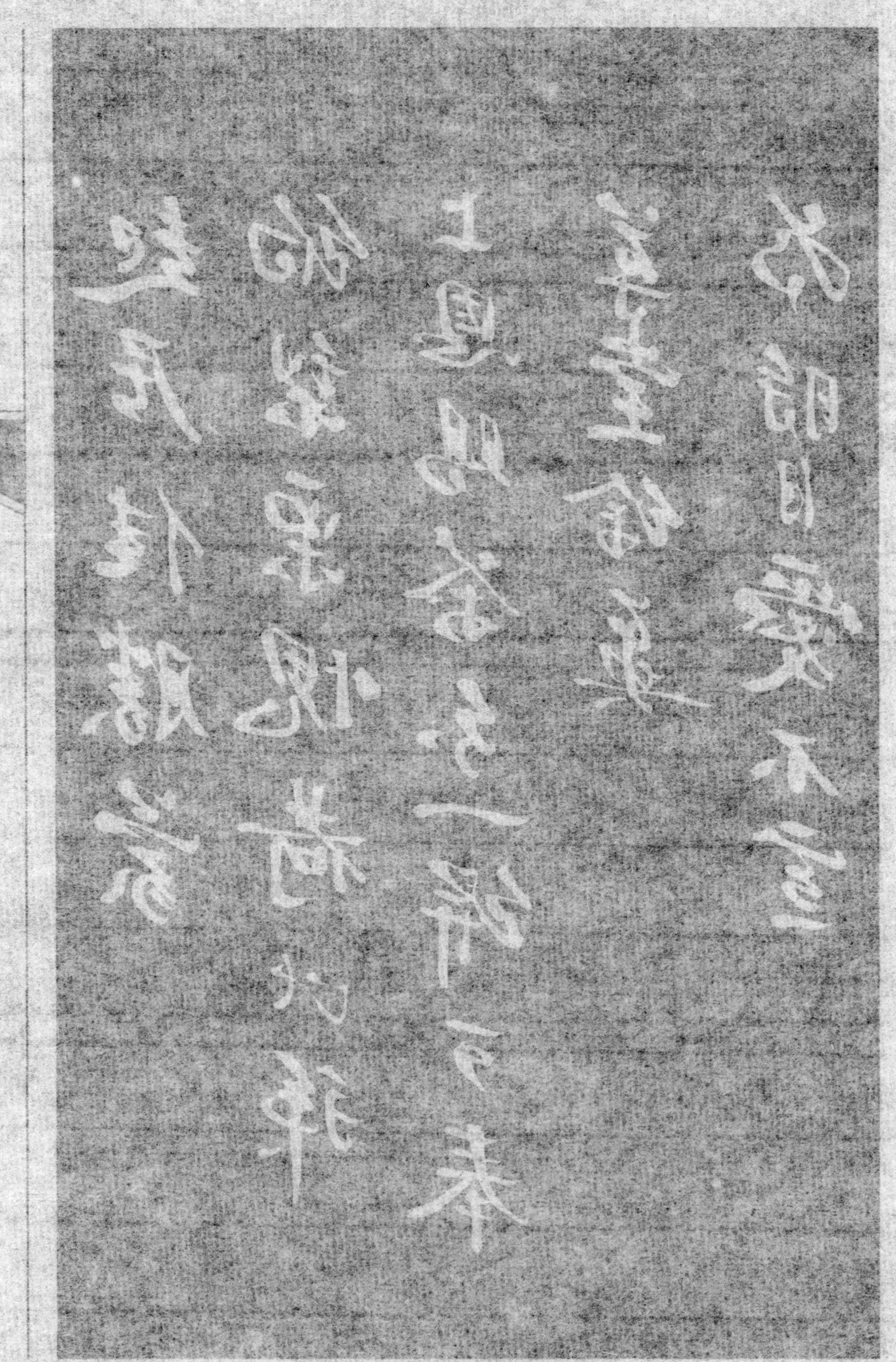

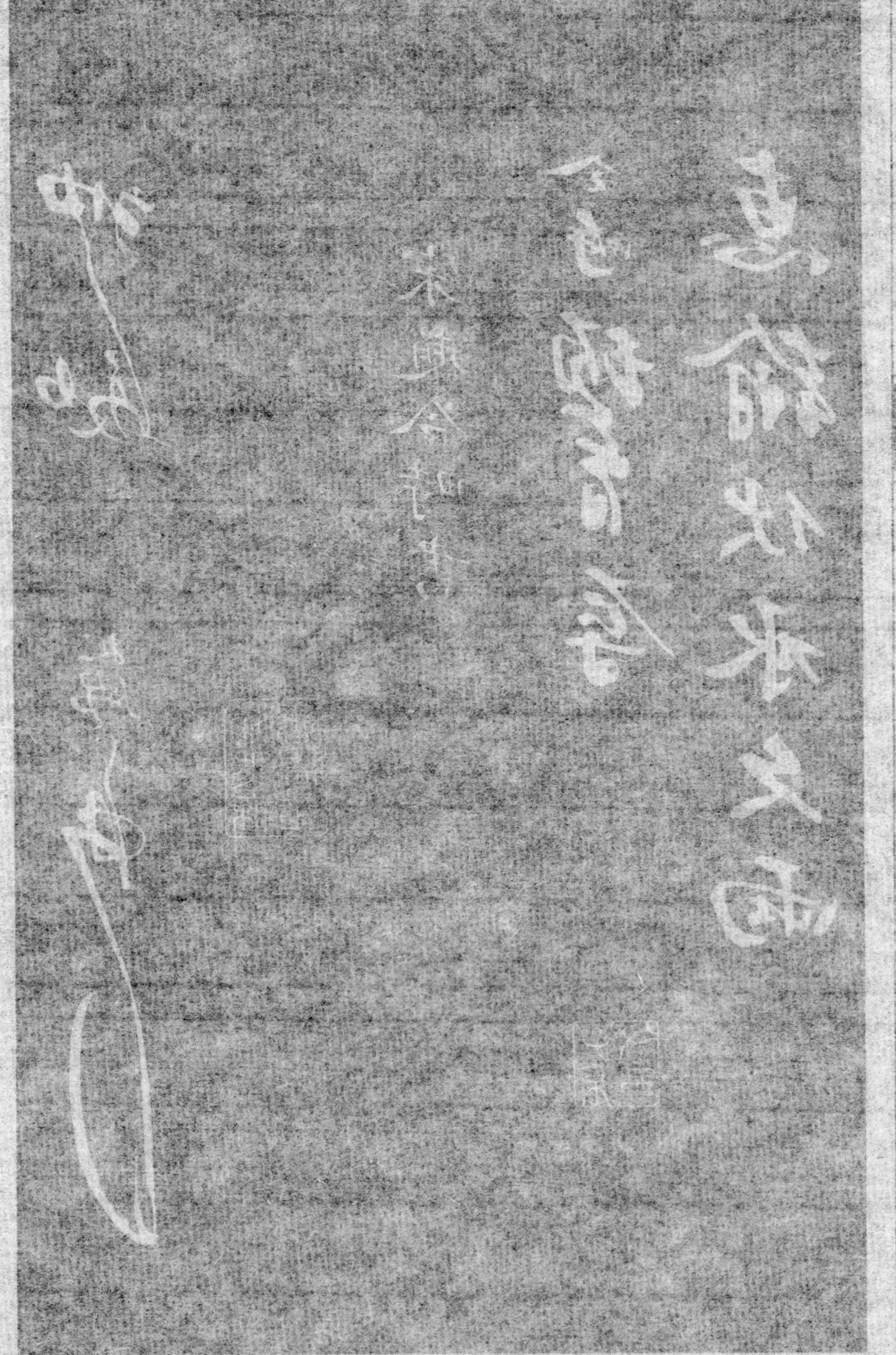

今時 頓首
仲儀兵重宣教
八月廿日

臨川王氏

宋史浩書

三希堂法帖

史浩·霜天帖

浩 伏以霜天勁凜恭惟
觀使大觀文丞相珍館靖夷
神明扶祐
鈞候動止萬福 浩 衰老請
掛冠已荷
聖恩垂允兩叨冒過分寶不遑寧自
非疇昔收奬有素何以得之
感佩銘不容言未由面謝臨
風悵然尚冀惠時倍萬

保厚以遲
再入之寵不任懇懇之劇
右謹具
呈
太保保寧軍節度使魏國公致仕史浩劄子

宋范成大書

三希堂法帖

范成大·垂诲帖

三希堂法帖

范成大·垂诲帖

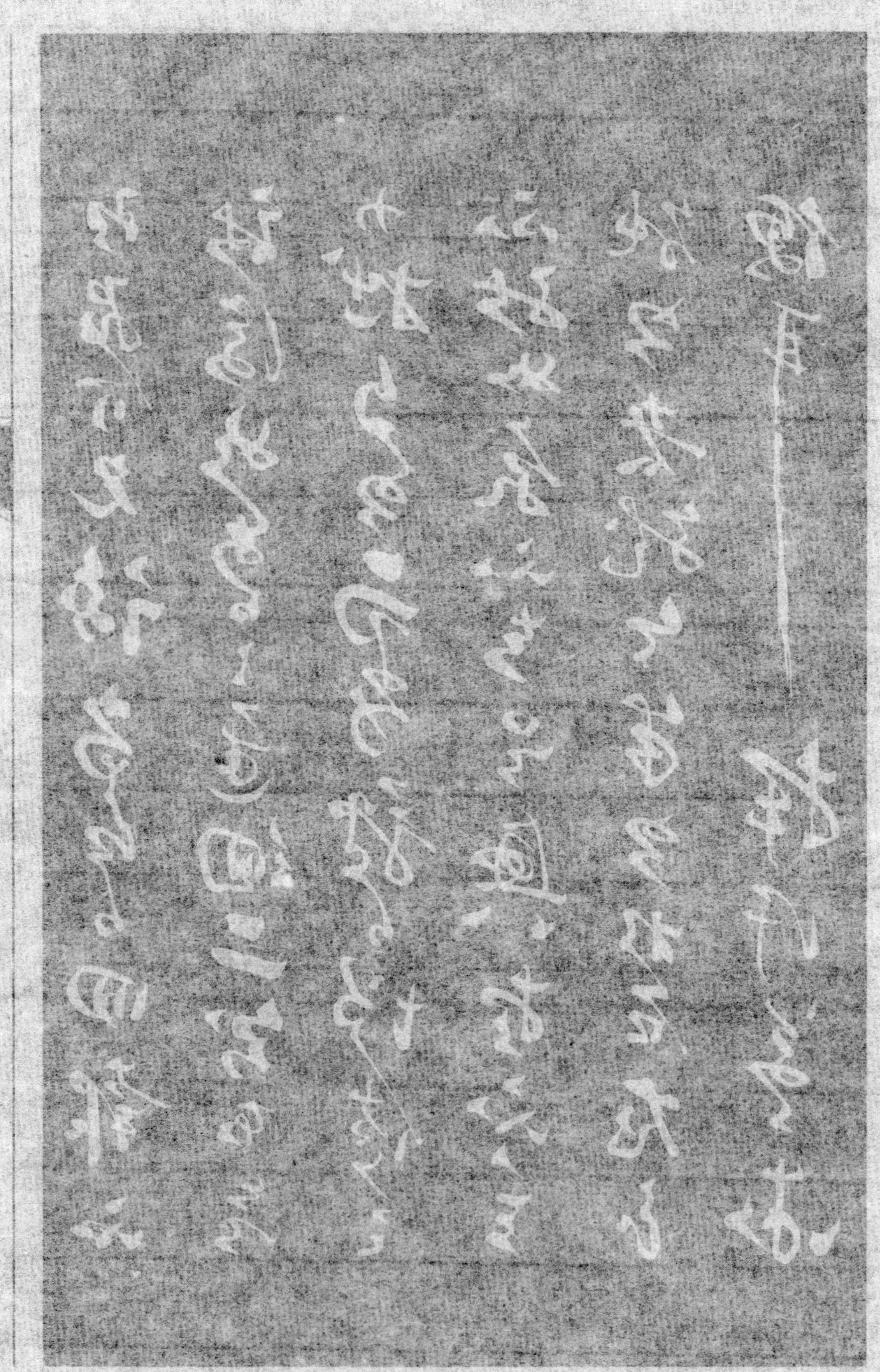
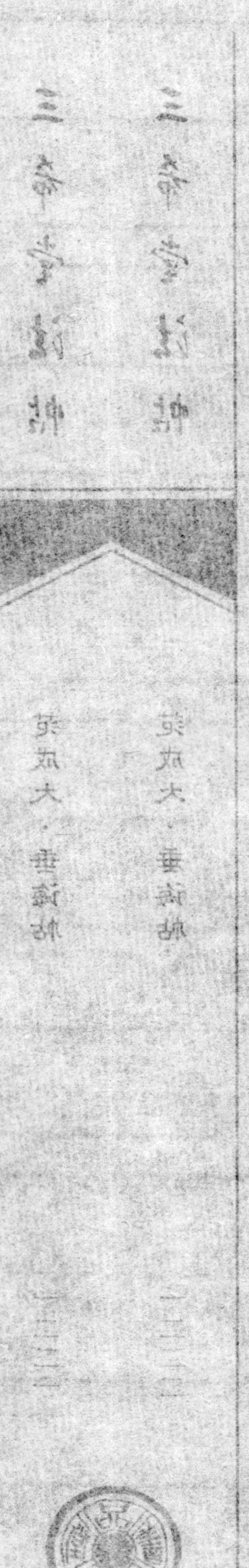
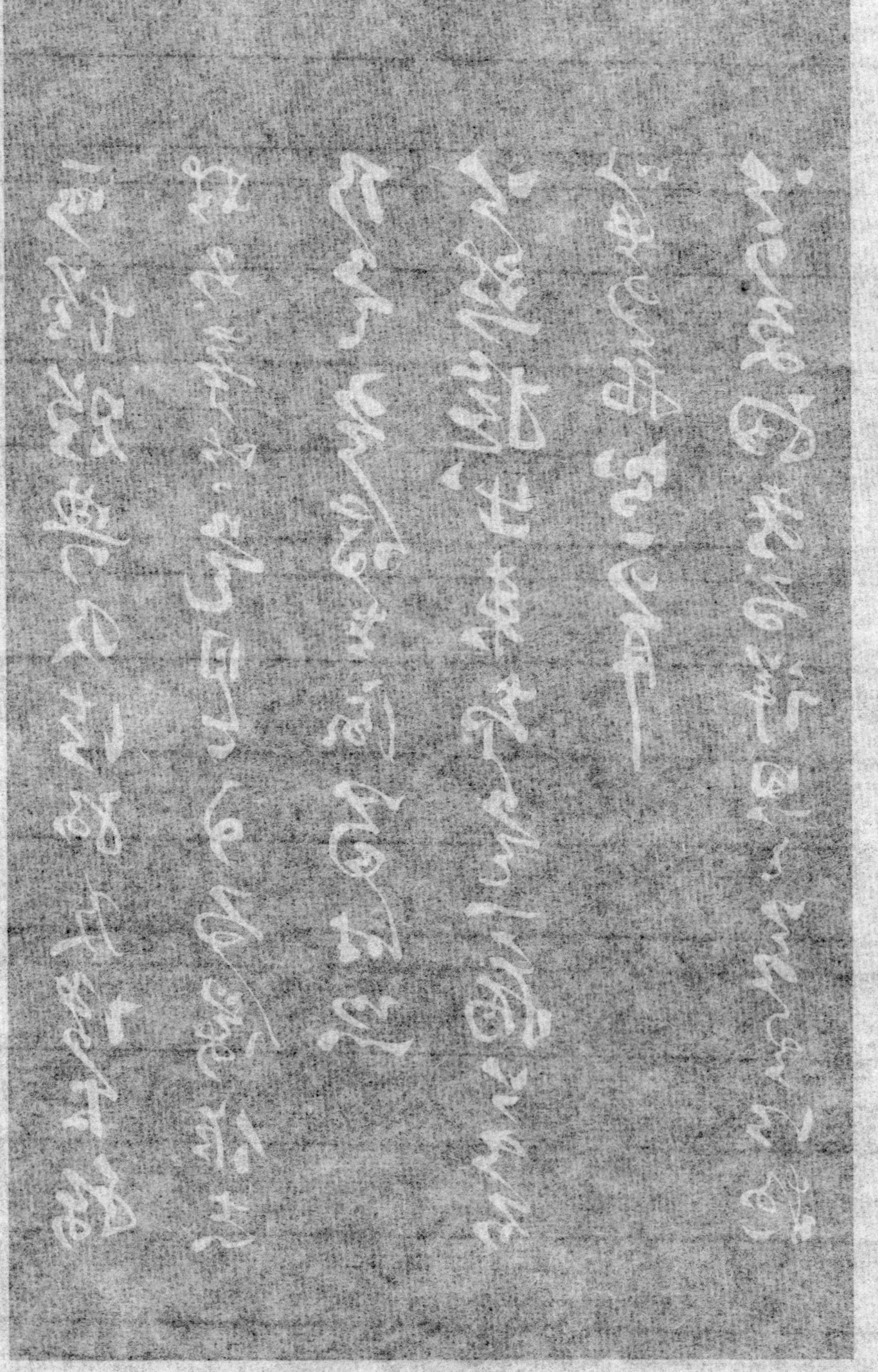

三希堂法帖

范成大·与先之帖

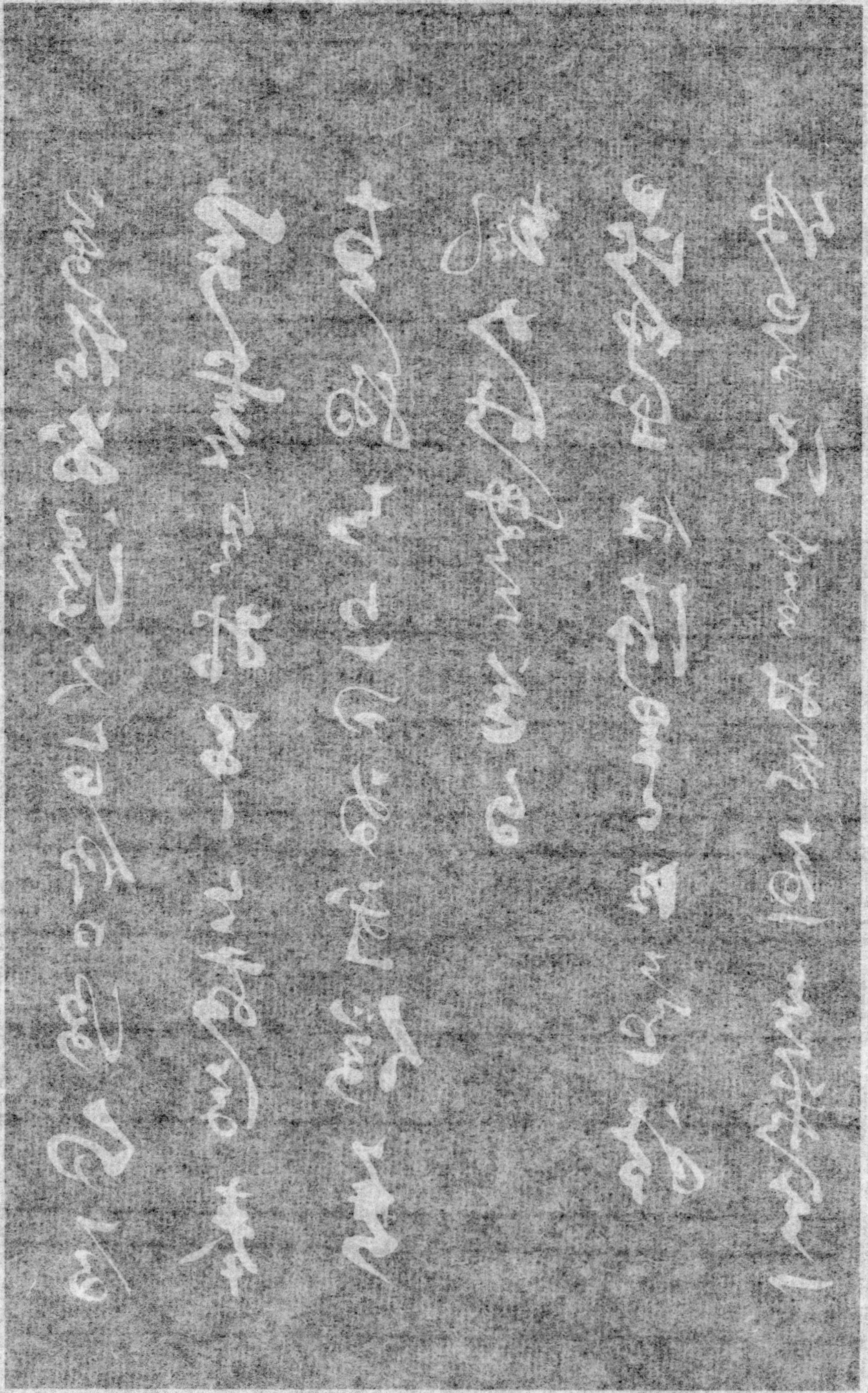

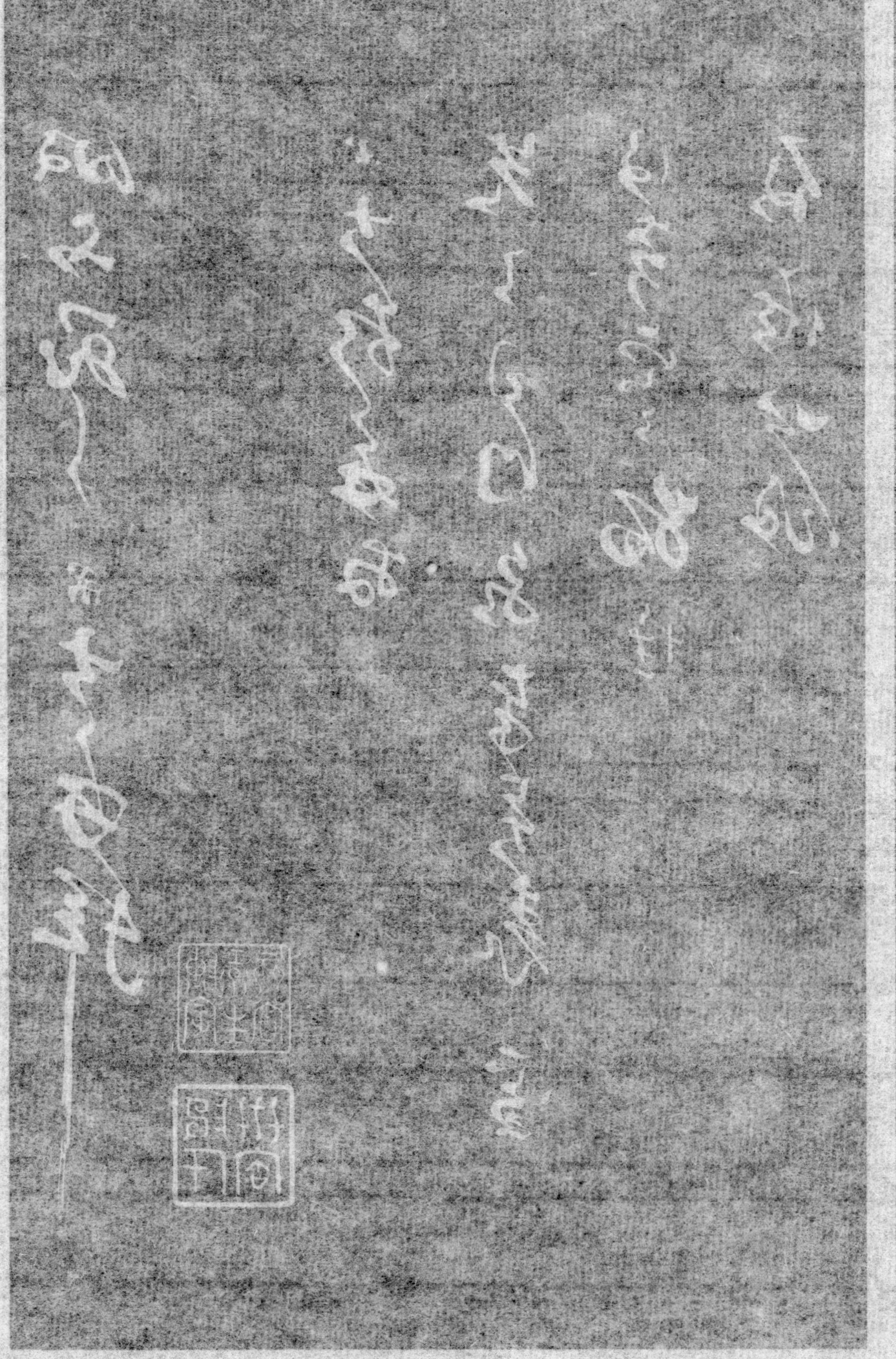

三希堂法帖

范成大・与先之帖

三希堂法帖

范成大·与养正帖

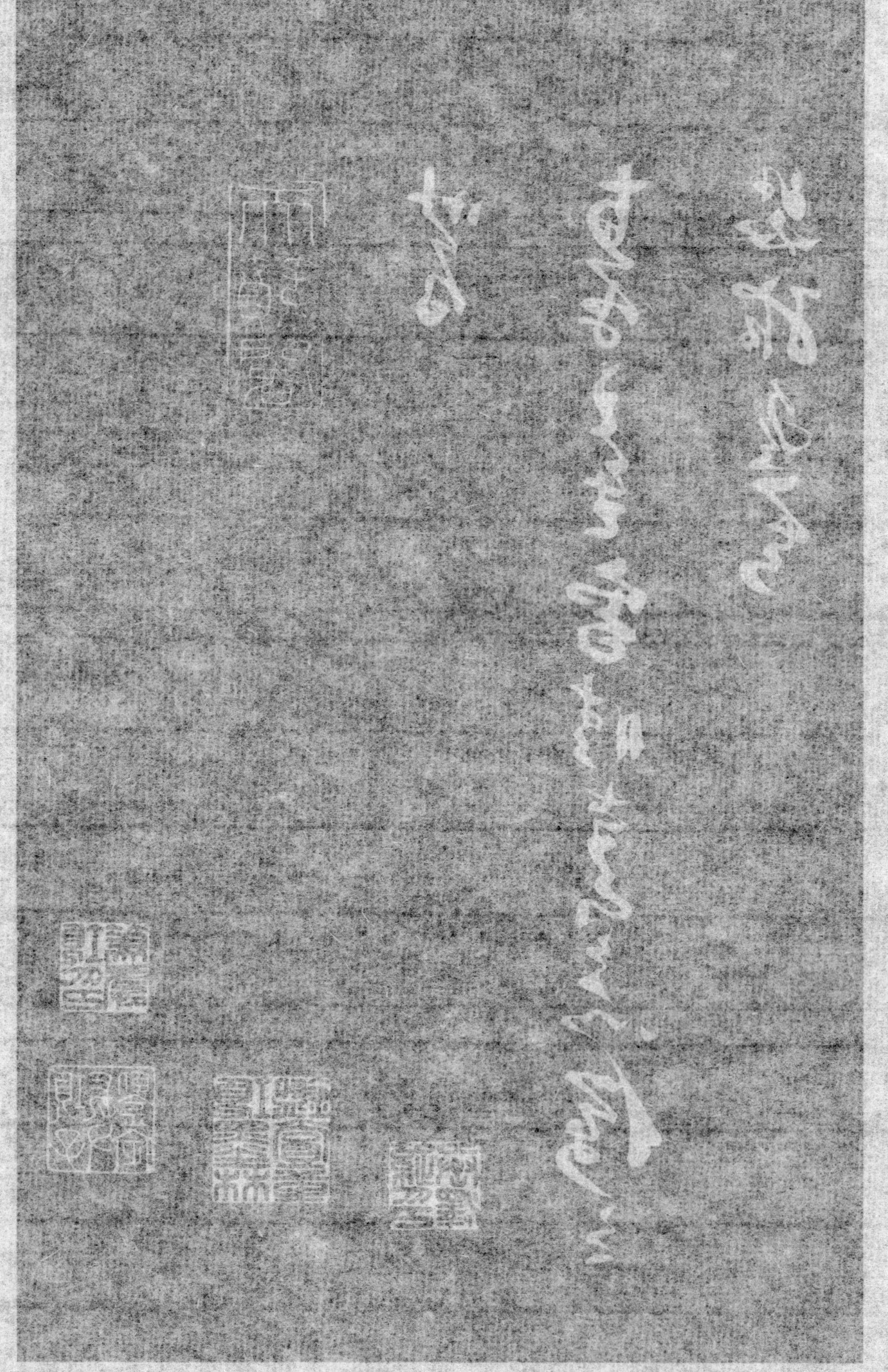

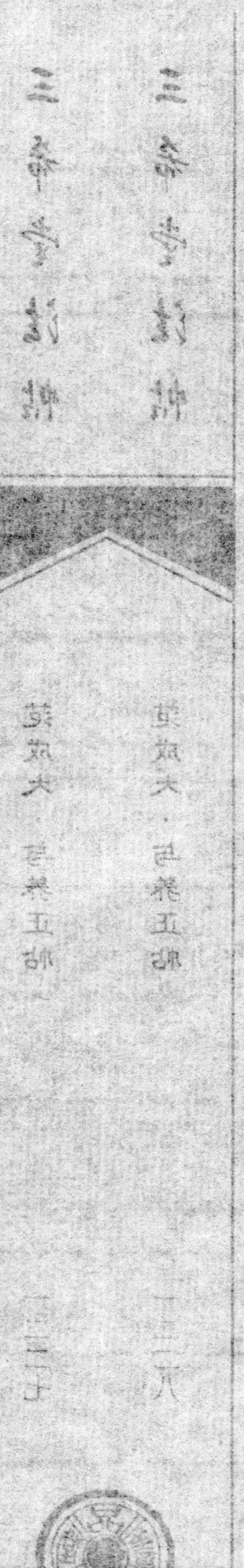

三希堂法帖 范成大·与养正帖 二二八
三希堂法帖 范成大 与养正帖 二二七

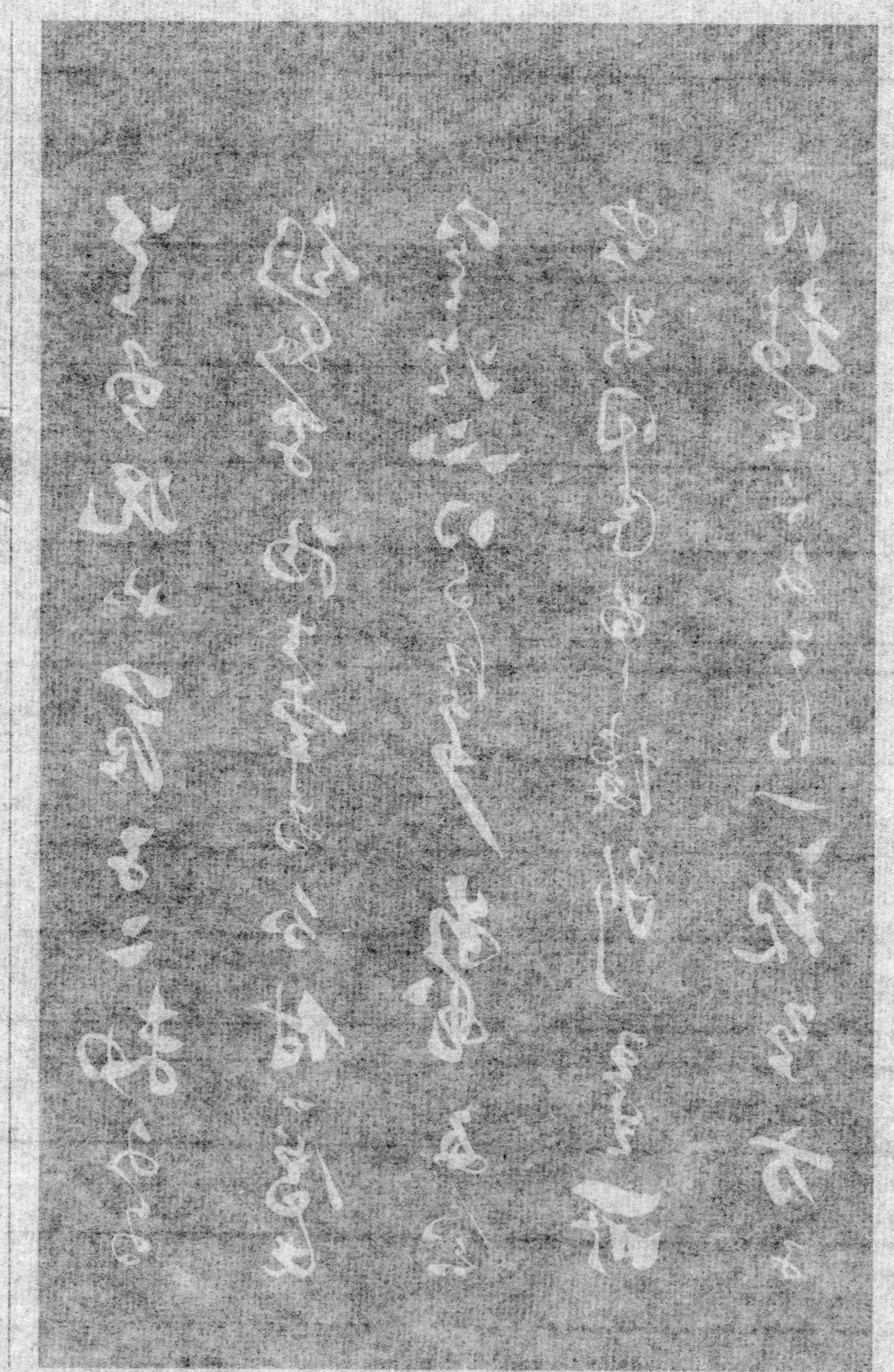

范成大·与养正帖

三希堂法帖

范成大·尊妗帖

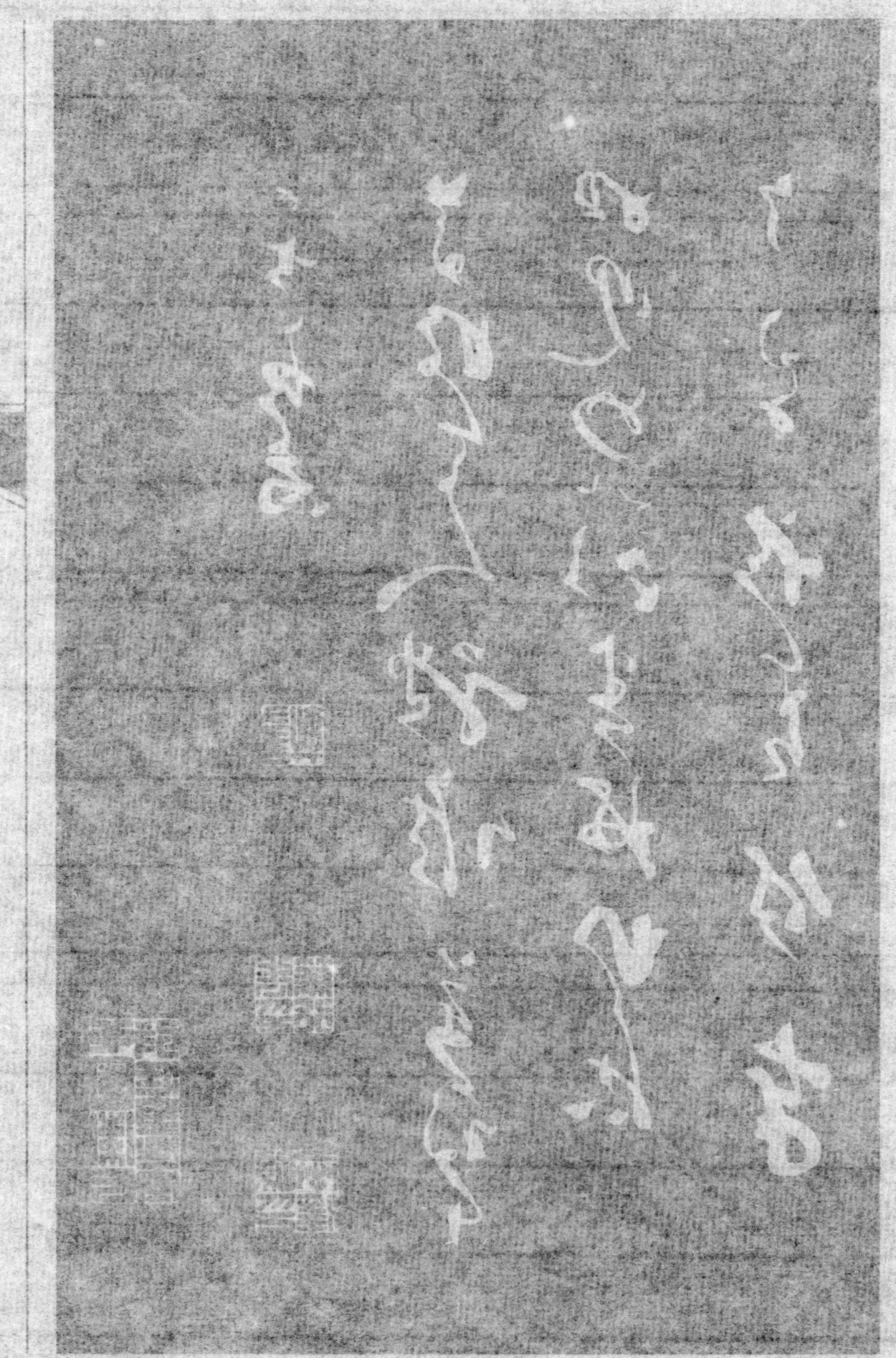

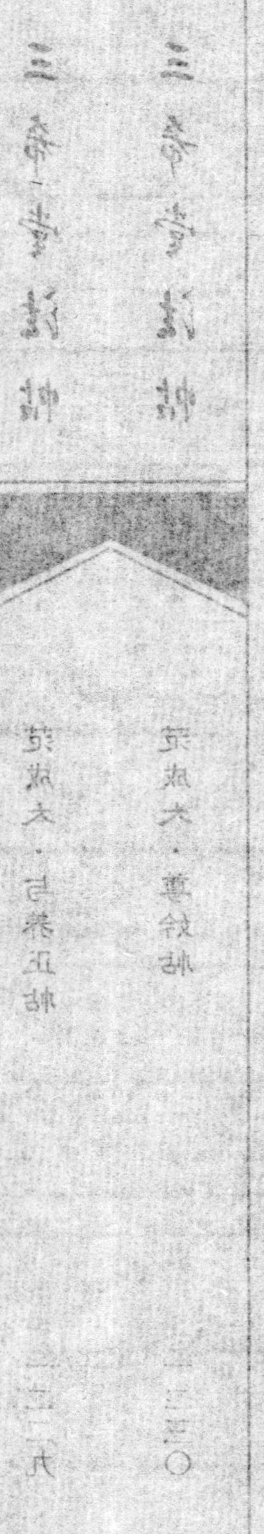

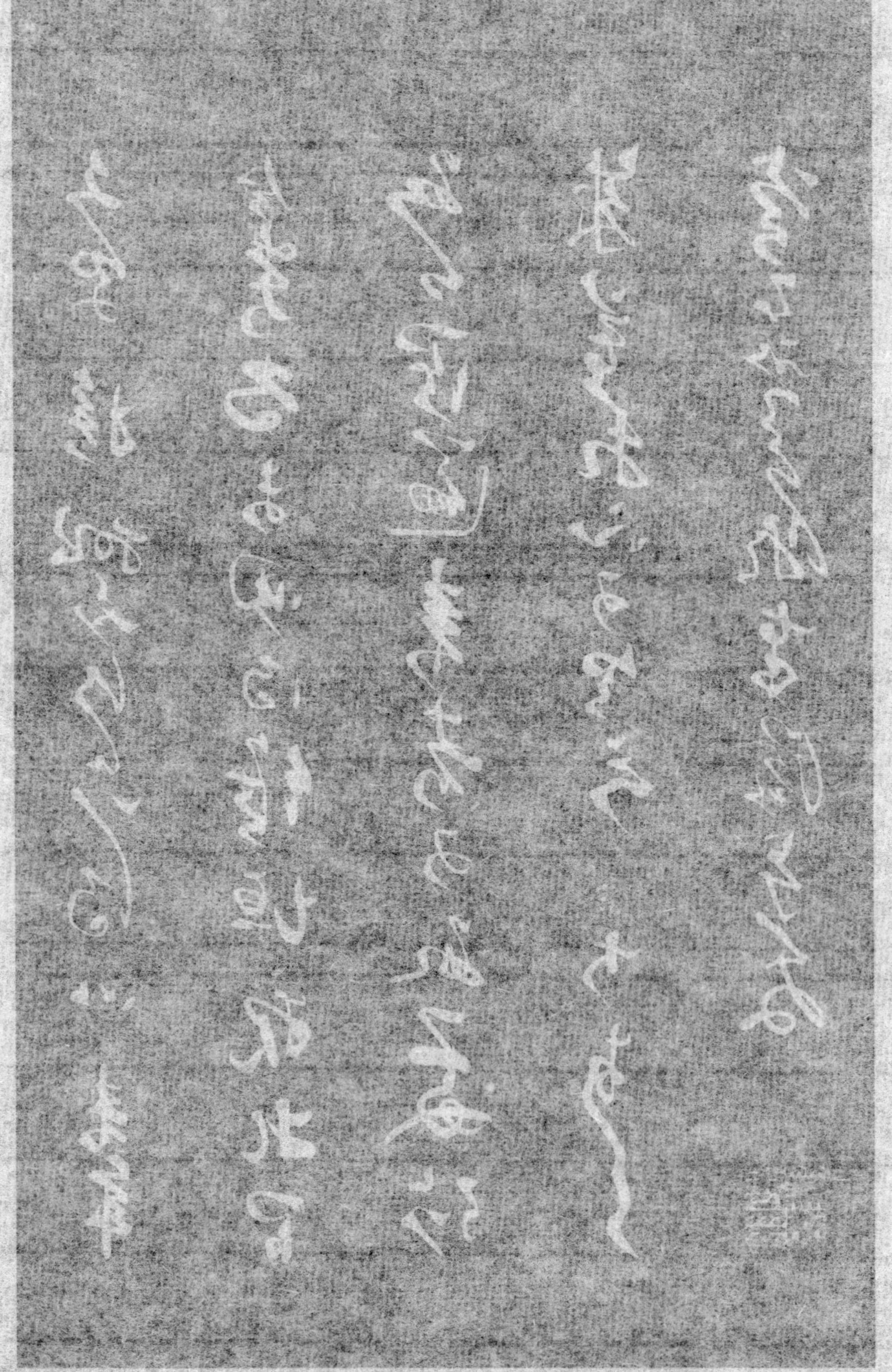

三希堂法帖

宋陸游書

游頓首再拜上啓

仲躬侍郎老兄左右違遠

忽又復累月馳仰無俄頃

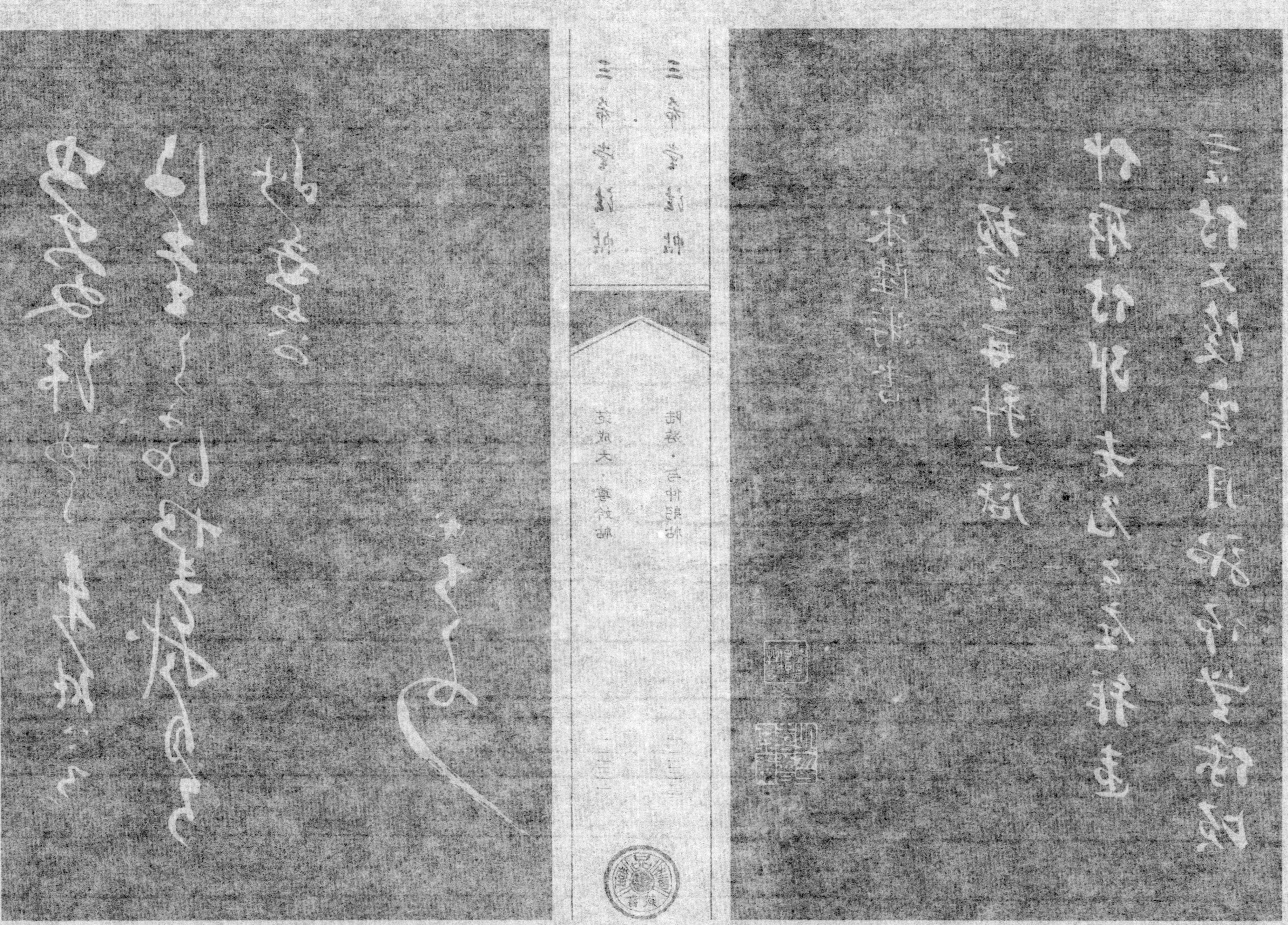
三希堂法帖
三希堂法帖
陆游·与仲躬帖
范成大·垂诲帖

忘所以頤處窮僻距
京國不三驛邈如萬里強聞
獨名聲用當不能以時修
交惟是媿耳東人流殍滿
野今距麥秋尚百日奈何如僕

三希堂法帖

單見至饑又畏剽劫日夜
懍懍而霖雨復未止所謂麥又已
墮可憂境中矣朱元晦出
衢婺未還比以寢食在職事
但恐儒生素不講錢粟有

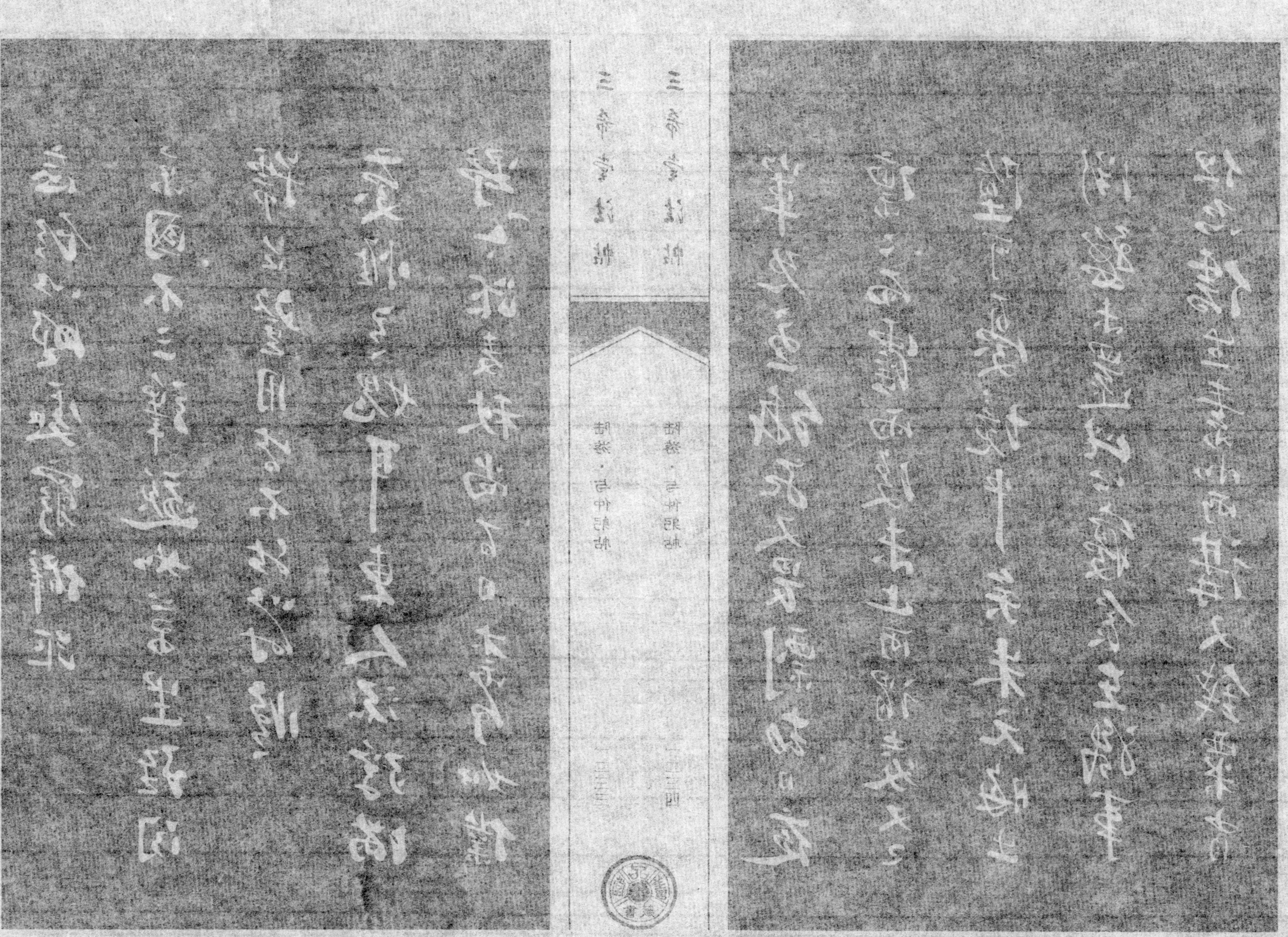

限事柄不顾亦未可责其必能
法此人也而吉老素评秉周尚
有月廪台司亦哀其穷于
赋予盖诗什之禄亦未去
意乃如日望

公共政如望岁也幸皆
察省而冀以时
崇护以需
延登不宣
游顿首再拜 上启

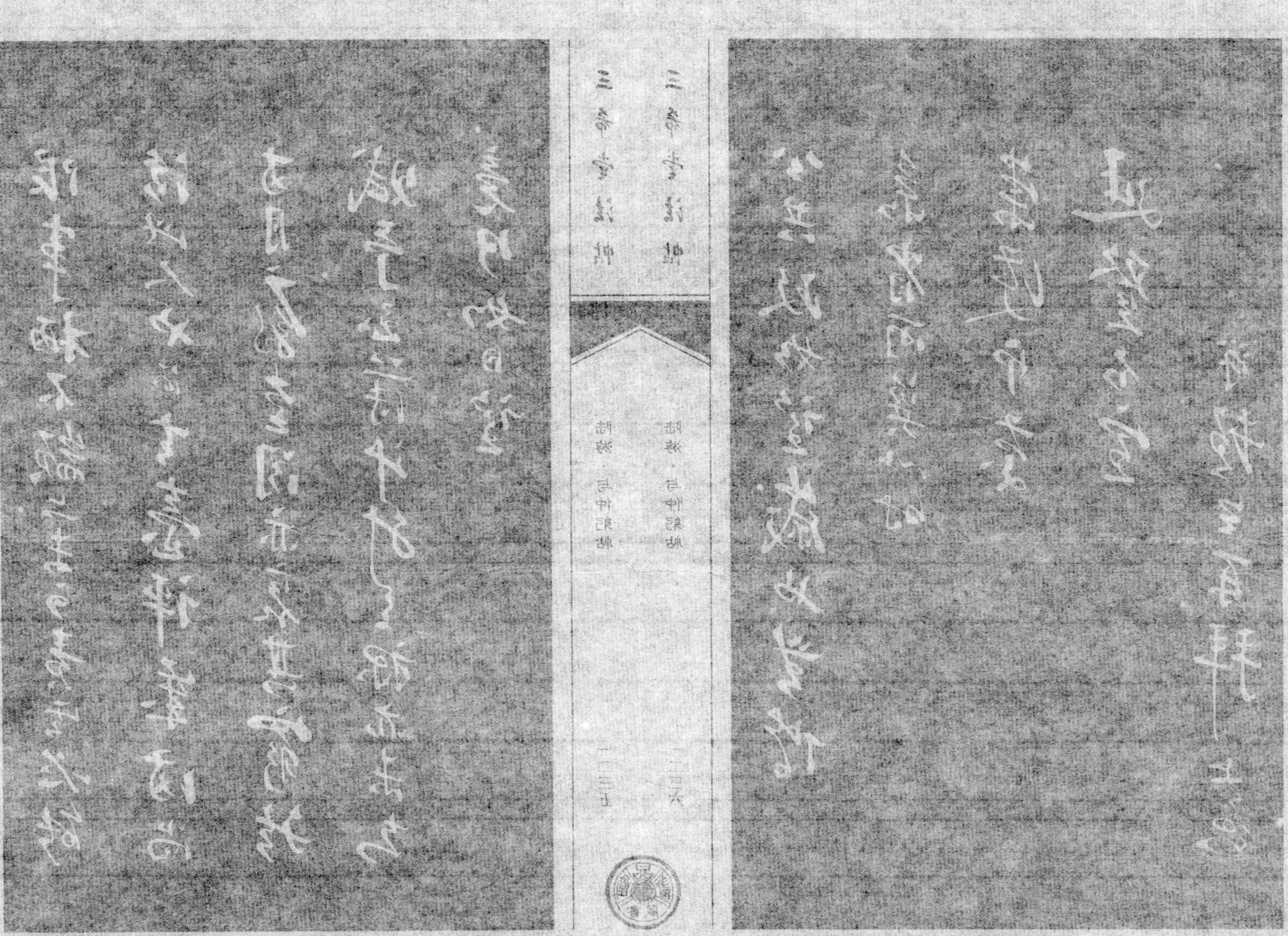
三希堂法帖
三希堂法帖
陆游·自书诗帖
陆游·自书诗帖
二三六
二三七

正月十七

游皇恐再拜拜違
道家忽復許時仰悵
海道未嘗下存念桐江故歌
忽至目寄尚暑懷道塗之寸

而代者猶趣七旬不免用此月
下澣出堂每念臺
門闌心目惧斷然
親友相録亦不通殊月間
使此如風巾一蓬來者
退後生此日深感驅然
惟祈諒之

三希堂法帖
陆游·拜违帖

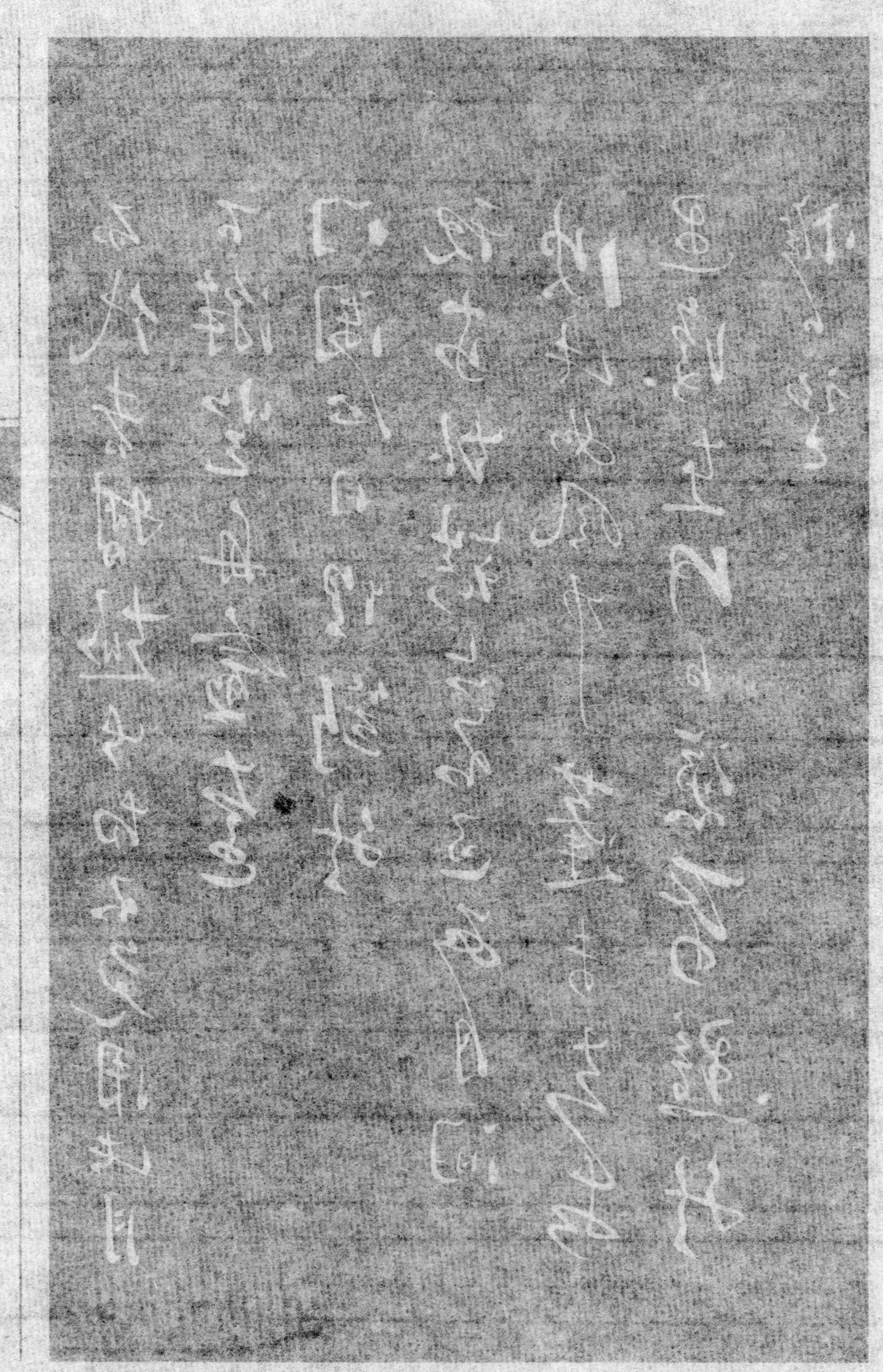

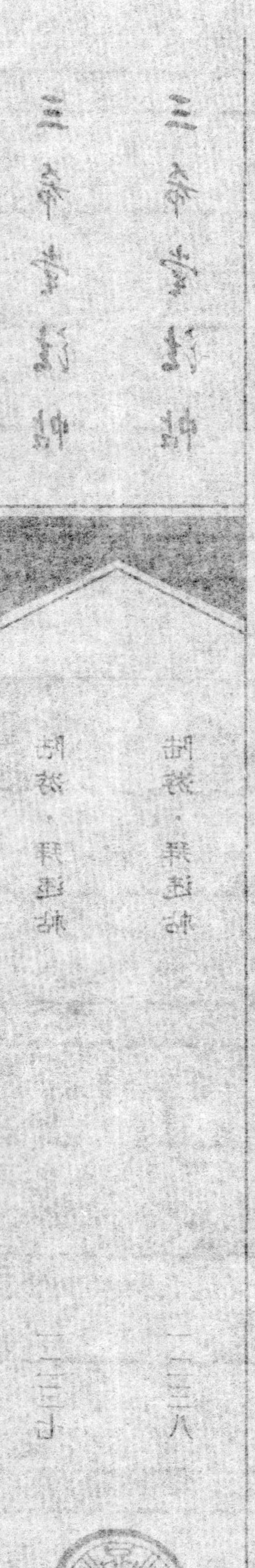
三希堂法帖
陆游 · 拜违帖
二三三八
三希堂法帖
陆游 · 拜违帖
二三三七

吕功遂诗
甚不逮为观产之先生
游生五二月廿五

游惶恐再拜上启
原伯知府判院老兄台座 拜违

言侍遂四阅月区区怀仰未尝
去心即日秋清共惟
典藩雍容
神人相助
台候万福游八月下旬方能引试
昌遂中考毕不自意

三希堂法帖
陆游·与原伯帖
二四〇
三希堂法帖
陆游·与原伯帖
二三九

违此惟时时展诵
近行妙语用自开释耳左右
逢兄欣者
采兴之除今穷籍计奏
欣兴西事开府久矣不可为
使君樽前容命也郑推官

三希堂法帖

佳士当厚
知遇向往由时
府境颇若潦后来不至病岁
伯共材士必已甚相久每中日
融小兄罕诵左氏博议殊
欲仿也未由

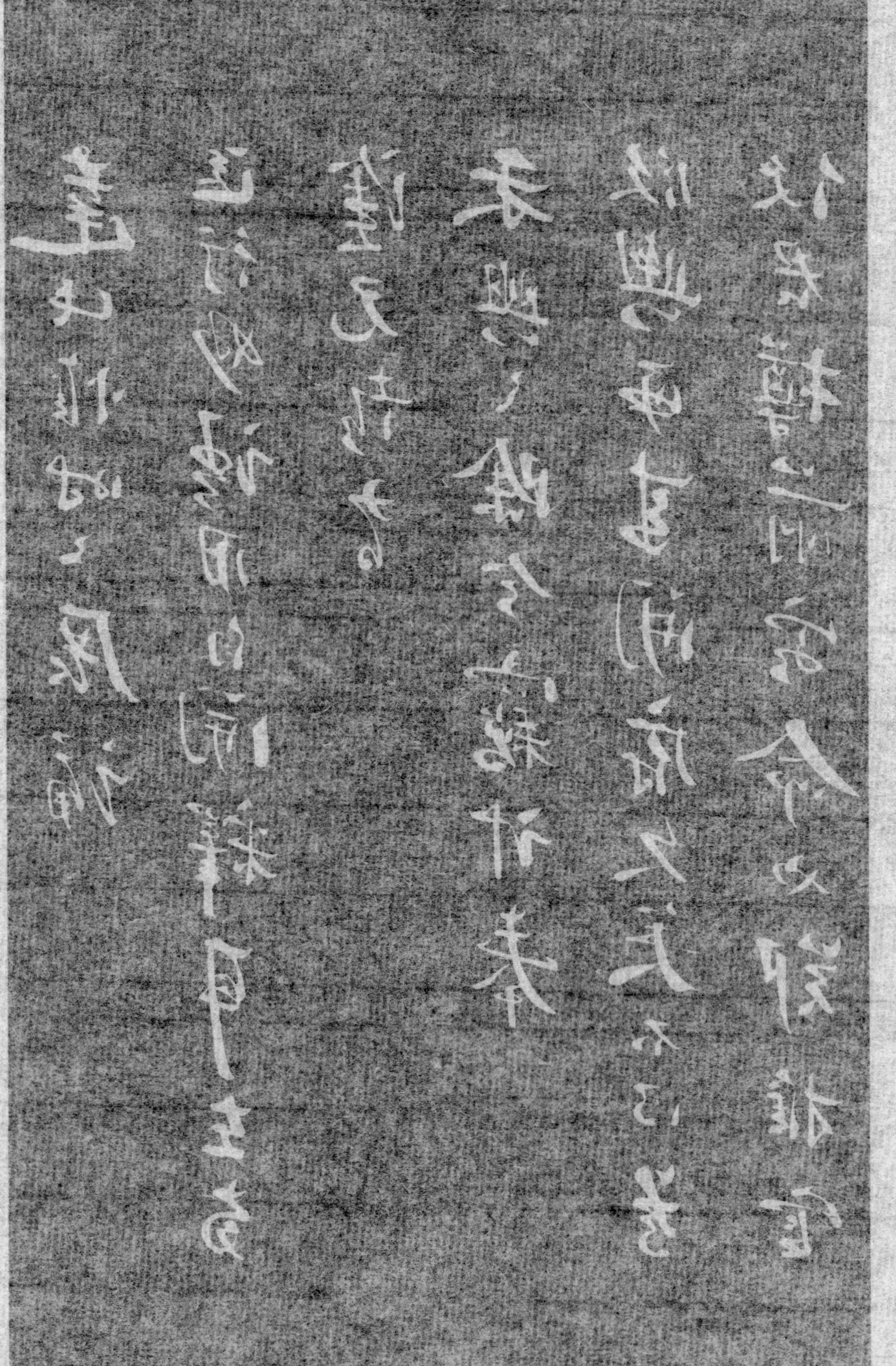

三希堂法帖 附卷·与原伯帖 二四一

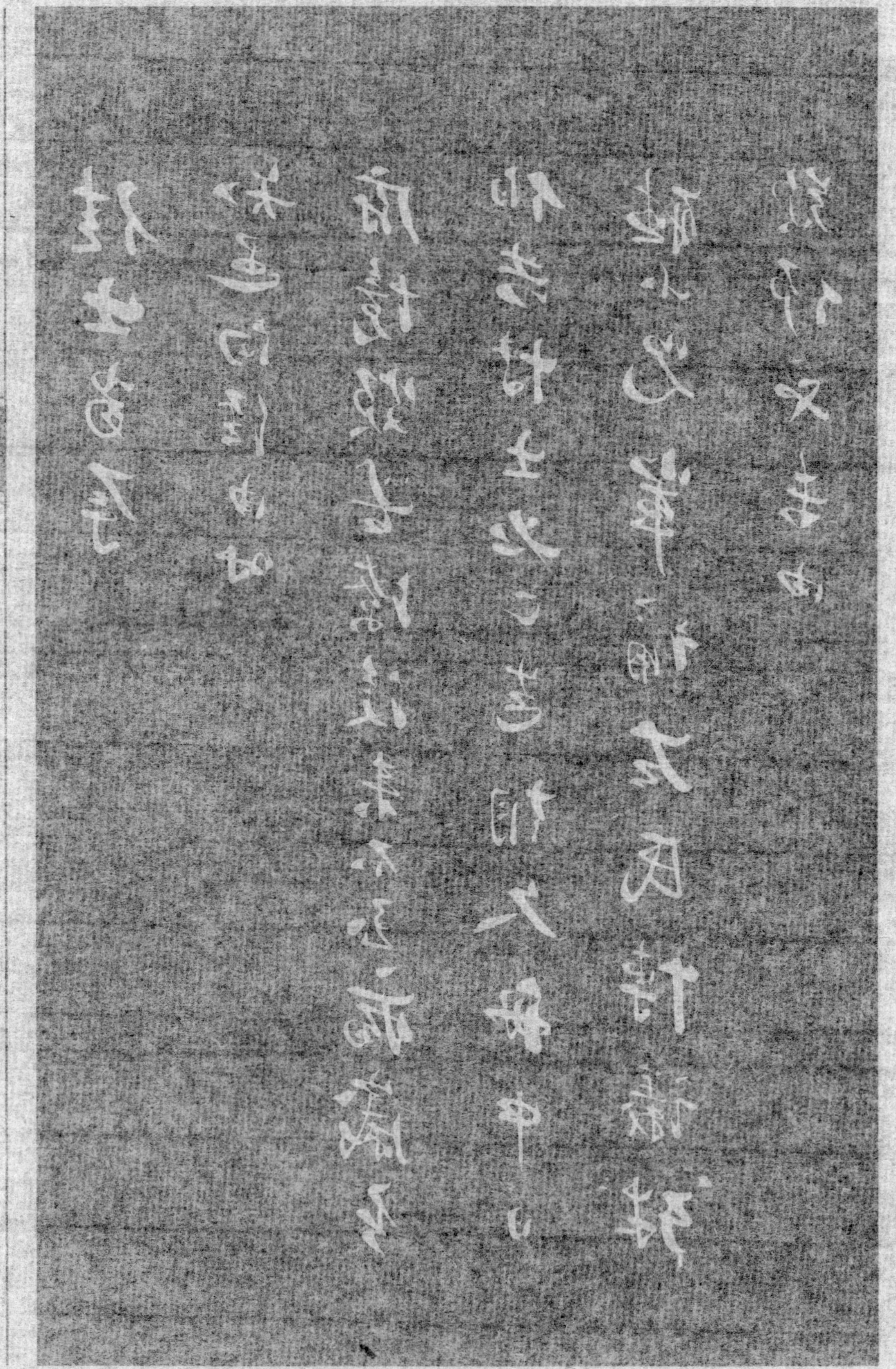

参觀惟万〻
珍護即膺
嚴召〻拜不宣悚惶再拜上啟
原伯知府判院老兄　左右

宋汪應辰書

應辰頓首再拜啟

三希堂法帖

應辰上
某比得安少保詔書　期集明日未能
辦須再屈臨見　許少執云須待中庸
畢工方可期集及見梁卿乃云中庸畢
工當在後月初間局中什物不足決不可作
其期容面稟

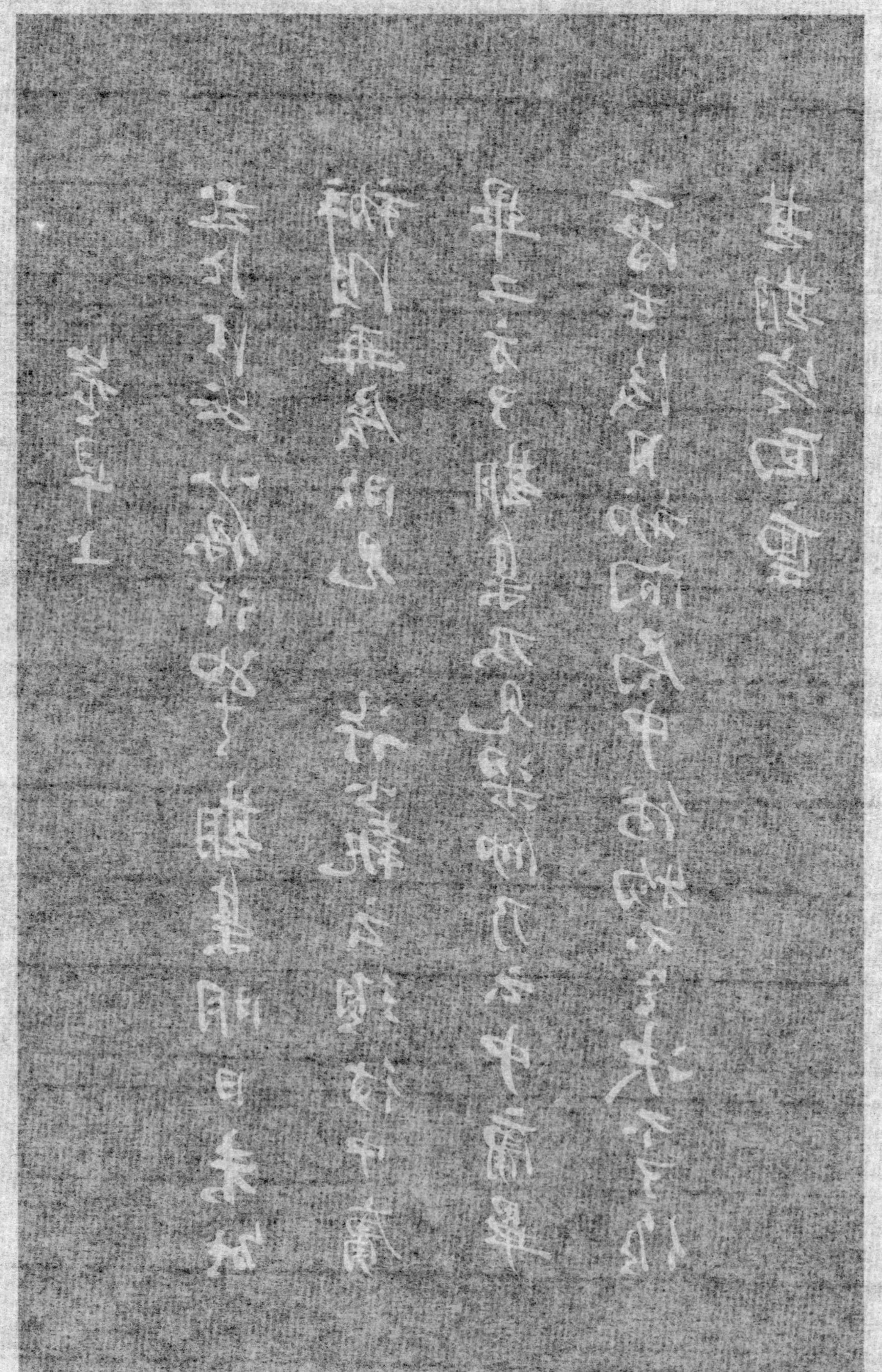

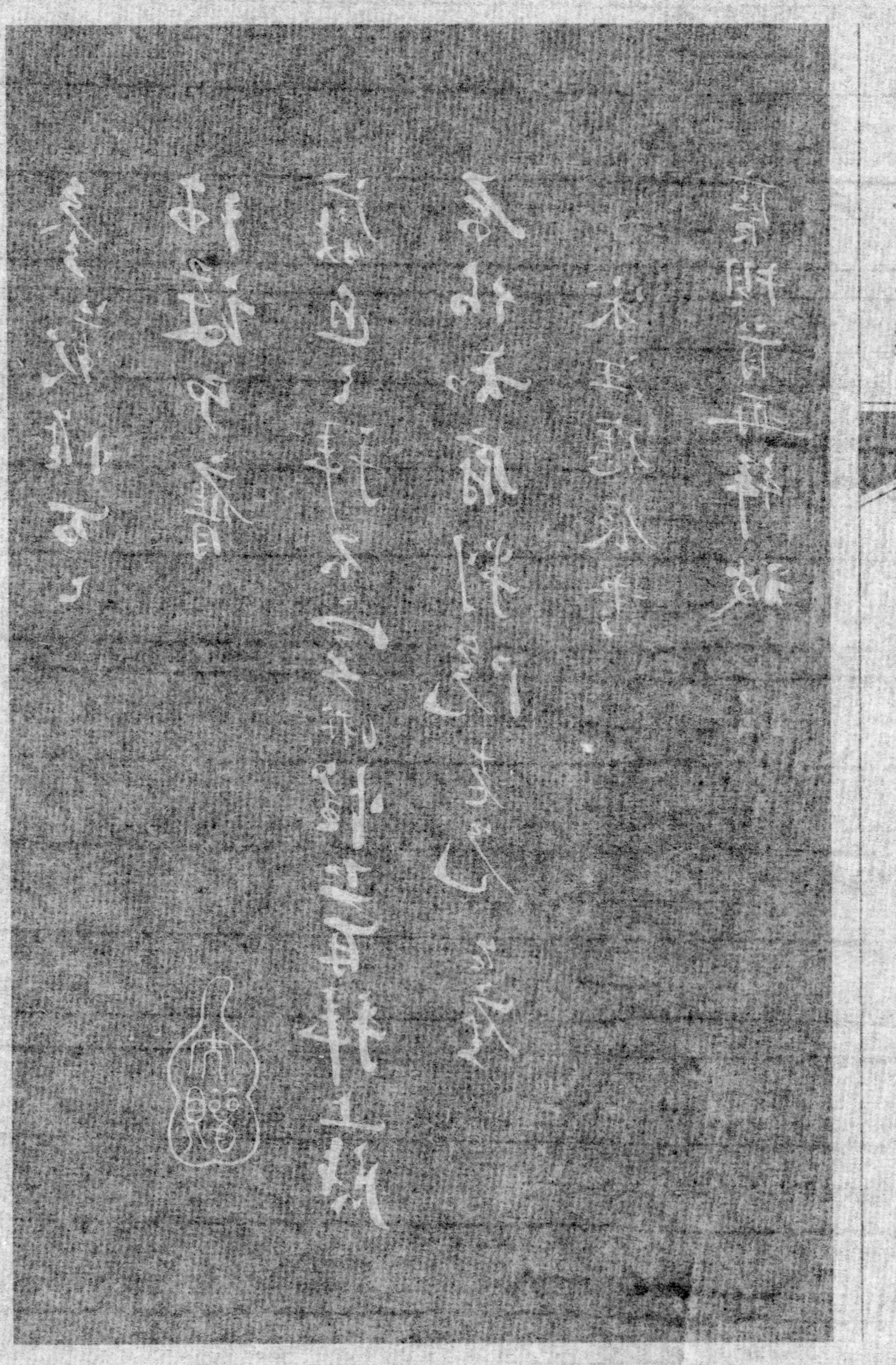

三希堂法帖

张即之·与殿元帖

宋張即之書

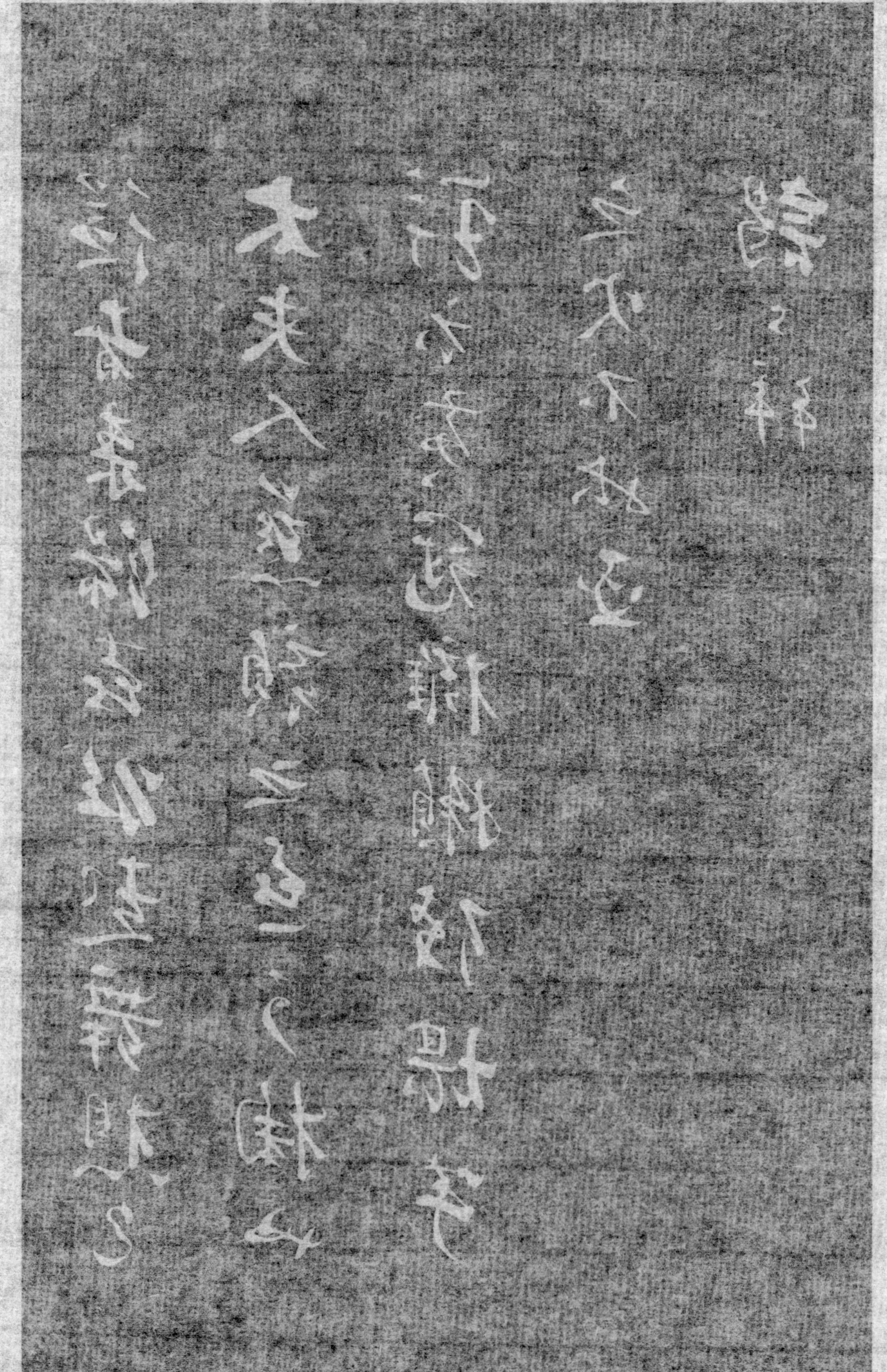

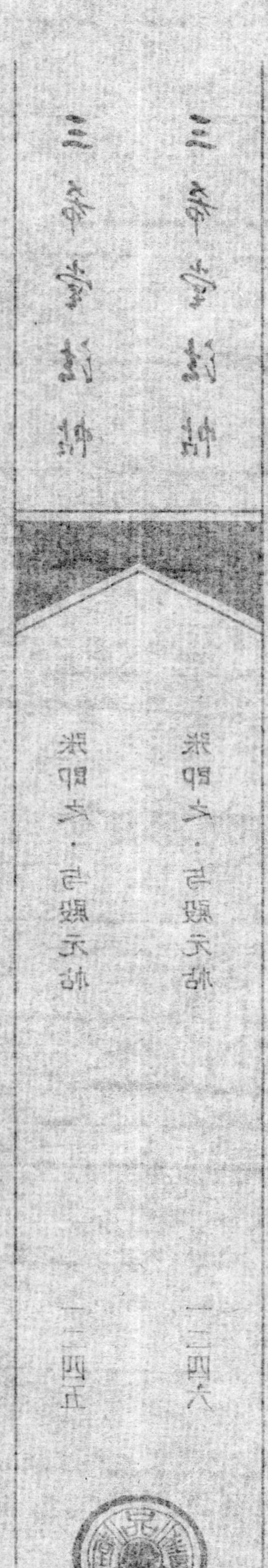

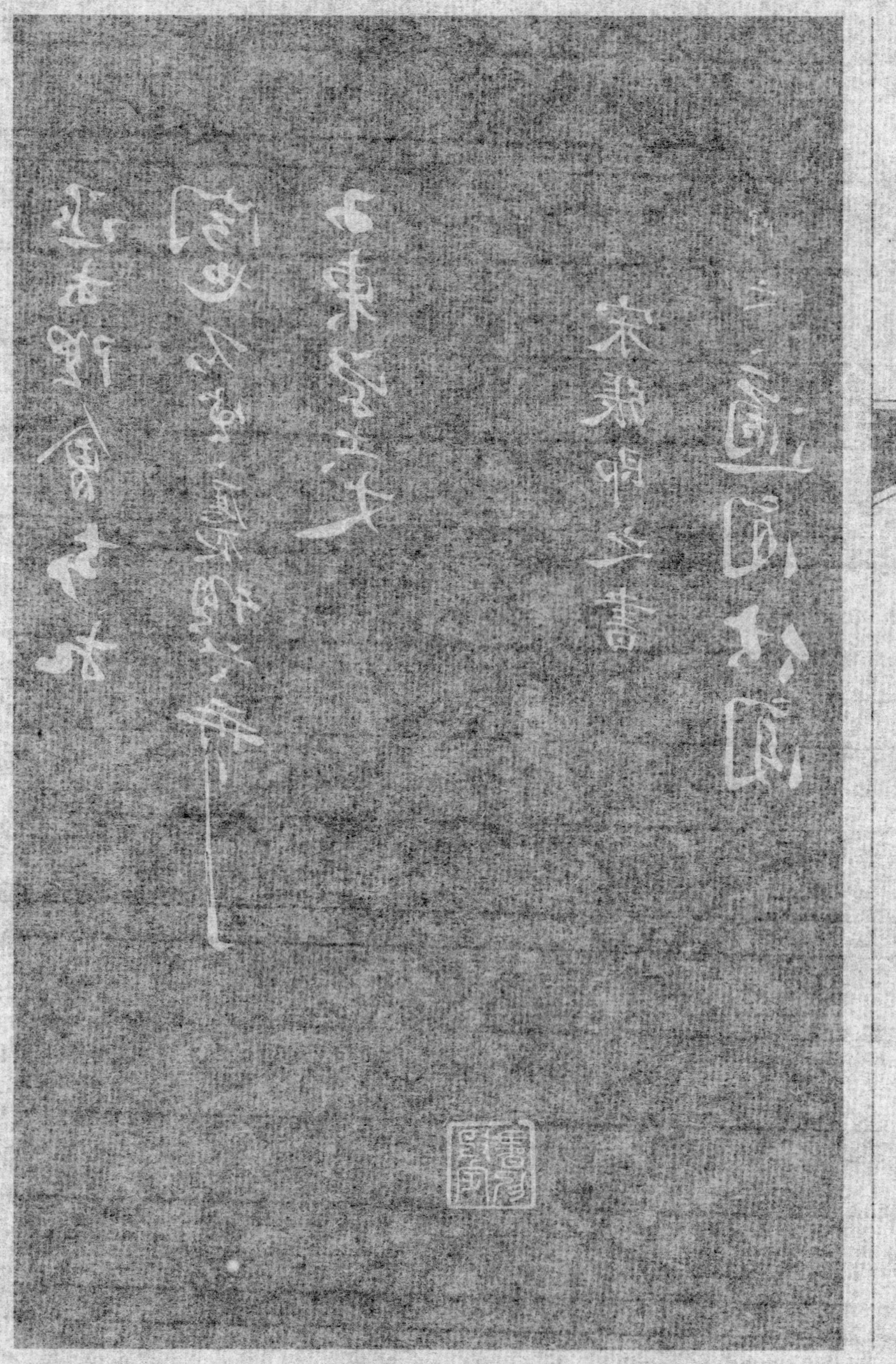

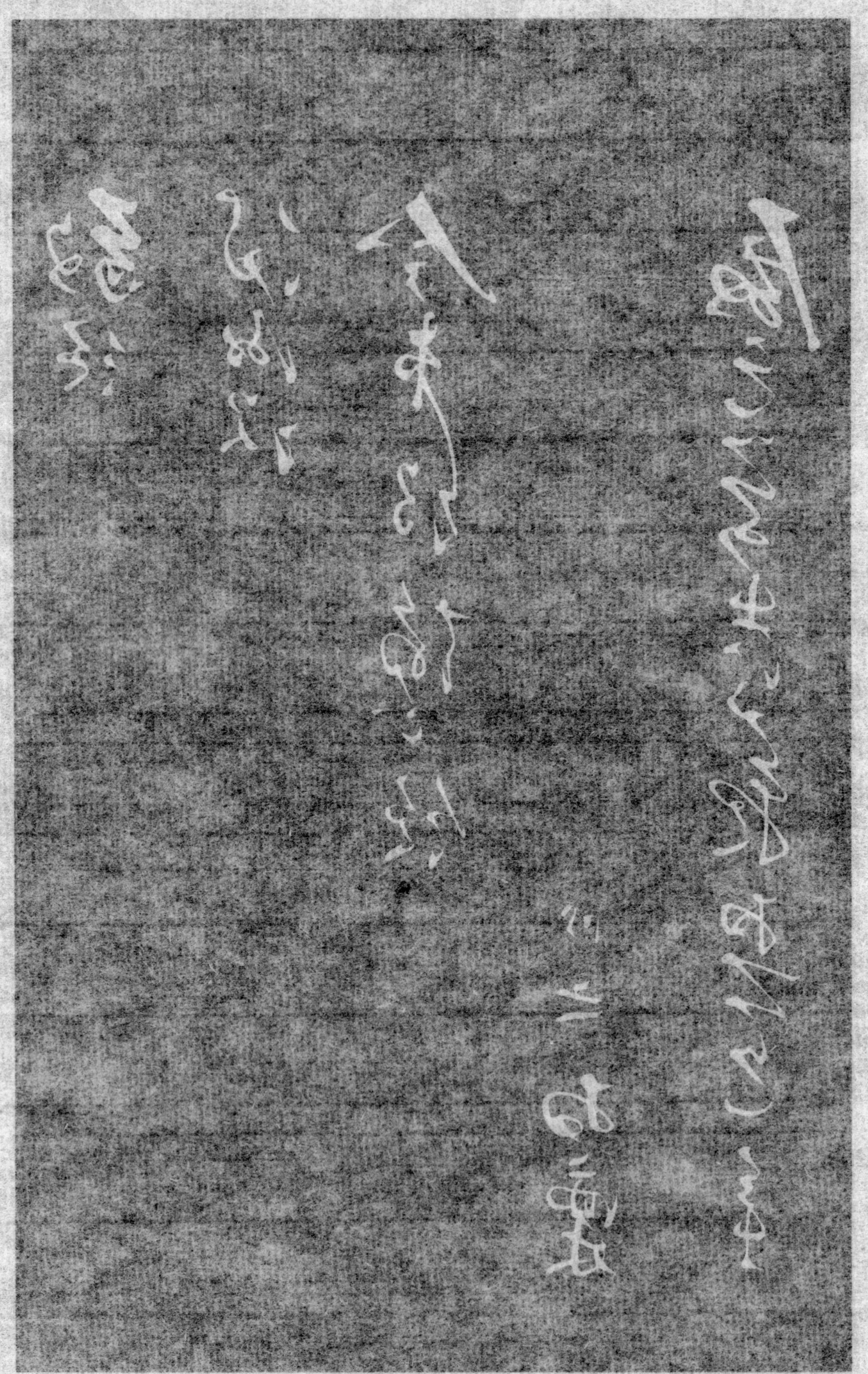

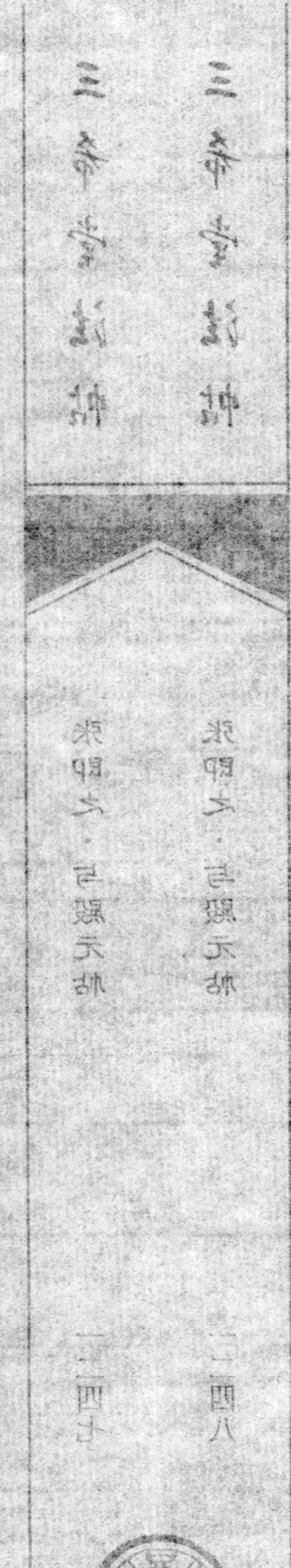

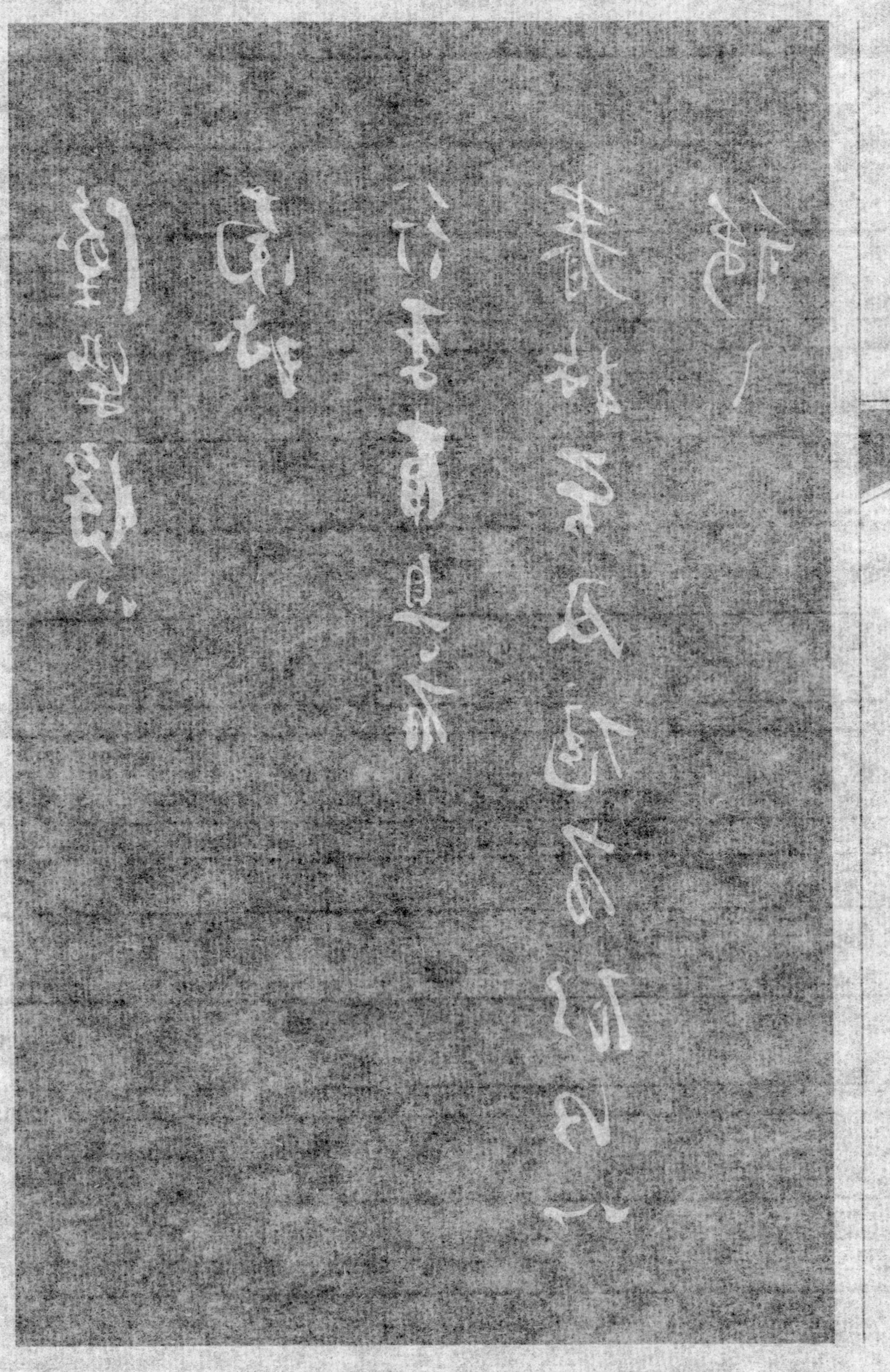

似中秋甚佳

自遣用魯山老僧

韻

心期萬未一能償海

角連宵夢

帝鄉白髮易生時序短

青雲難致道途長有

方却病還吞藥無事

消閒只點香誰道官

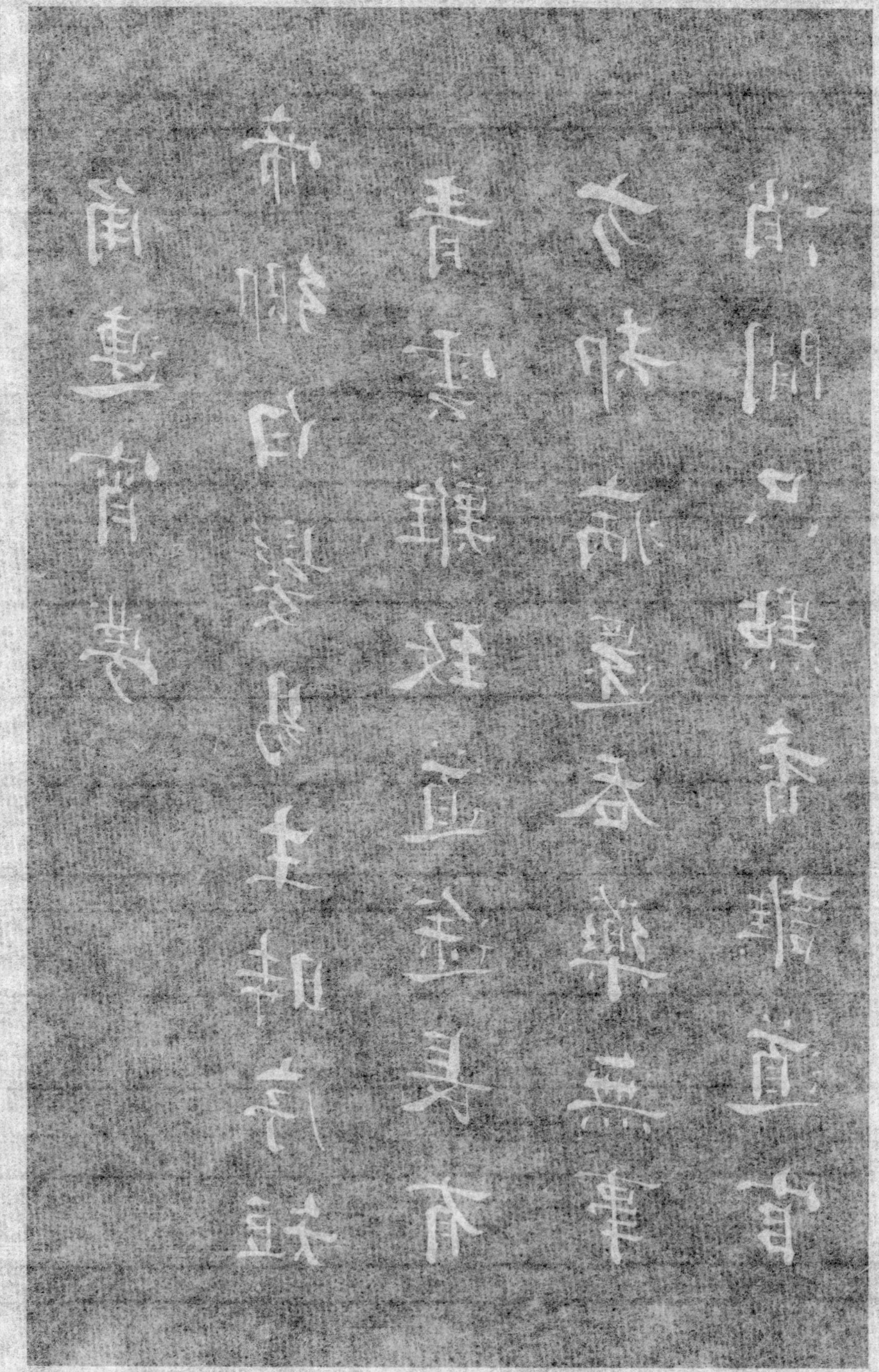

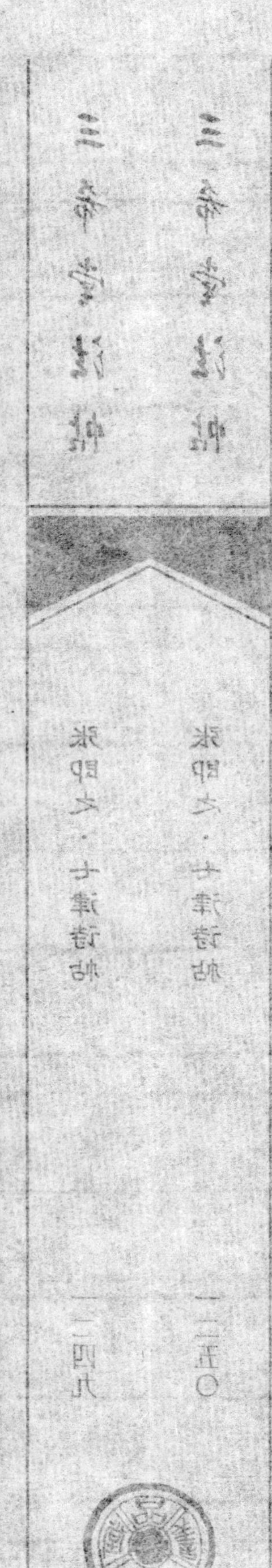

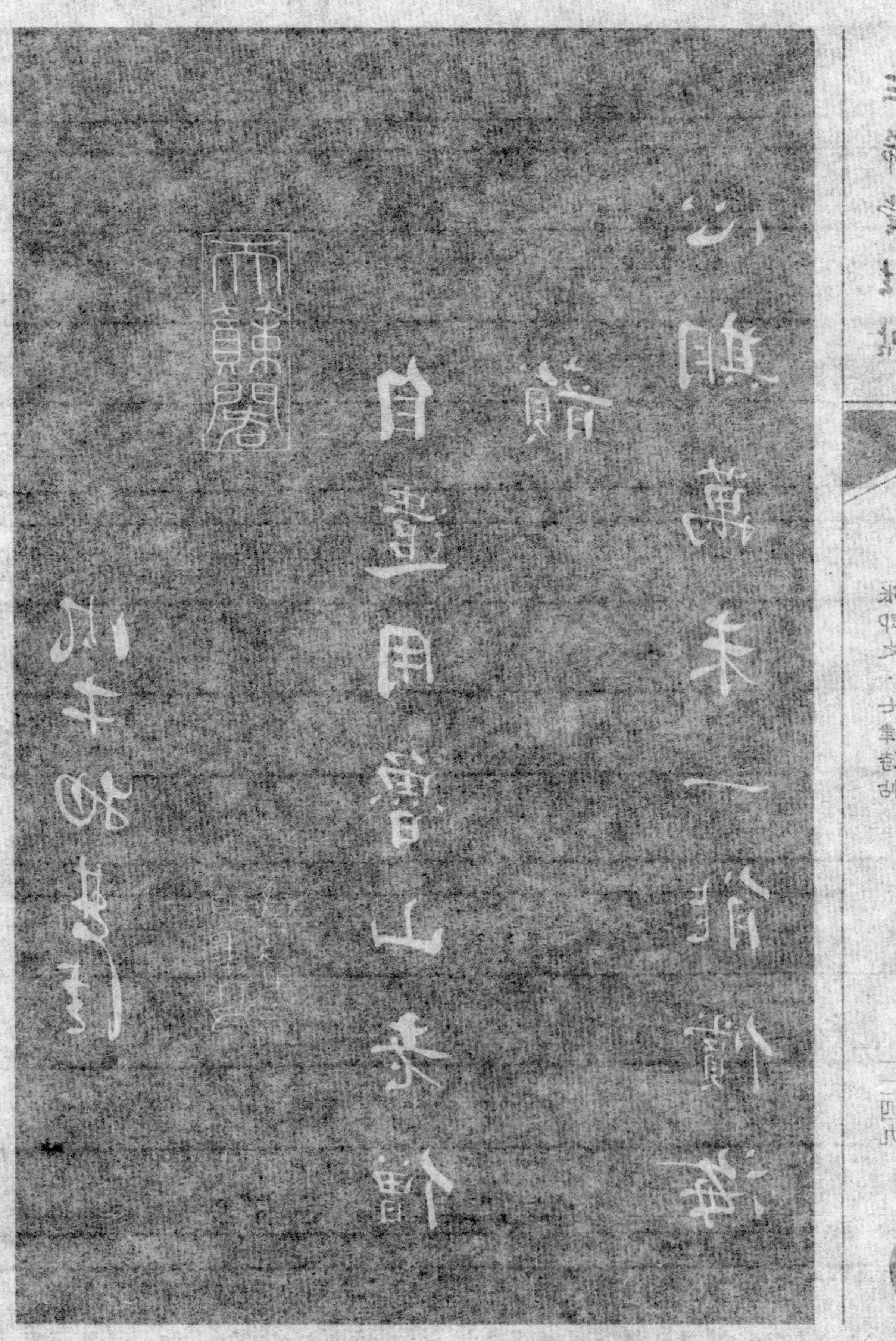

居寥落甚許多風月
滿詩囊
臘八日早漫成答
薄書應接一身兼減
却新詩上筆尖媿我

三希堂法帖
张即之·七律诗帖

世無分寸補爲農憂
有歲時占客因年近
思家切人到心閒飲
水甜非夜一番鄉屋
夢寒梅香處短筇拈

知新诗工笔尖风秋
簿书丛琐一身兼微
瞻八日早漫收合
满诗囊
活计落且许多风月

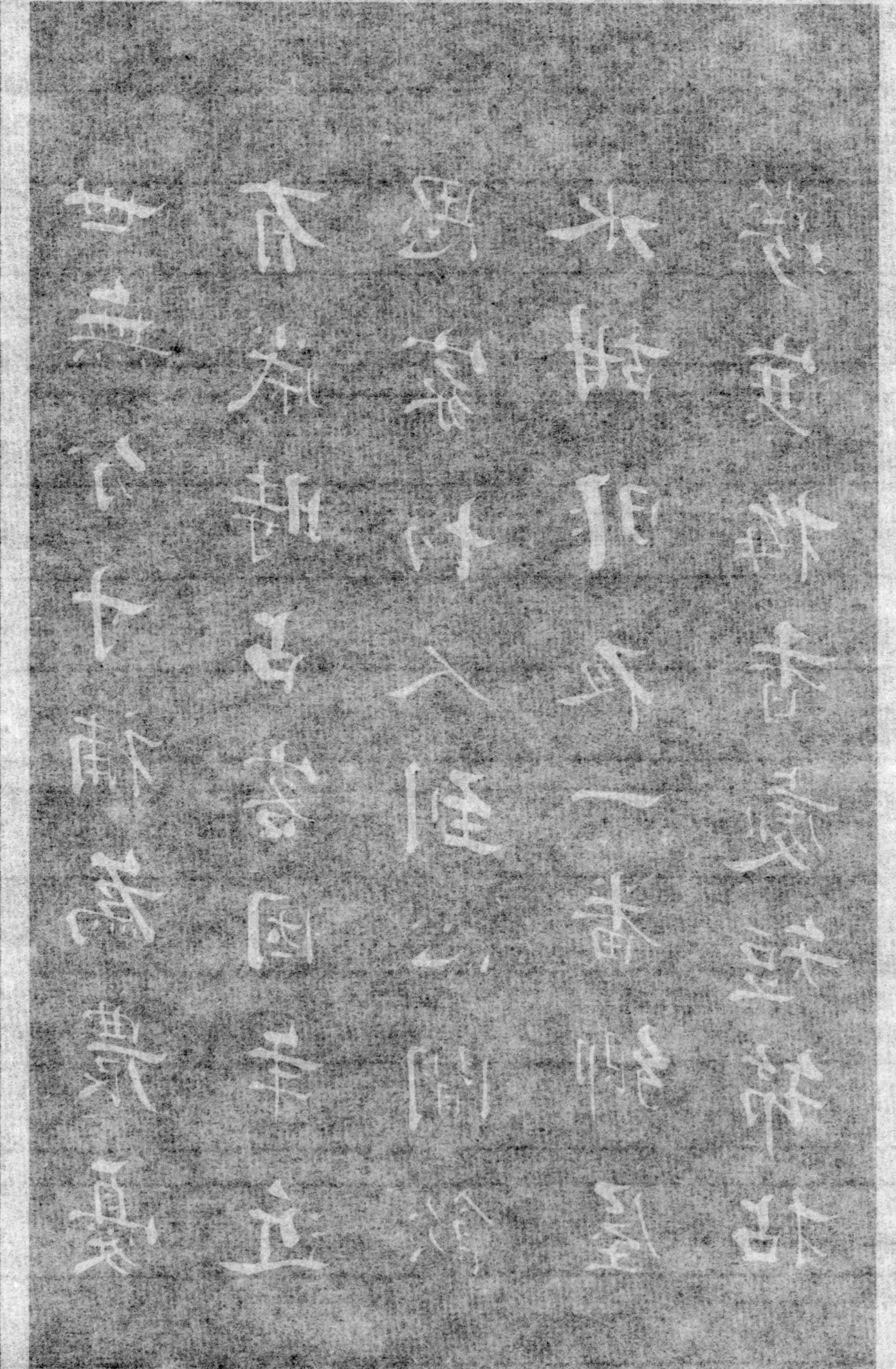

懷保叔寺鏞公

華嚴閣上夜談經虎嘯風生月正橫茶筍家常元有分簪纓世路本無情住間石屋

堪容膝遇箇詩翁便記名十載幾番閒往返鏞公為我眼添青

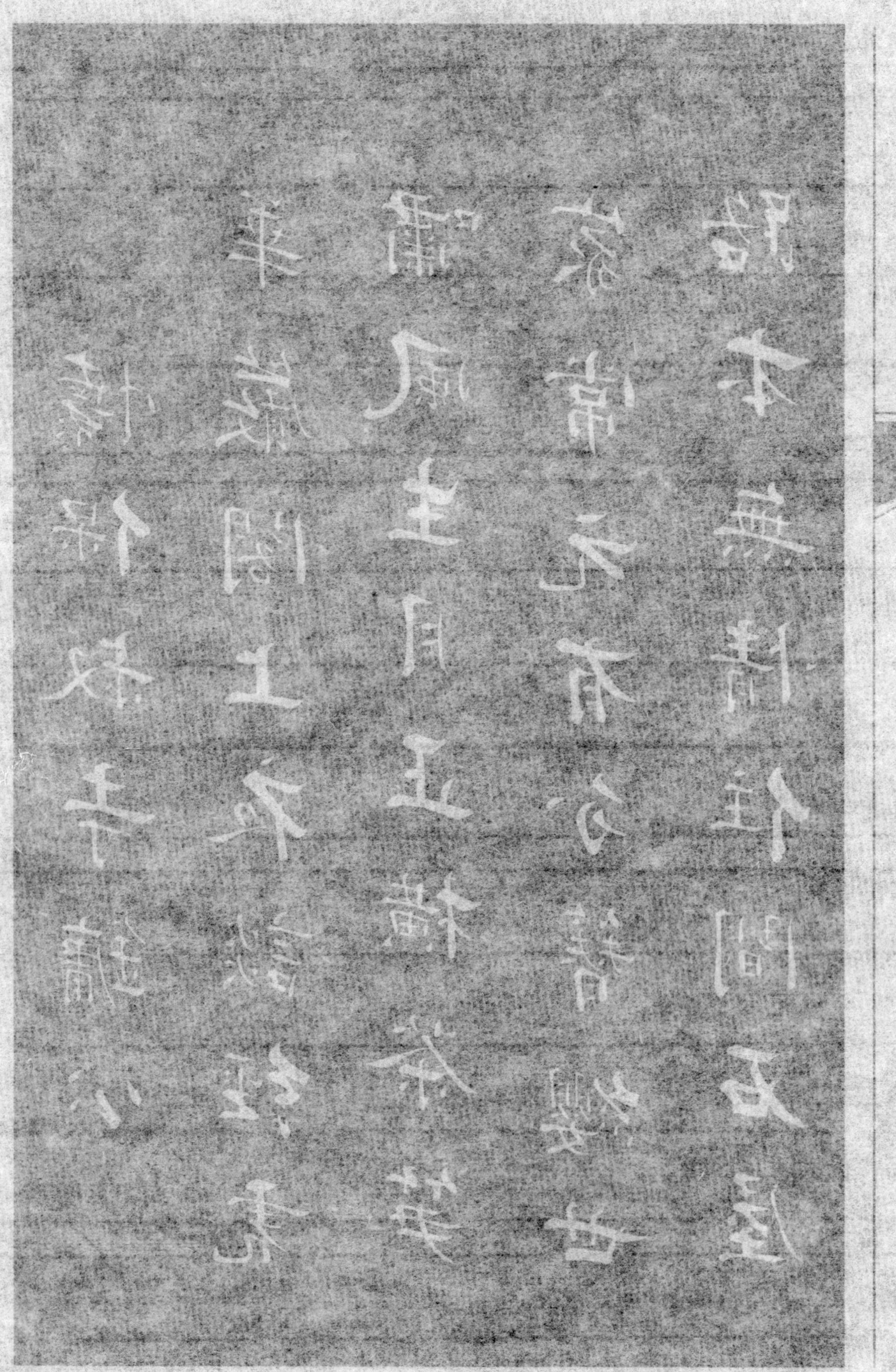

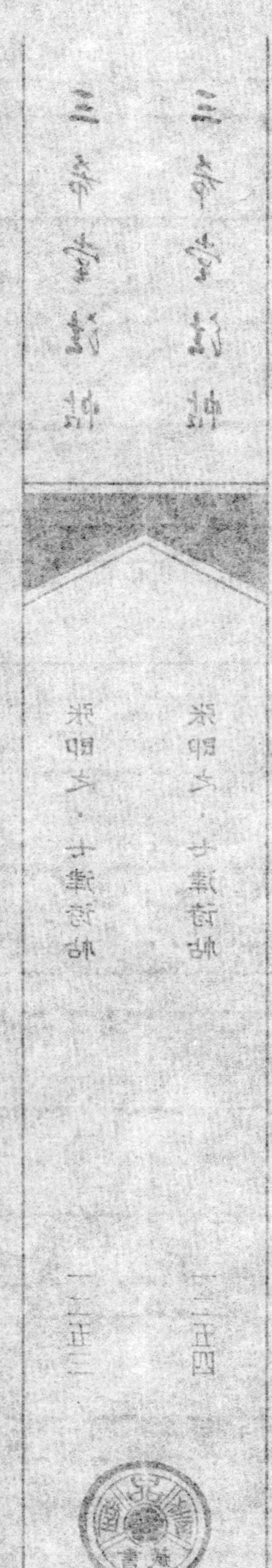

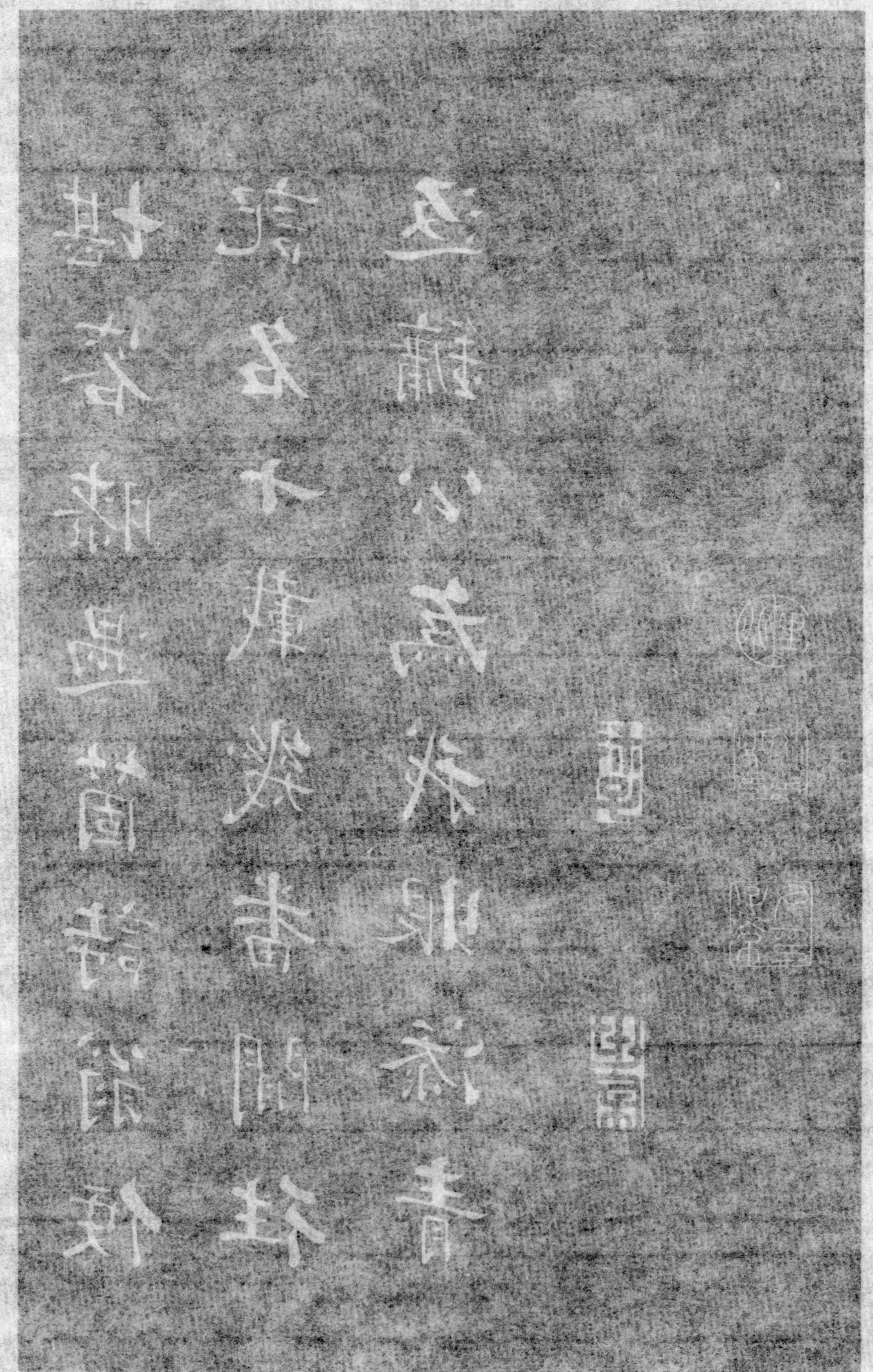

宋杜良臣書

三希堂法帖

杜良臣·与忠吾帖

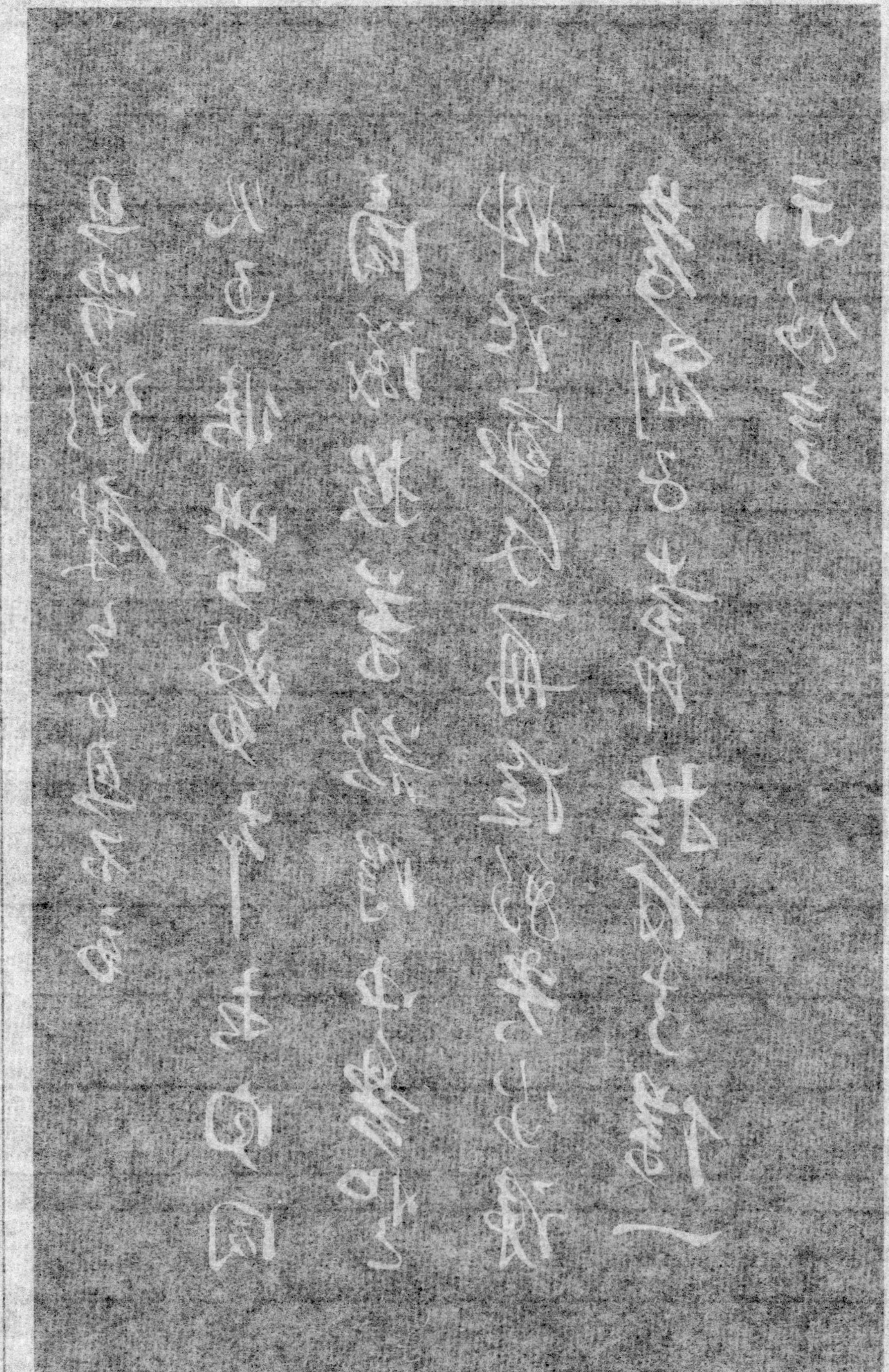

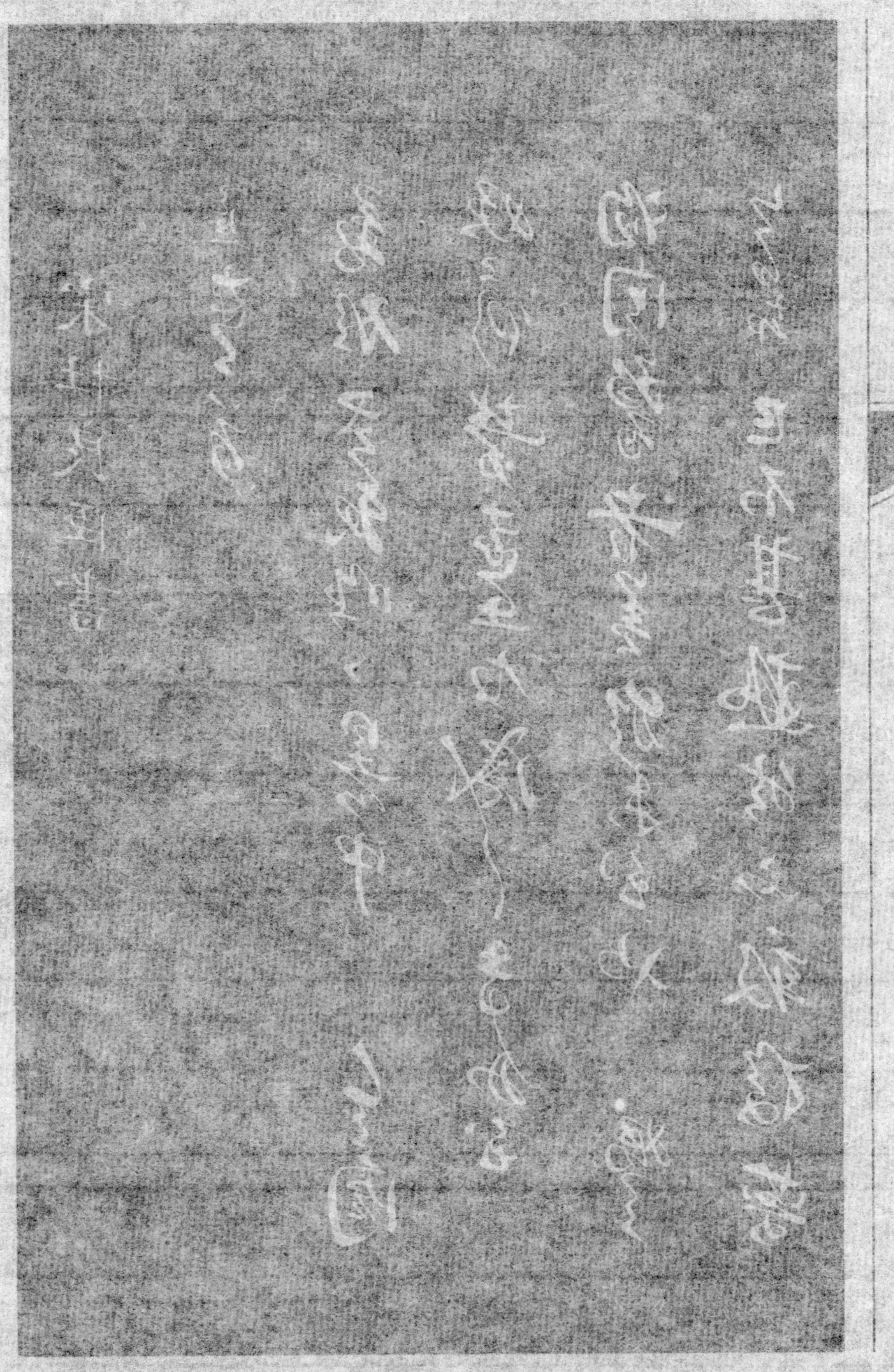

宋朱熹書

熹頓首

彥修少府足下別來三易

裘葛時想

光霽倍我遐思黟中名勝

之地若雲山紫苑峰勢泉

聲猶爲耳目以聞覩

稱

三希堂法帖

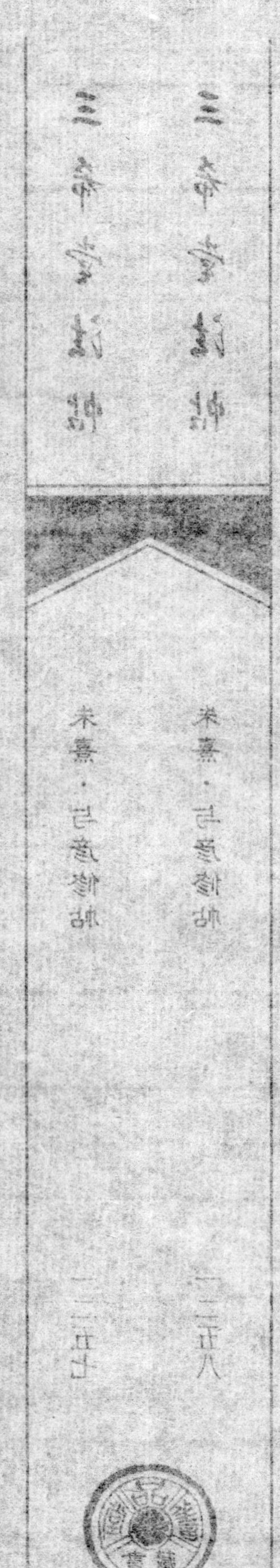
三希堂法帖
米芾·古诗帖
二二八
三希堂法帖
米芾·古诗帖
二二七

常為守定
父歸必可寄
至矣無由復從惟
自愛
令祖母太夫人康寧眷集了佳慶
不宣　熹再拜
君承務

宋趙孟堅書

孟堅　前日蒙
下顧及承

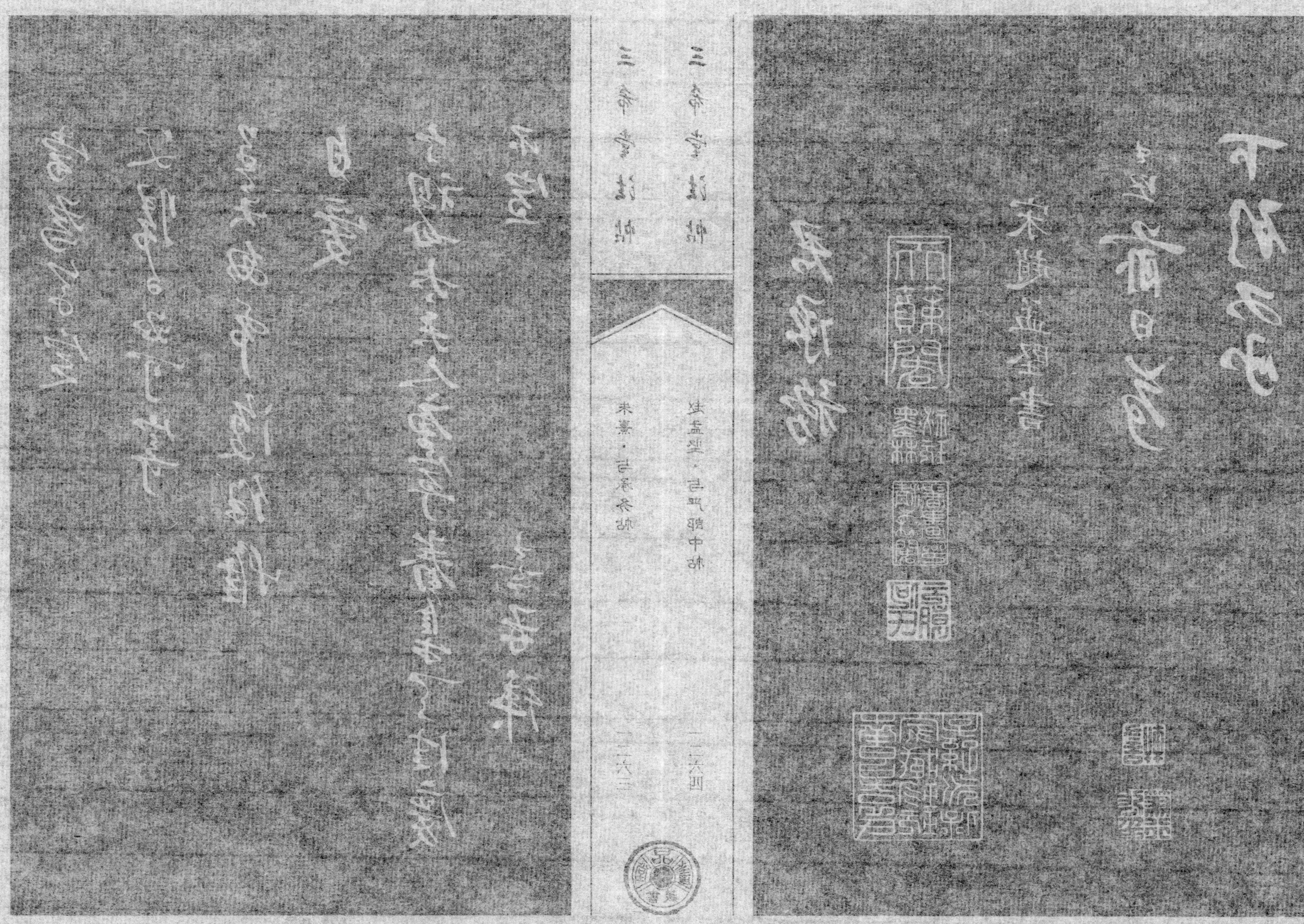
三希堂法帖
三希堂法帖
一二六四
一二六三

彥修少府足下 仲春六日

首

六月五日熹頓首奉

啓審聞

况為慰秋後庚暑

侍履當益佳

三希堂法帖

廟額聞已得之足見

朝廷表勸忠義之意記文冬

奉落豈敢食言然以病冗因循

遂成稽緩今又大病累月幾死

近日方有向安意耳

先正之靈未即瞑目少寬數月

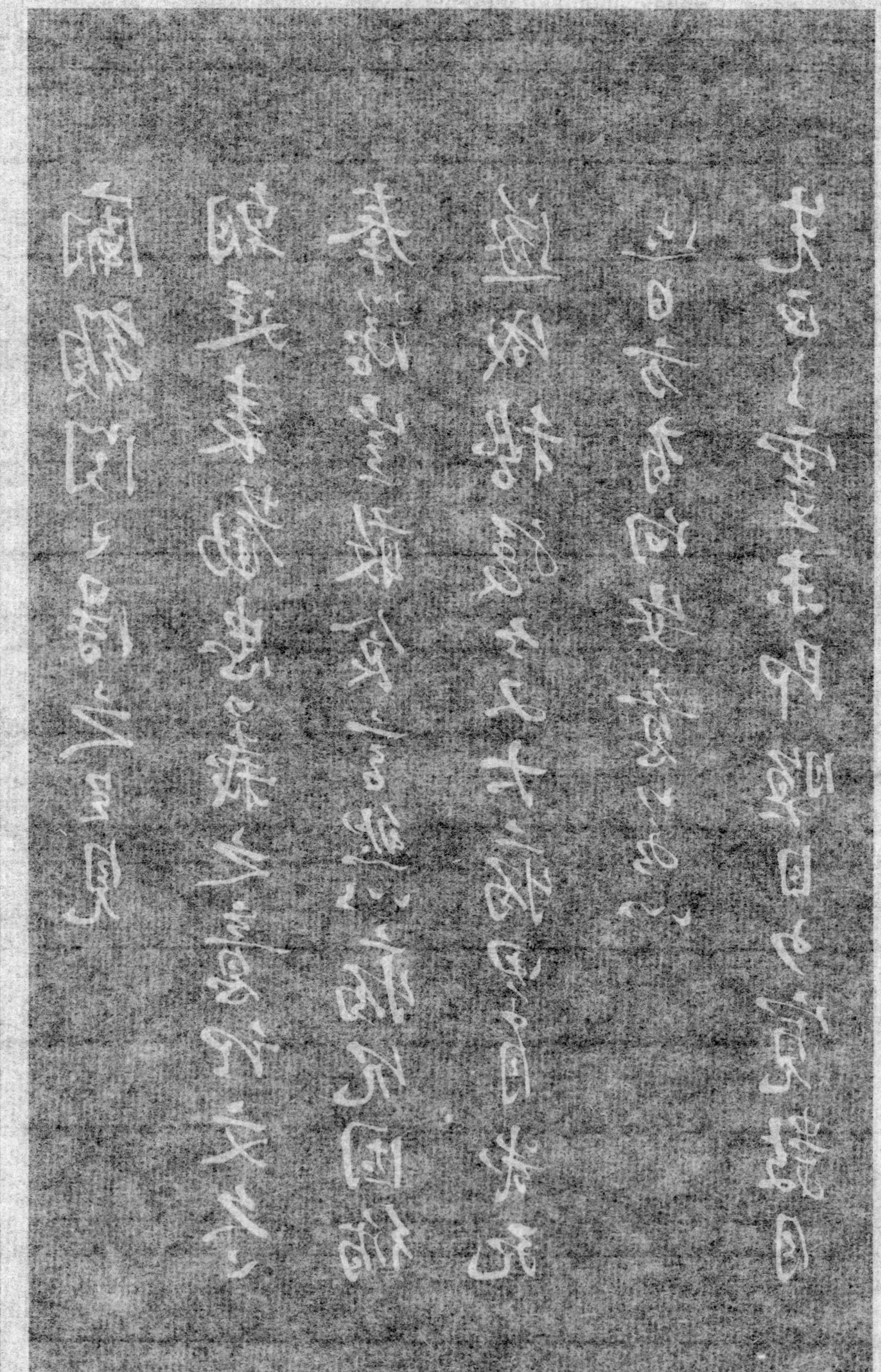

三希堂法帖
朱熹·书翰文稿
二六二

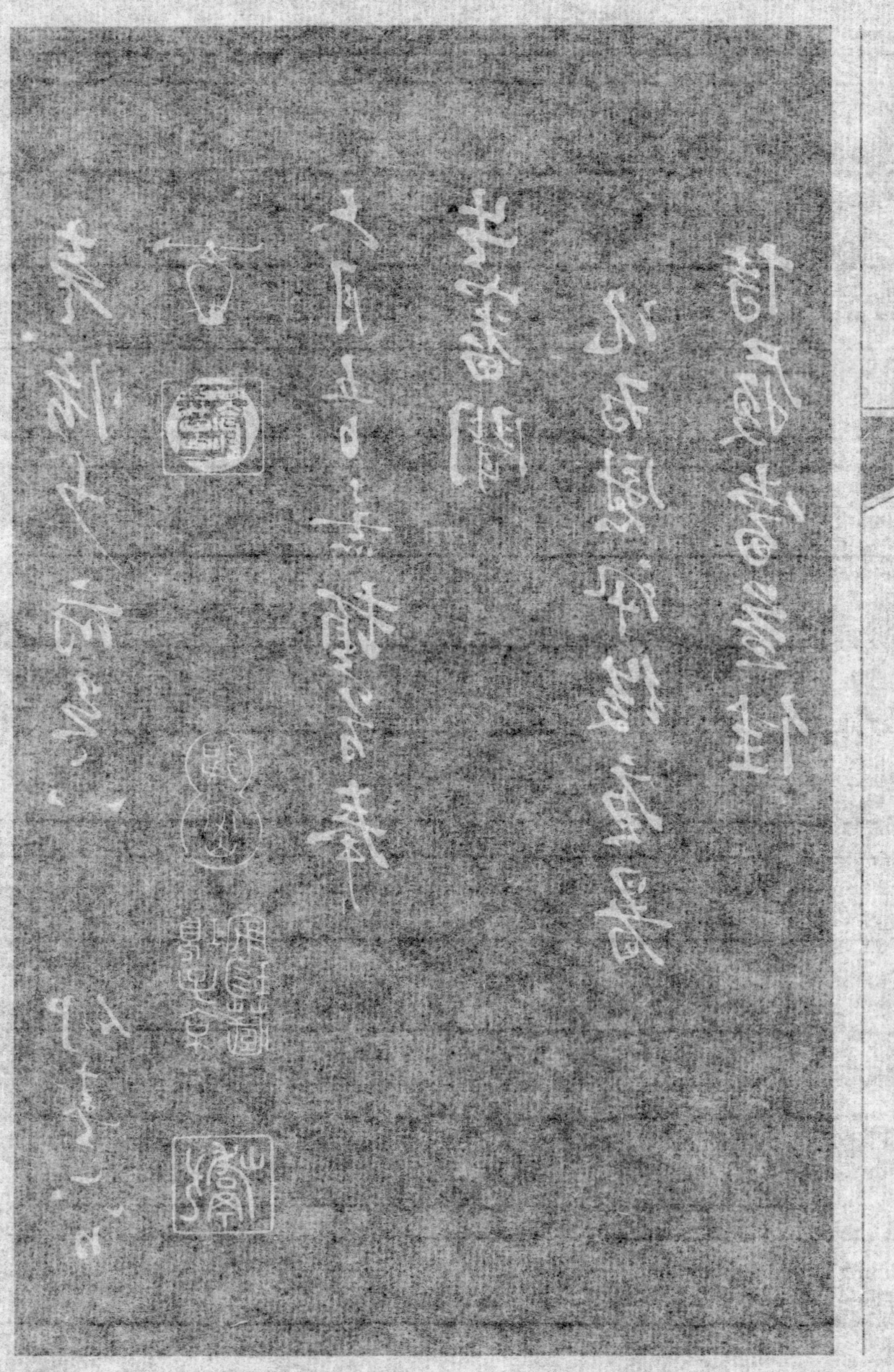

三希堂法帖

朱熹·与彦修帖

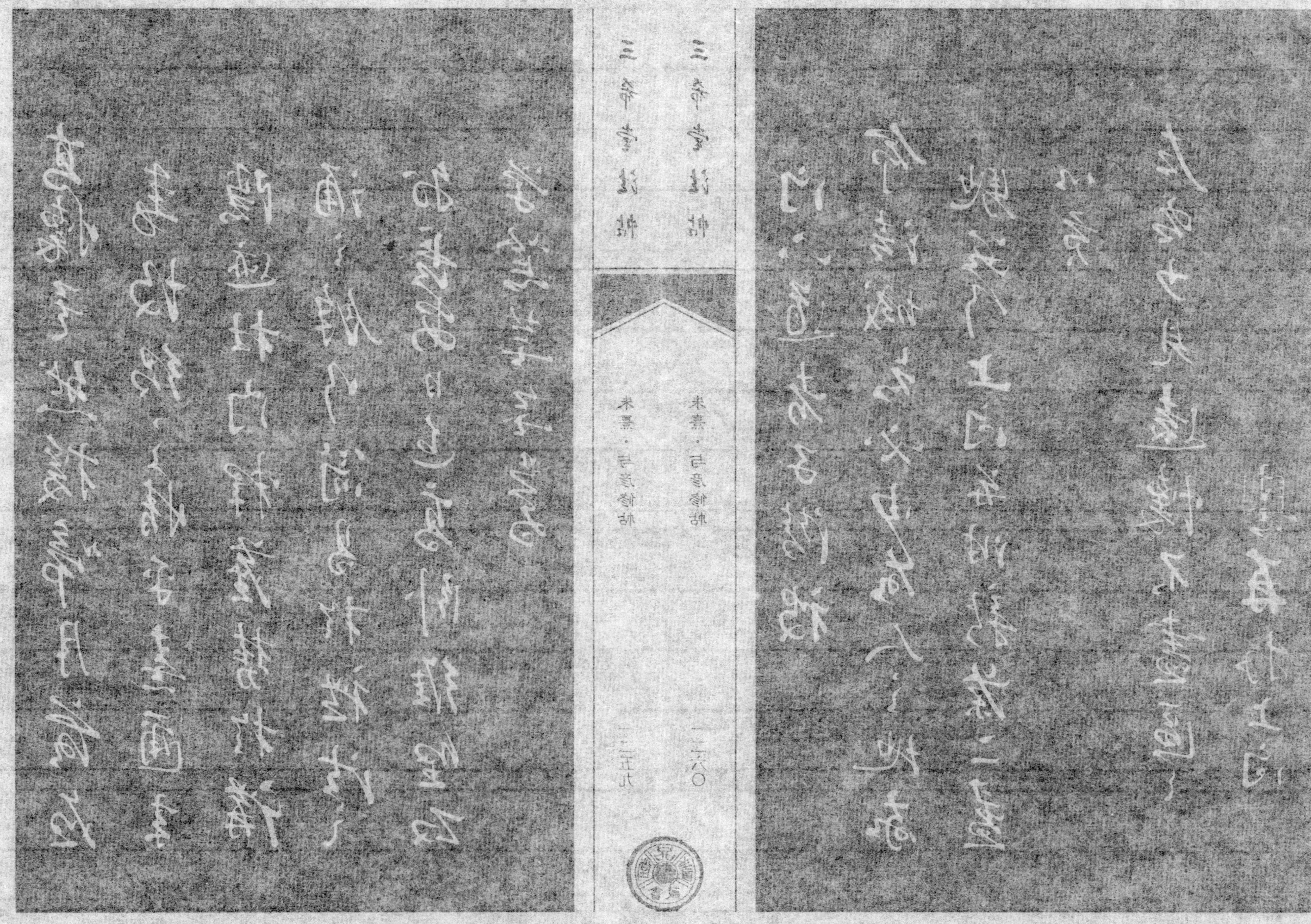
三希堂法帖
米芾·与希修帖
一二六〇
三希堂法帖
米芾·与希修帖
一二五九

宋沈復書

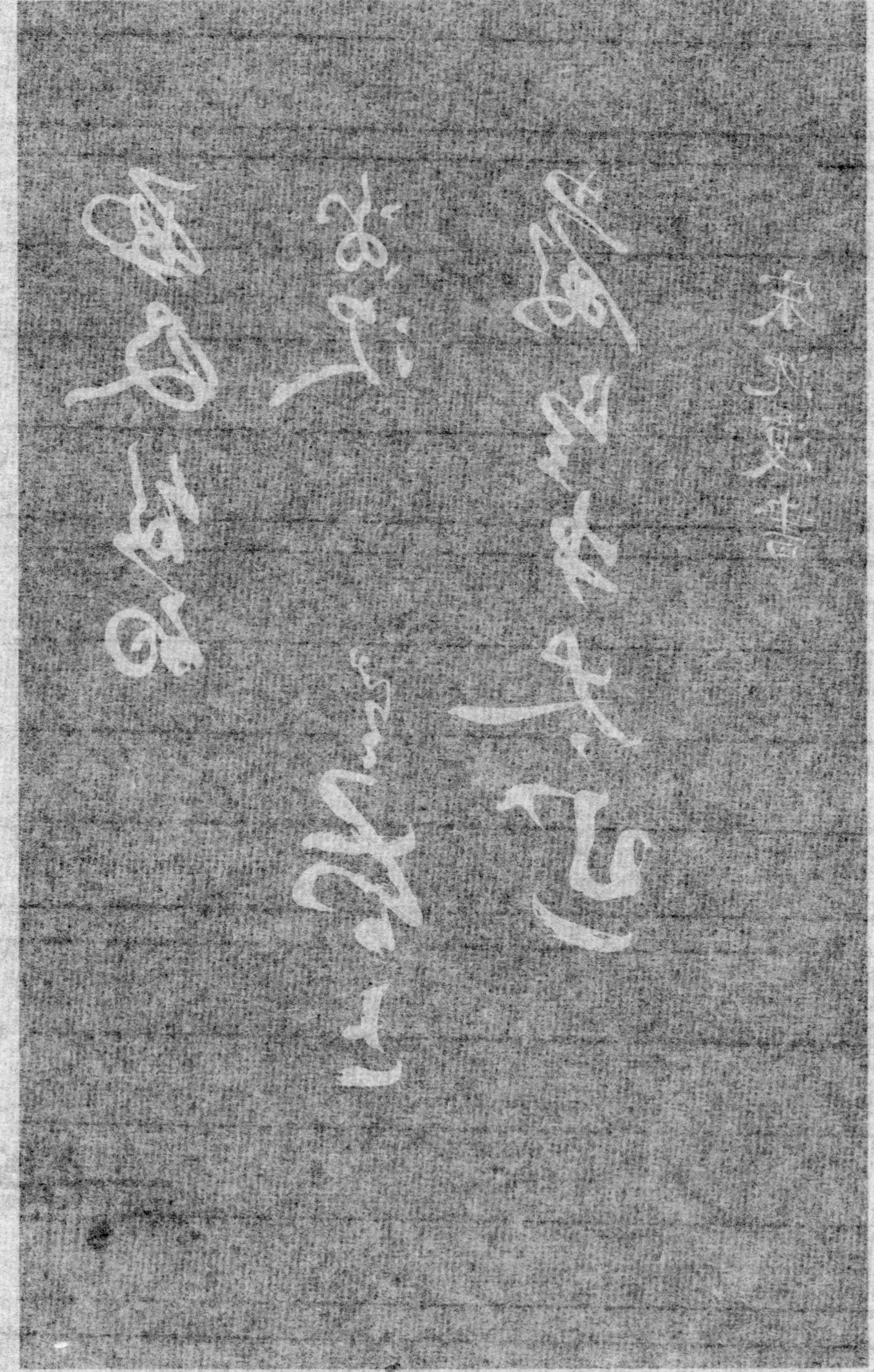

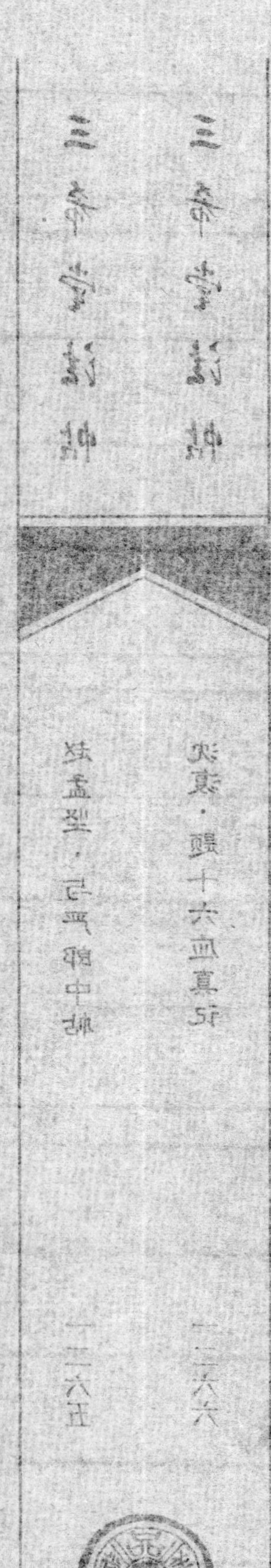

三希堂法帖
沈遼・題十六應真記
二二六六
三希堂法帖
二二六五

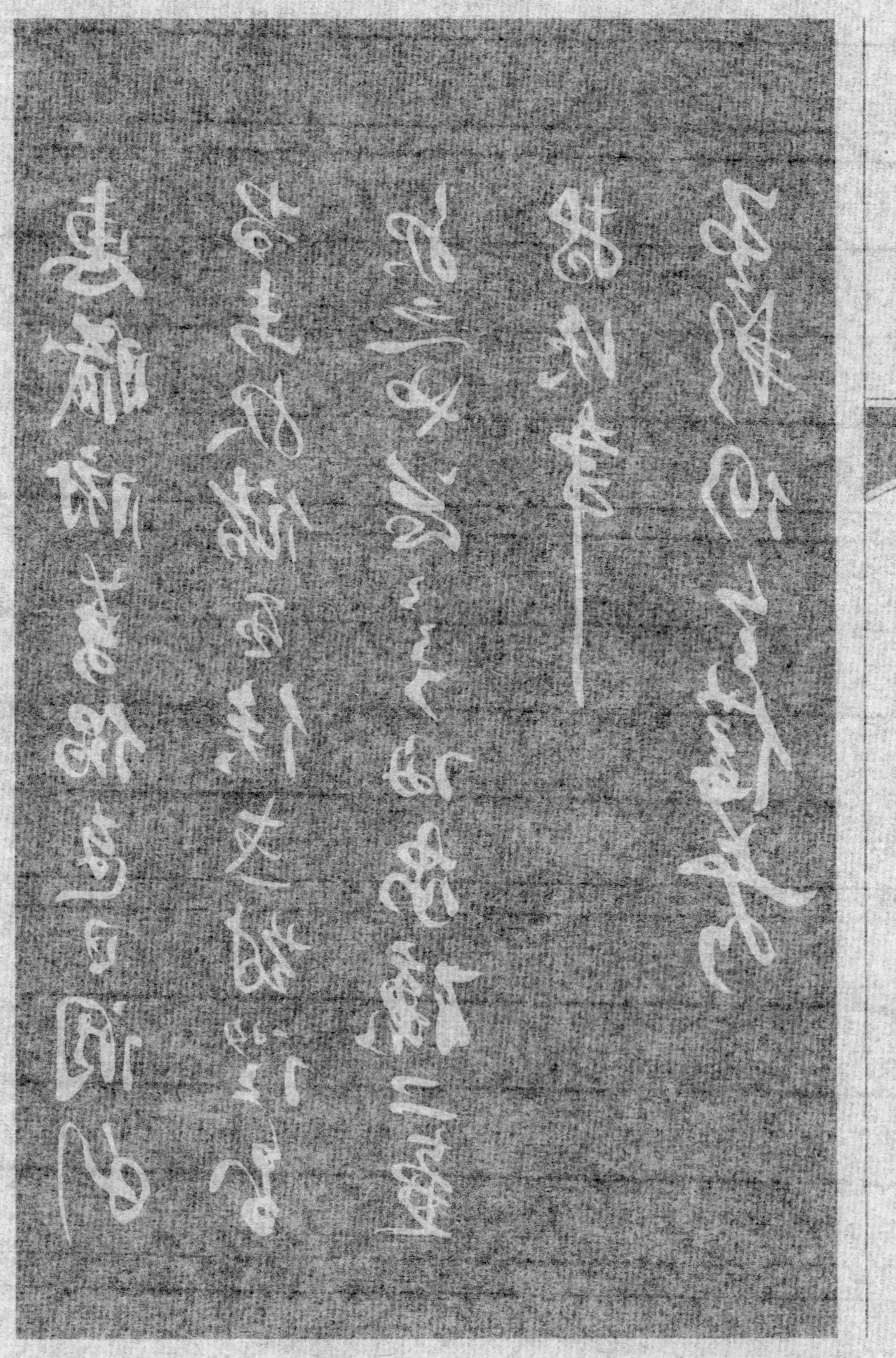

夫水不能漂覆水如地覆地如水者在四果猶能況祕菩薩行者乎況佛化化者乎今觀十六應真遡澗迺有倩人負者有藉手援者有偃而猶掣者

三希堂法帖

沈復·題十六应真记

有前而顧後者有始不足而一志爲憚險者有已登岸而拿若稍紓者或揭或屐或杖或戴無不作病涉態豈前所謂覆水而不爲所漂者耶蓋果人大士無所不現縱亦現

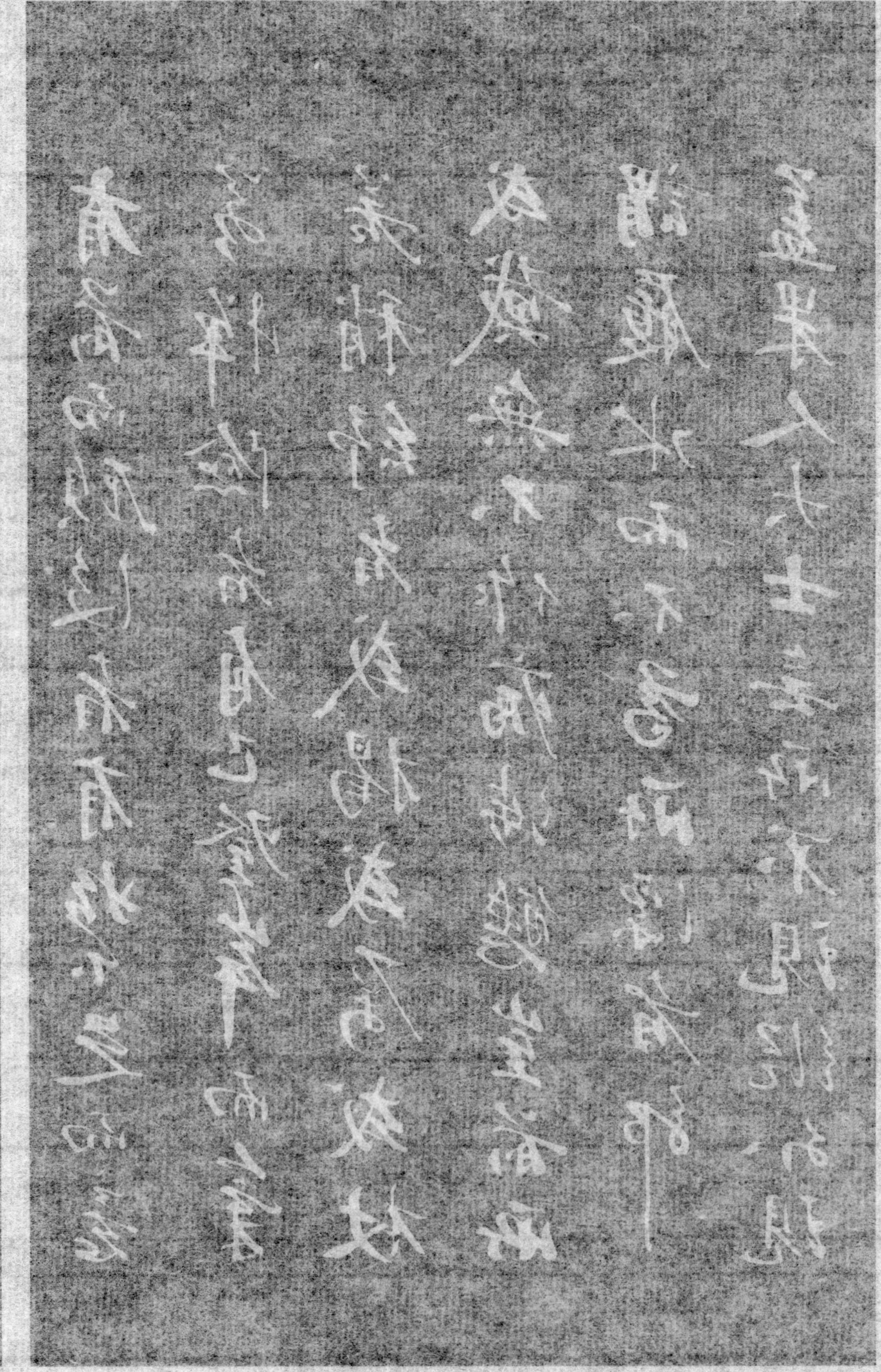

宋　蔡·题十六画真记

三希堂法帖

宋　蔡·题十六画真记

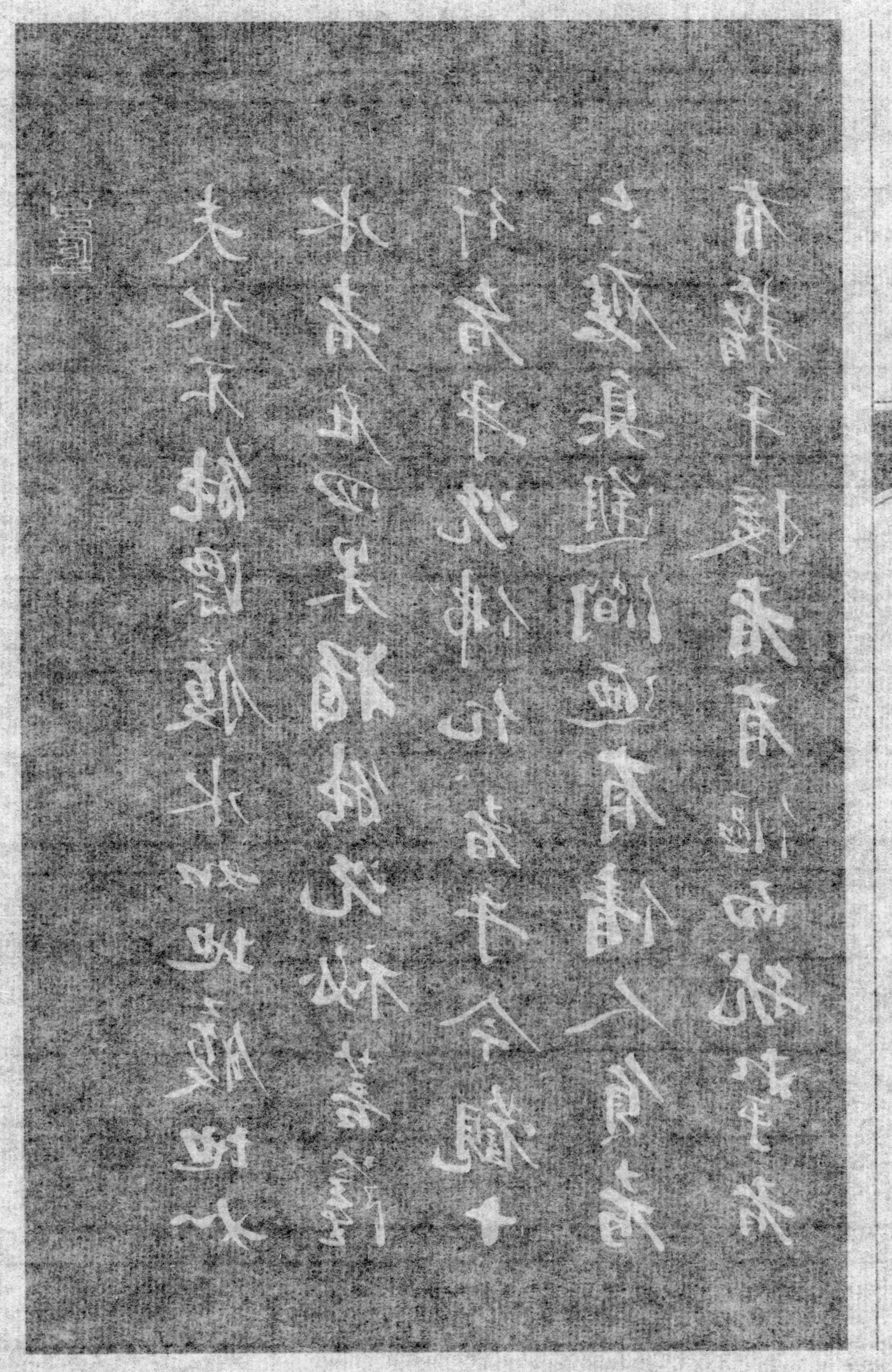

聲聞而不能以神變驗世反從俗順衆示同凡情者何耶將以成熟衆生為世福田故也則其善巧方便曲被群機者資三有者又豈止是而已哉嗟驗人前不得說夢覽者當究其本而忘其跡可也

西塞無礙居士沈遼書于陳氏竹所

宋王升書

升再拜多日不奉款

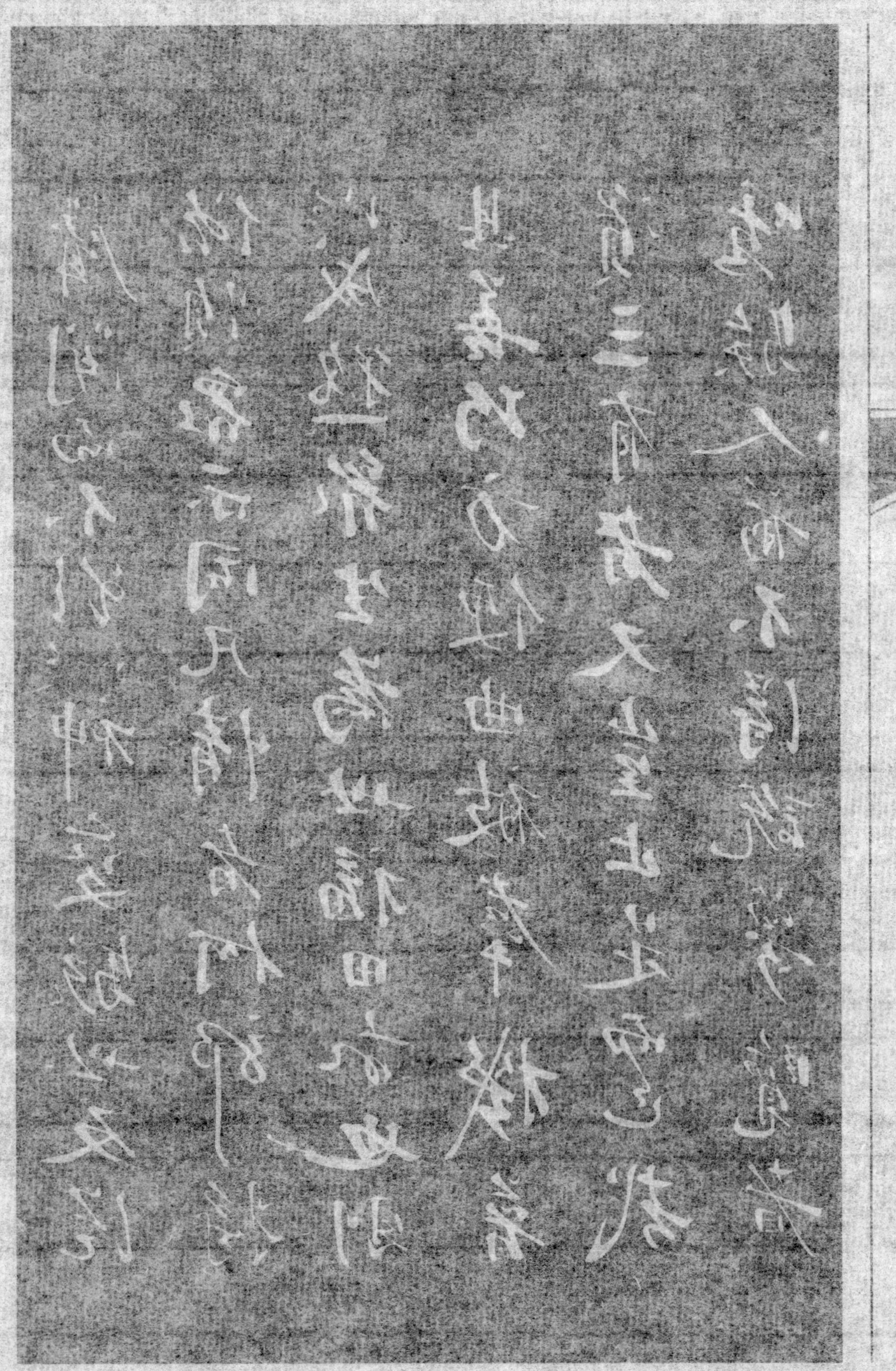

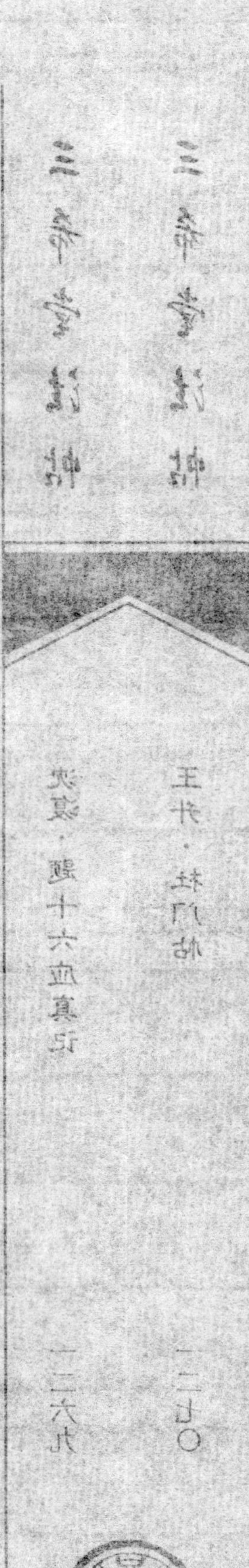

王升·杜门帖

三希堂法帖

王升·杜门帖

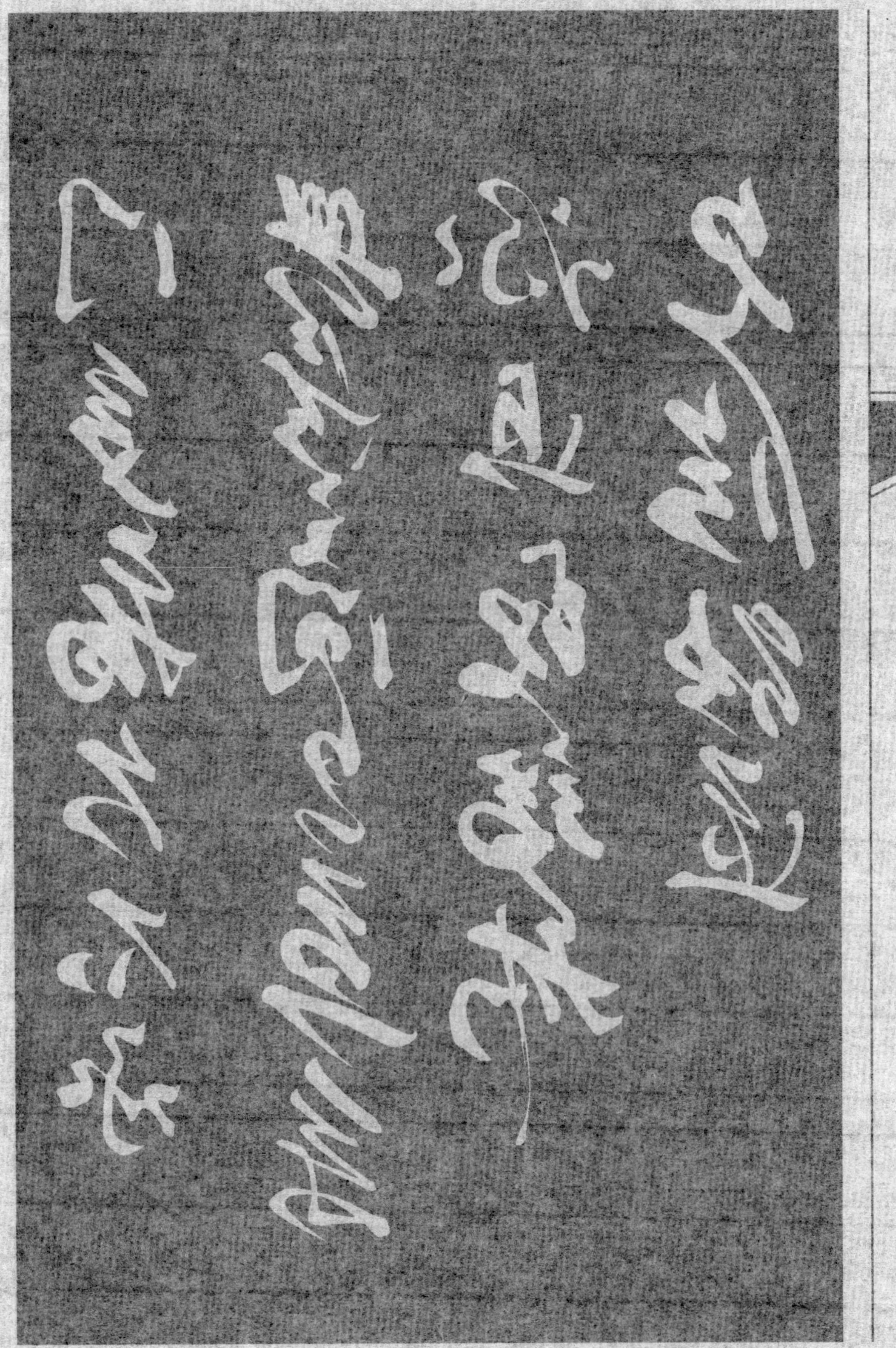

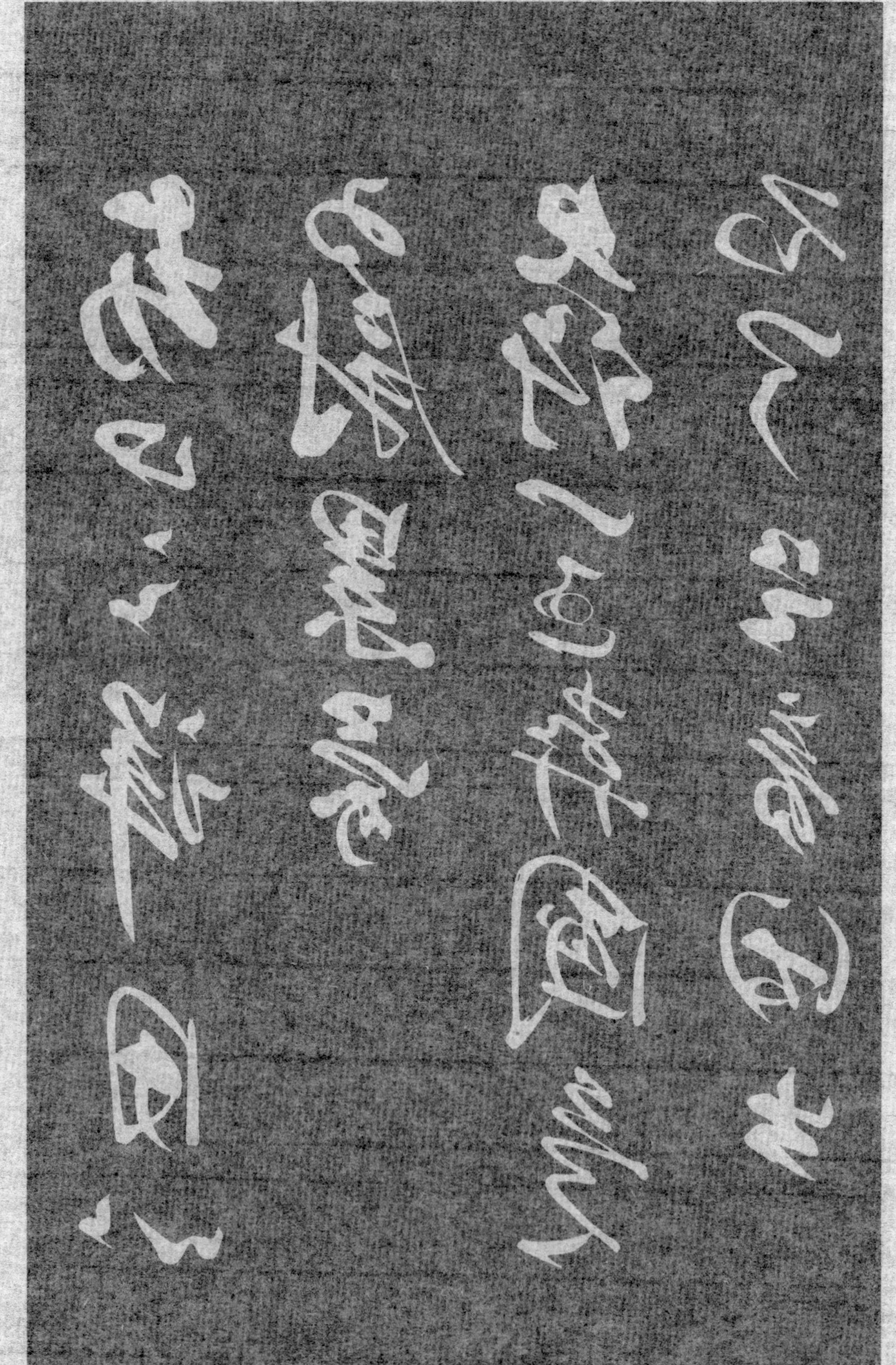

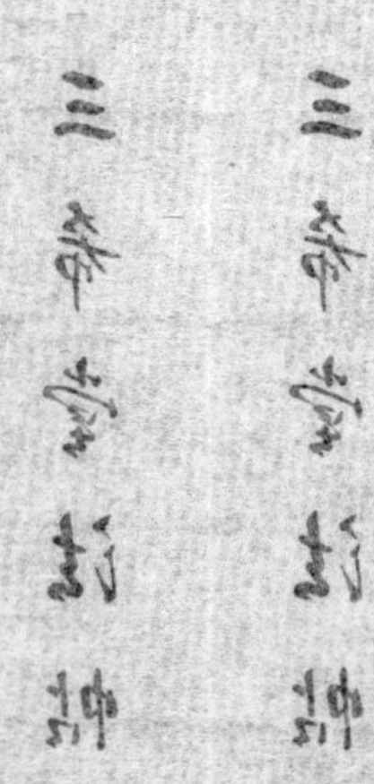

三希堂法帖

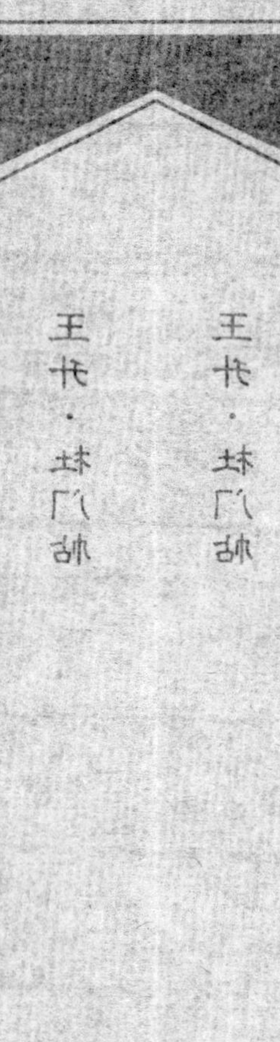

王廿·杜门帖

二二七

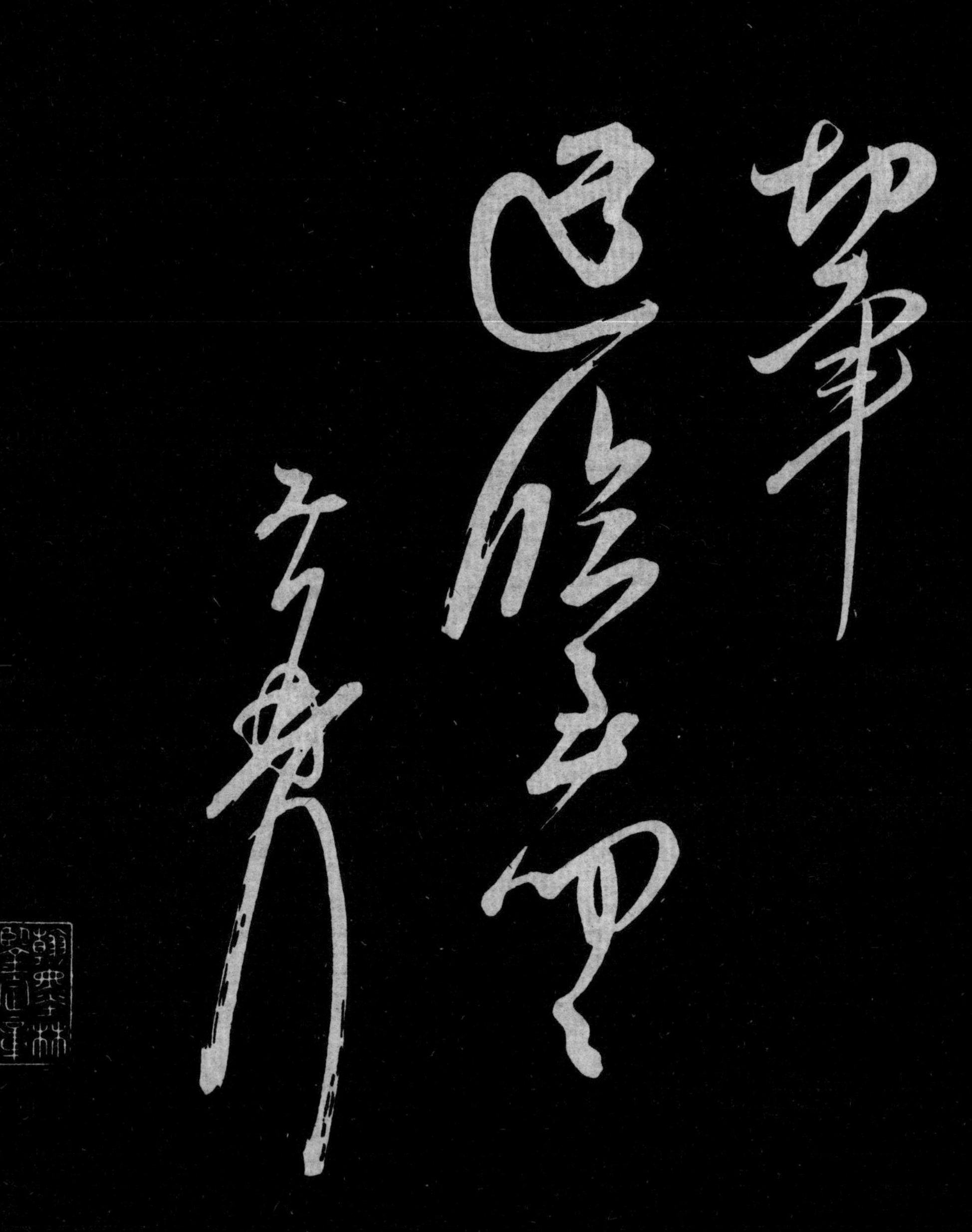

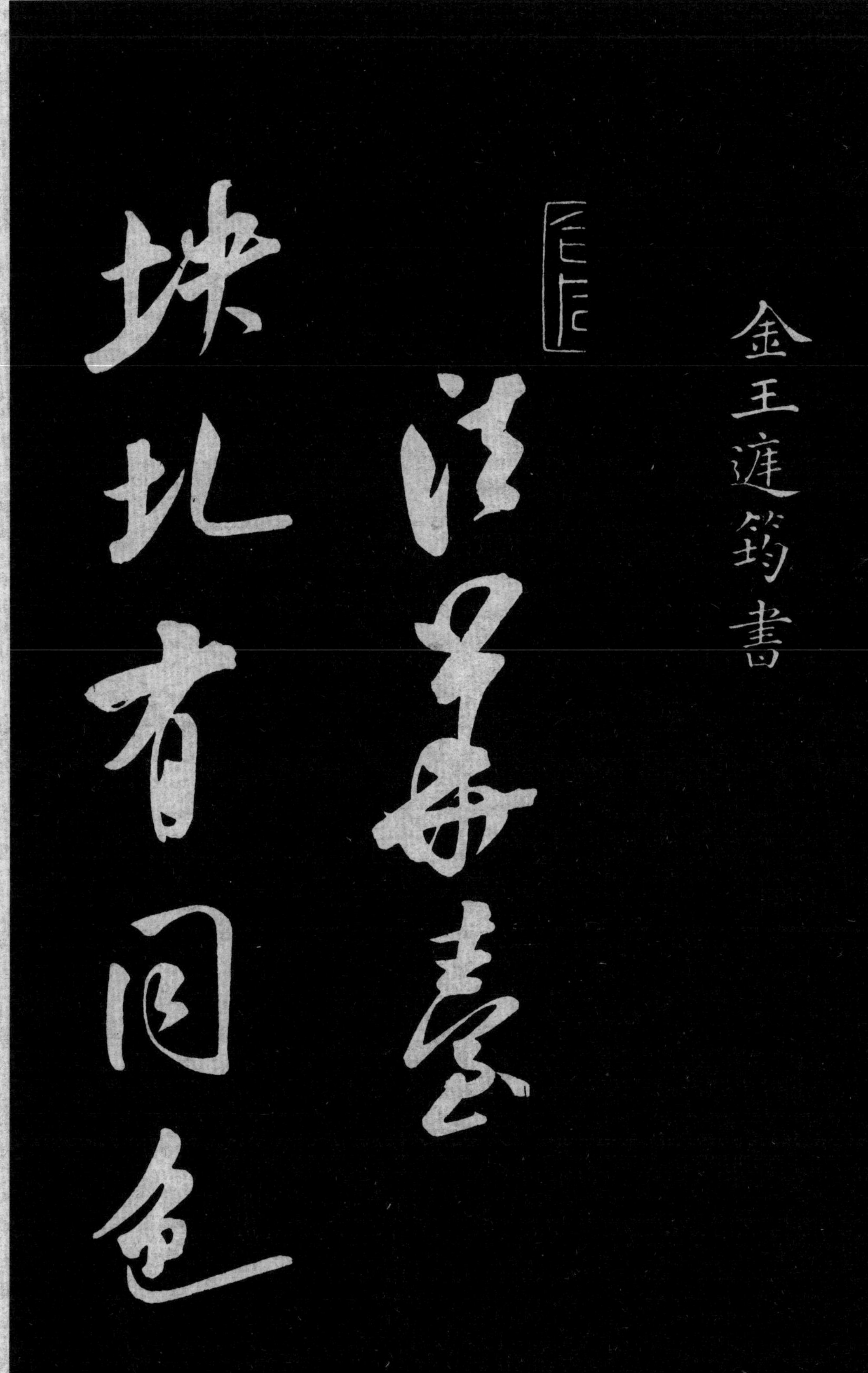

金王庭筠書

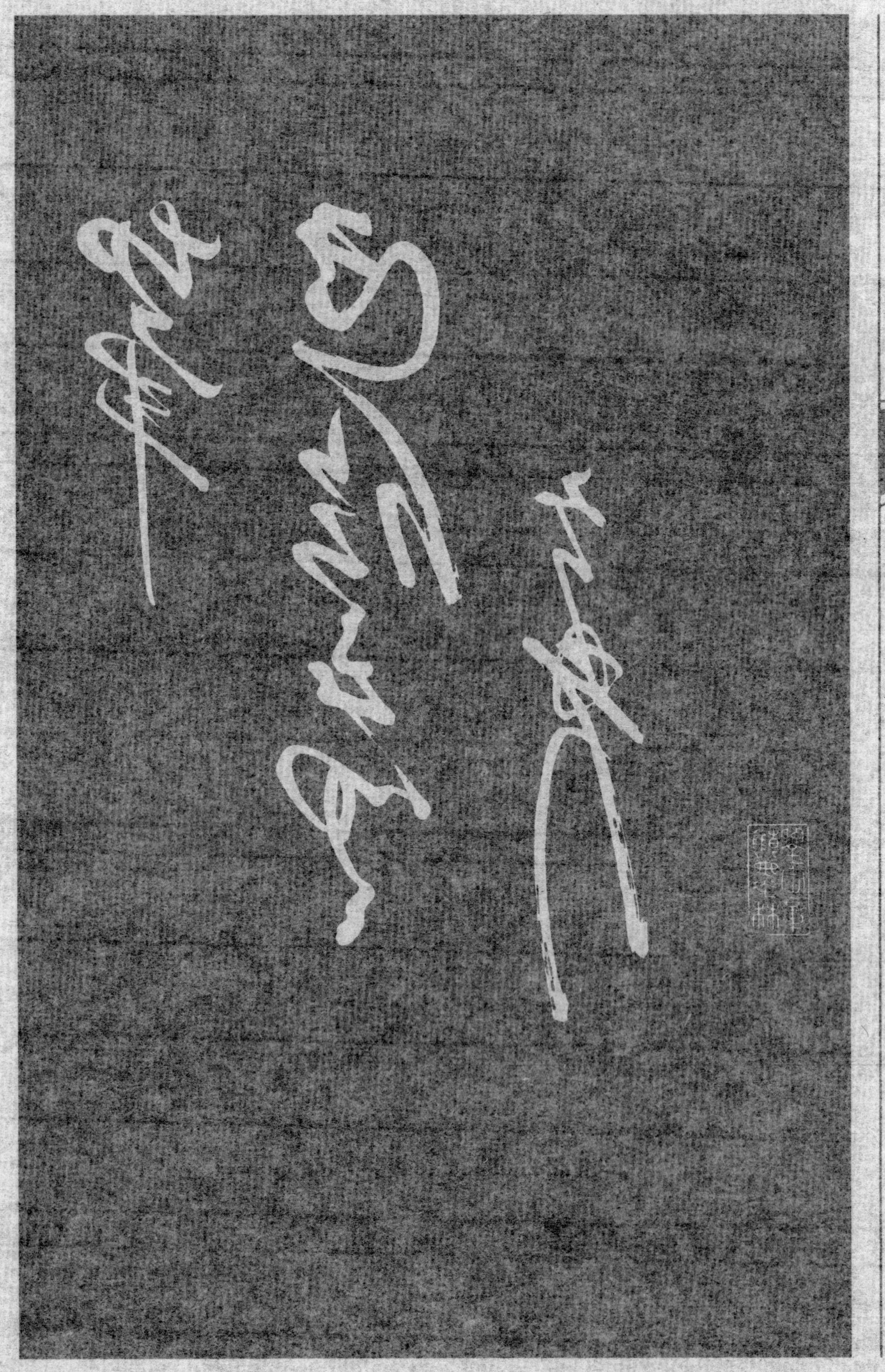

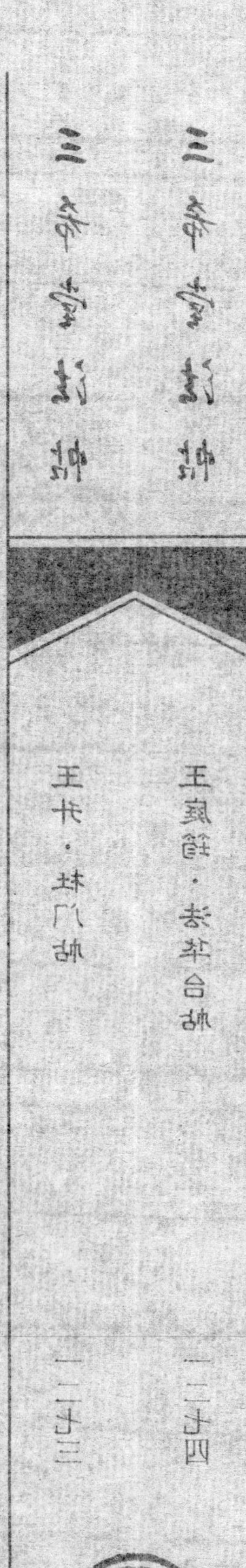

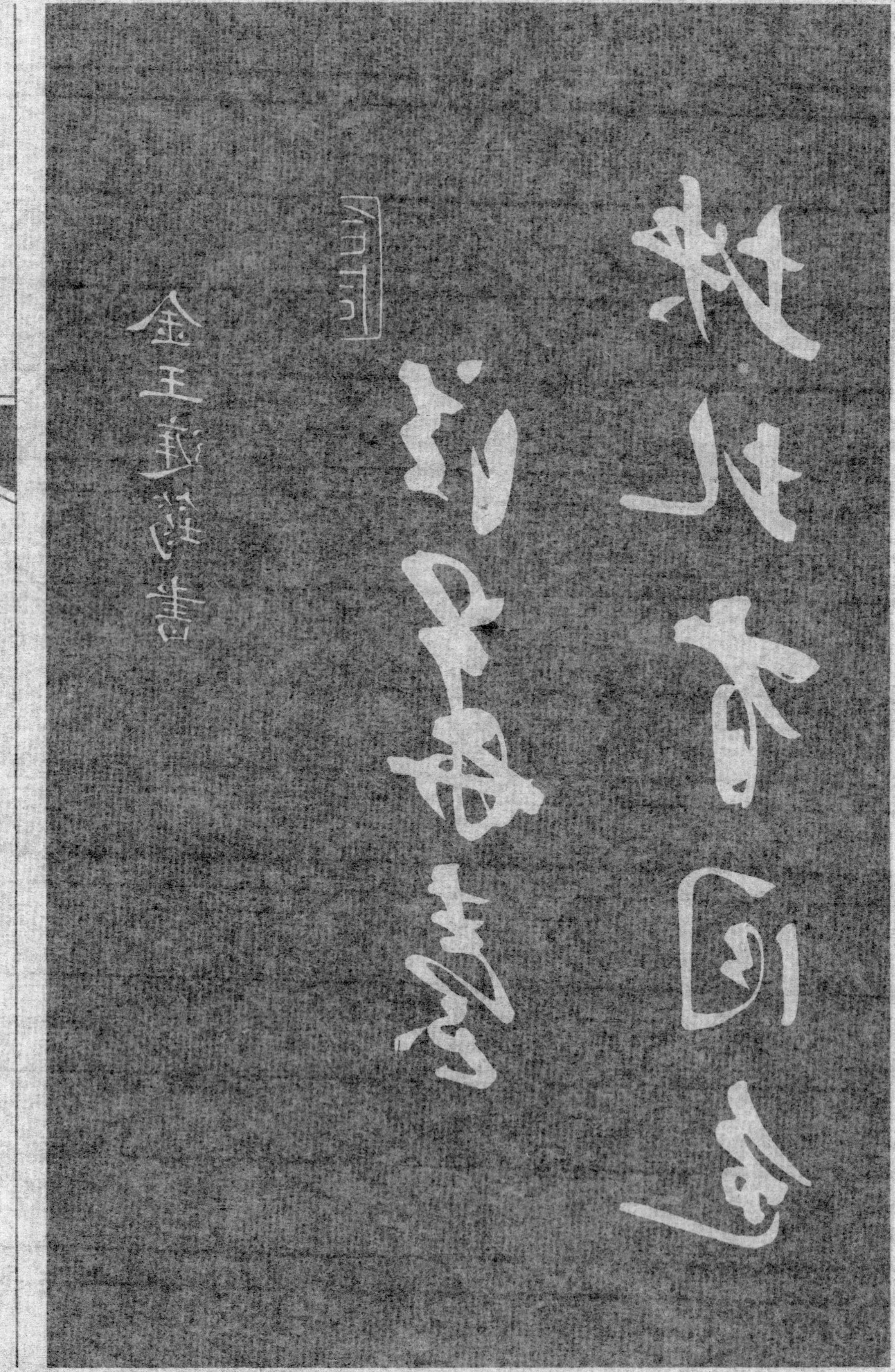

三希堂法帖

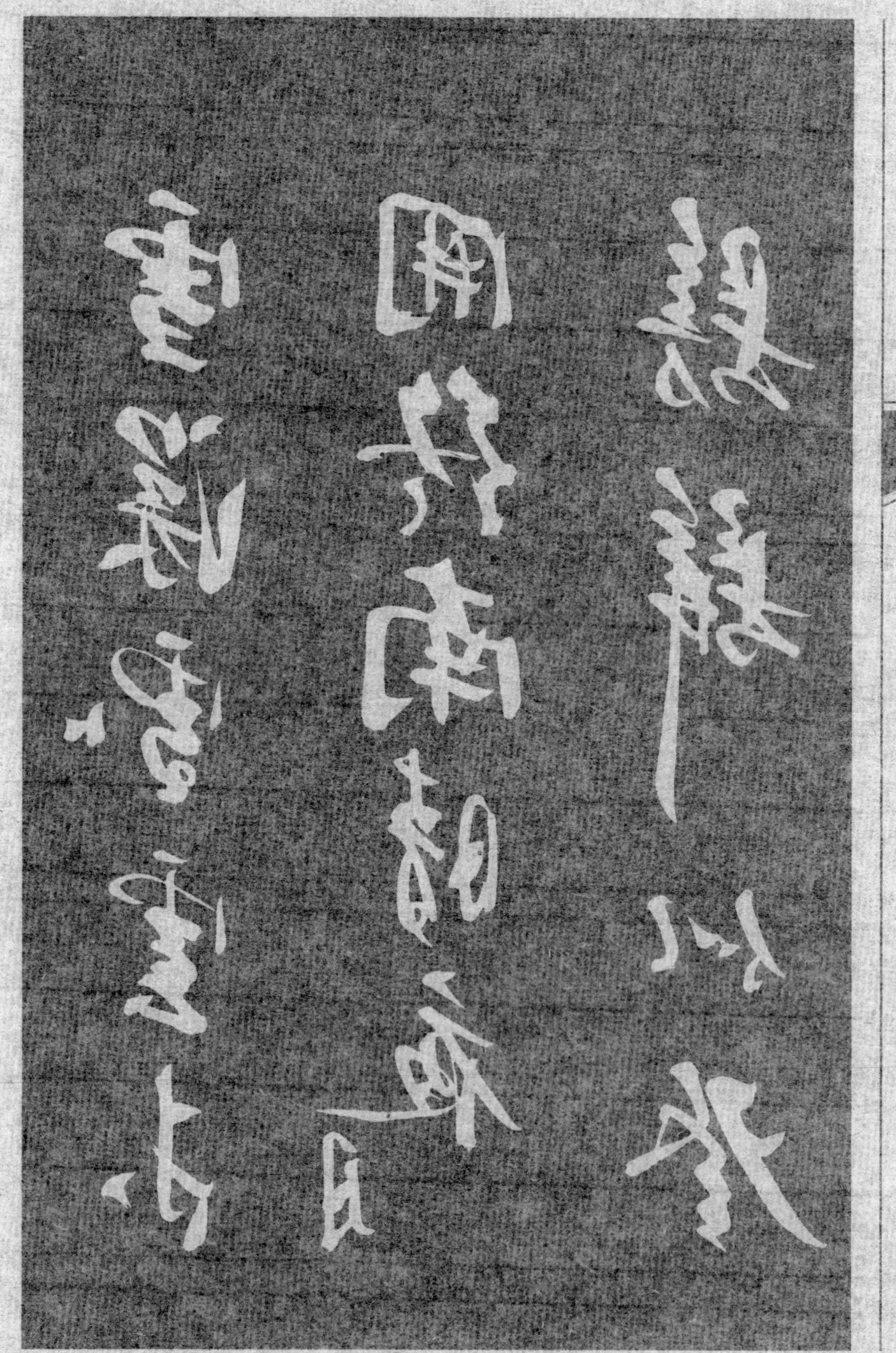

蟠杉松振老
鬚偃迴方擁
甲茶細旋擦

簷居

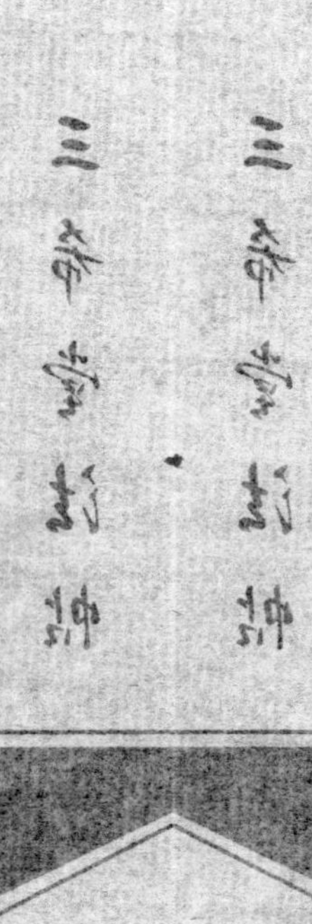

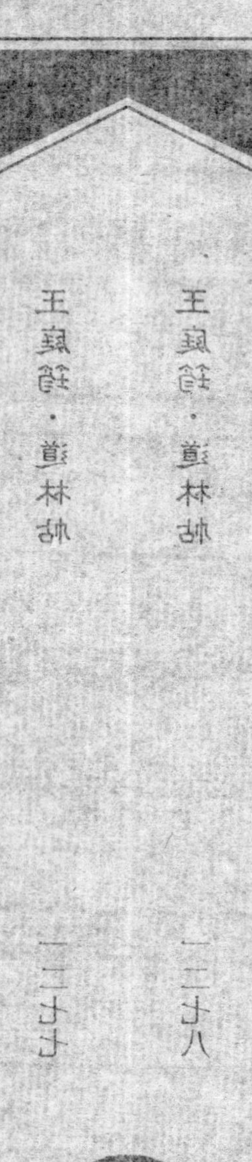

三希堂法帖

王庭筠·道林帖

御刻三希堂石渠寶笈法帖 第十八册

元趙孟頫書

無逸

周公作無逸無逸周公曰嗚呼君子所其無逸先知稼穡之艱難乃逸則知小人之依相小人厥父母勤勞稼穡厥子乃不知稼穡之艱難乃逸

乃諺既誕否則侮厥父母曰昔之人無聞知周公曰嗚呼我聞曰昔在殷王中宗嚴恭寅畏天命自度治民祗懼不敢荒寧肆中宗之享國七十有五年其在高宗時舊勞于外爰曁小人作其即位乃或亮陰三年不言言乃雍不敢荒寧嘉靖殷邦至于小大無時或怨肆高宗之享國五十有九年其在祖甲不義惟王舊為小人作其即位爰知小人之依能保惠于庶民不敢侮鰥寡肆祖甲之享國三十有三年自時厥

後立王生則逸生則逸不知稼穡之艱難不聞小
人之勞惟耽樂之從自時厥後亦罔或克壽或
十年或七八年或五六年或四三年周公曰嗚呼
厥亦惟我周大王王季克自抑畏文王卑服即
康功田功徽柔懿恭懷保小民惠鮮鰥寡自朝
至于日中昃不遑暇食用咸和萬民文王不敢盤
于遊田以庶邦惟正之供文王受命惟中身厥
享國五十年周公曰嗚呼繼自今嗣王則其無
淫于觀于逸于遊于田以萬民惟正之供無皇

曰今日耽樂乃非民攸訓非天攸若時人丕則有
愆無若殷王受之迷亂酗于酒德哉周公曰嗚呼
我聞曰古之人猶胥訓告胥保惠胥教誨民無
或胥譸張為幻此厥不聽人乃訓之乃變亂先
王之正刑至于小大民否則厥心違怨否則厥口詛
祝周公曰嗚呼自殷王中宗及高宗及祖甲及
我周文王茲四人迪哲厥或告之曰小人怨汝詈
汝則皇自敬德厥愆曰朕之愆允若時不啻不
敢含怒此厥不聽人乃或譸張為幻曰小人怨

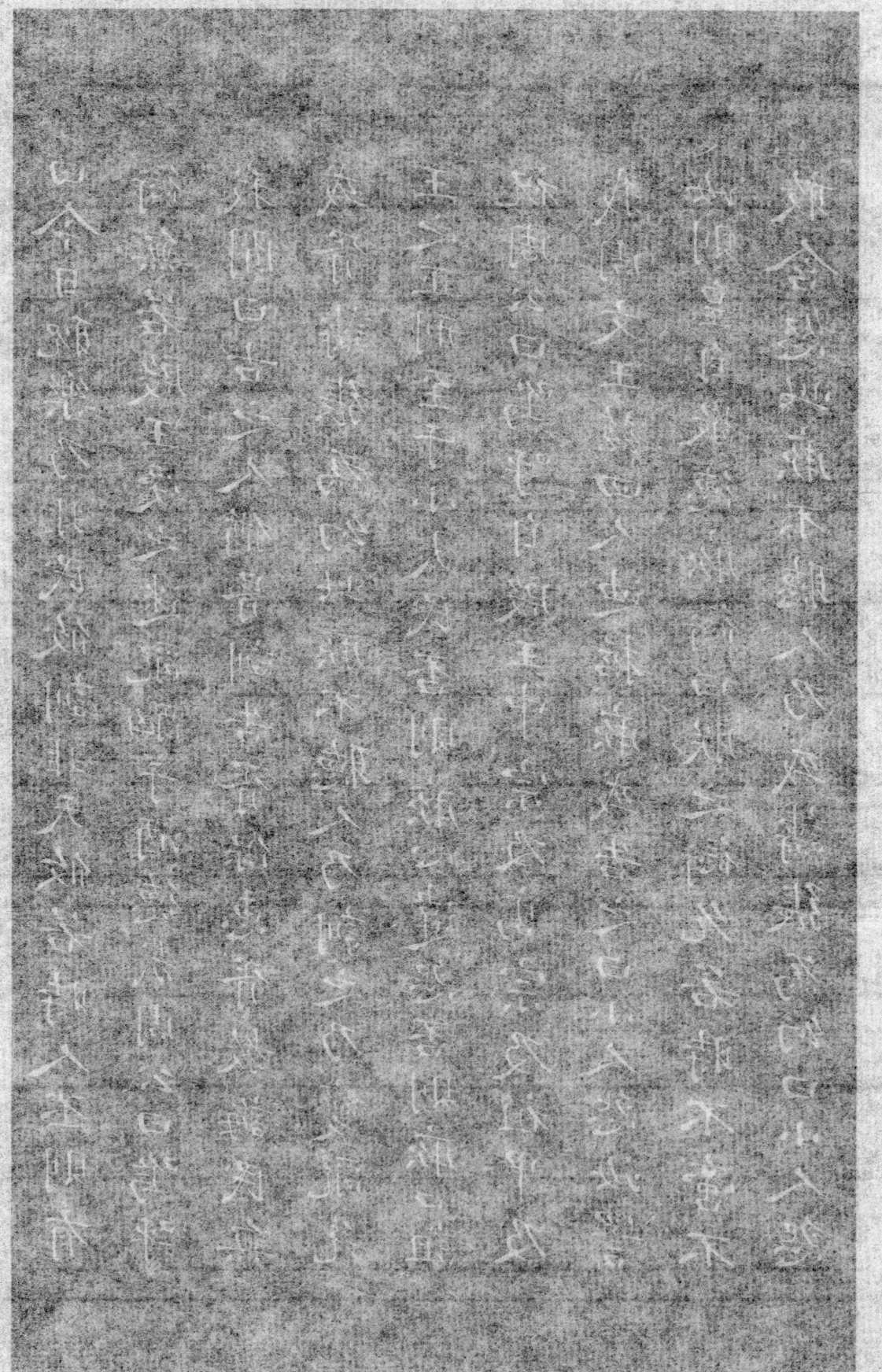

三希堂法帖

趙孟頫·无逸帖

汝詈汝則信之則若時不永念厥辟不寬綽
厥心亂罰無罪殺無辜怨有同是叢于厥
身周公曰嗚呼嗣王其監于茲

吳興趙孟頫書

急就奇觚與衆異羅列諸物名

姓字分別部居不雜廁用日約少誠
快意勉力務之必有喜請道其章
宋延年鄭子方衛益壽史步昌周
千秋趙孺卿爰展世高辟兵鄧
萬歲秦妙房郝利親馮漢
強戴護郭景君明董奉德桓賢良

任逢時侯仲郎由廣國榮惠常烏
承祿令狐橫朱交便孔何傷師
猛虎石敢當所不侵龍未央伊嬰齊
第三翟回慶畢稚季昭小兄柳堯
舜藥禹湯淳于登費通光柘恩舒
路正陽霍聖宮顏文章莞財曾偏

三希堂法帖

赵孟頫·急就章

呂張魯賀憙灌宜王程忠信吳仲
皇許終古賈友倉陳元始韓魏唐第
四掖容調相杜楊曹富貴李尹桑蕭
彭祖屈宗談樊愛君崔孝讓姚得
賜燕楚嚴薛勝客聶邪將求男
弟過說長祝蕙承審豈妨龐賓竇

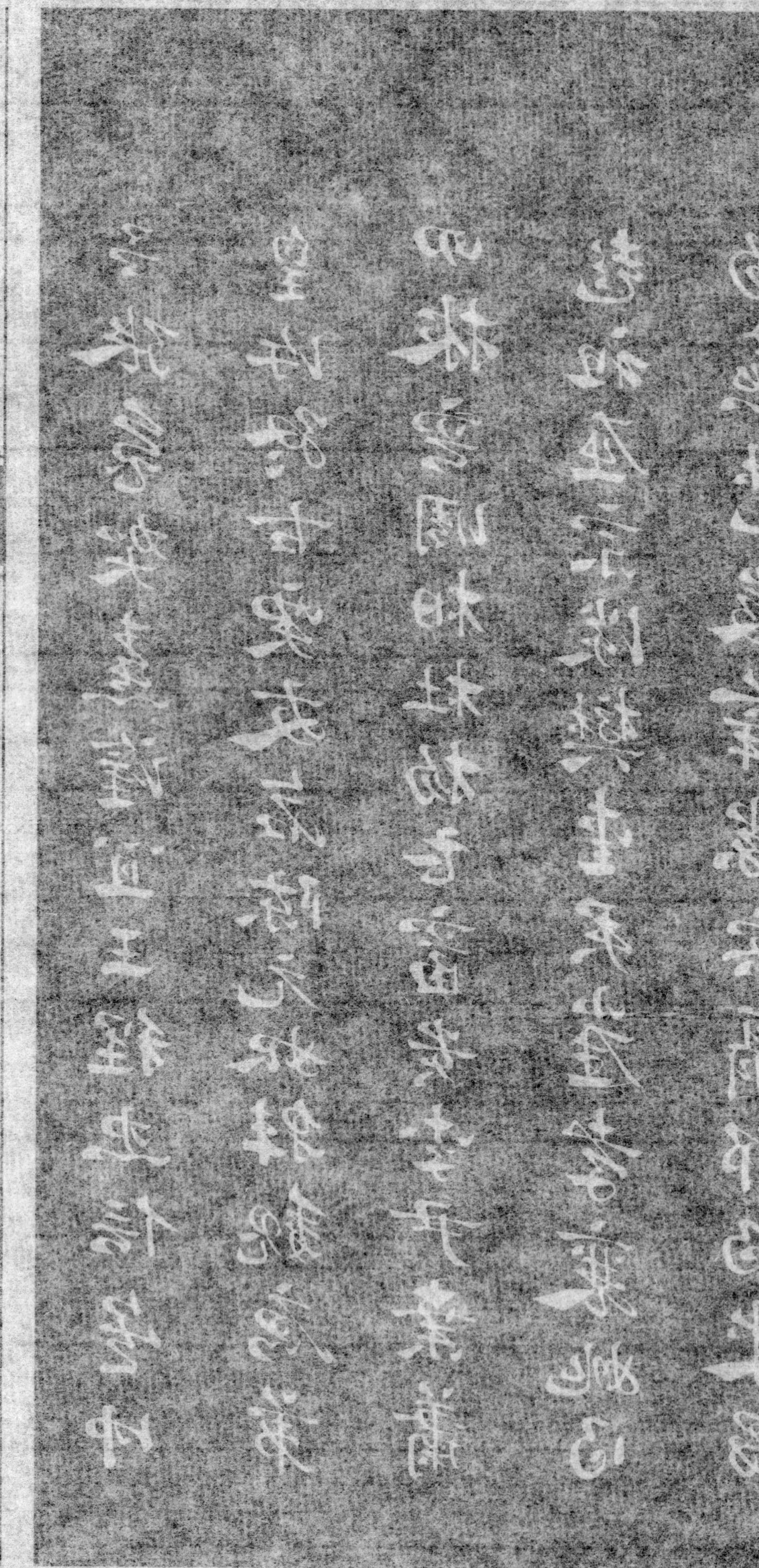

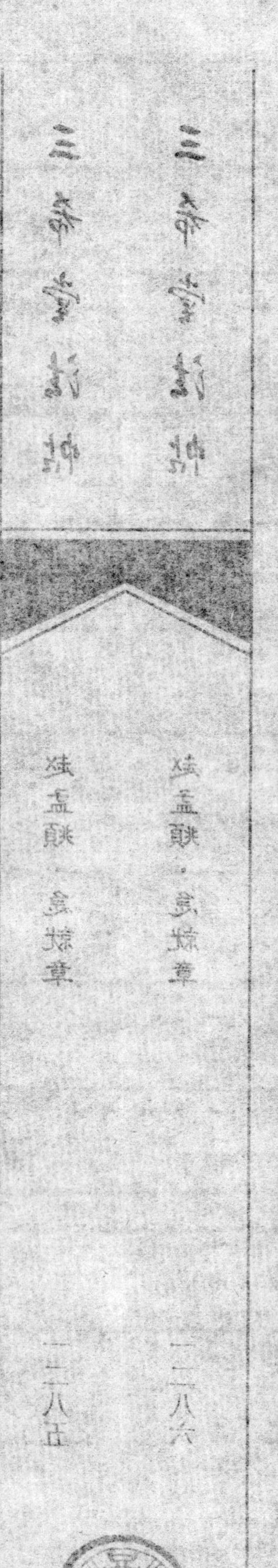

三希堂法帖
赵孟頫 · 急就章

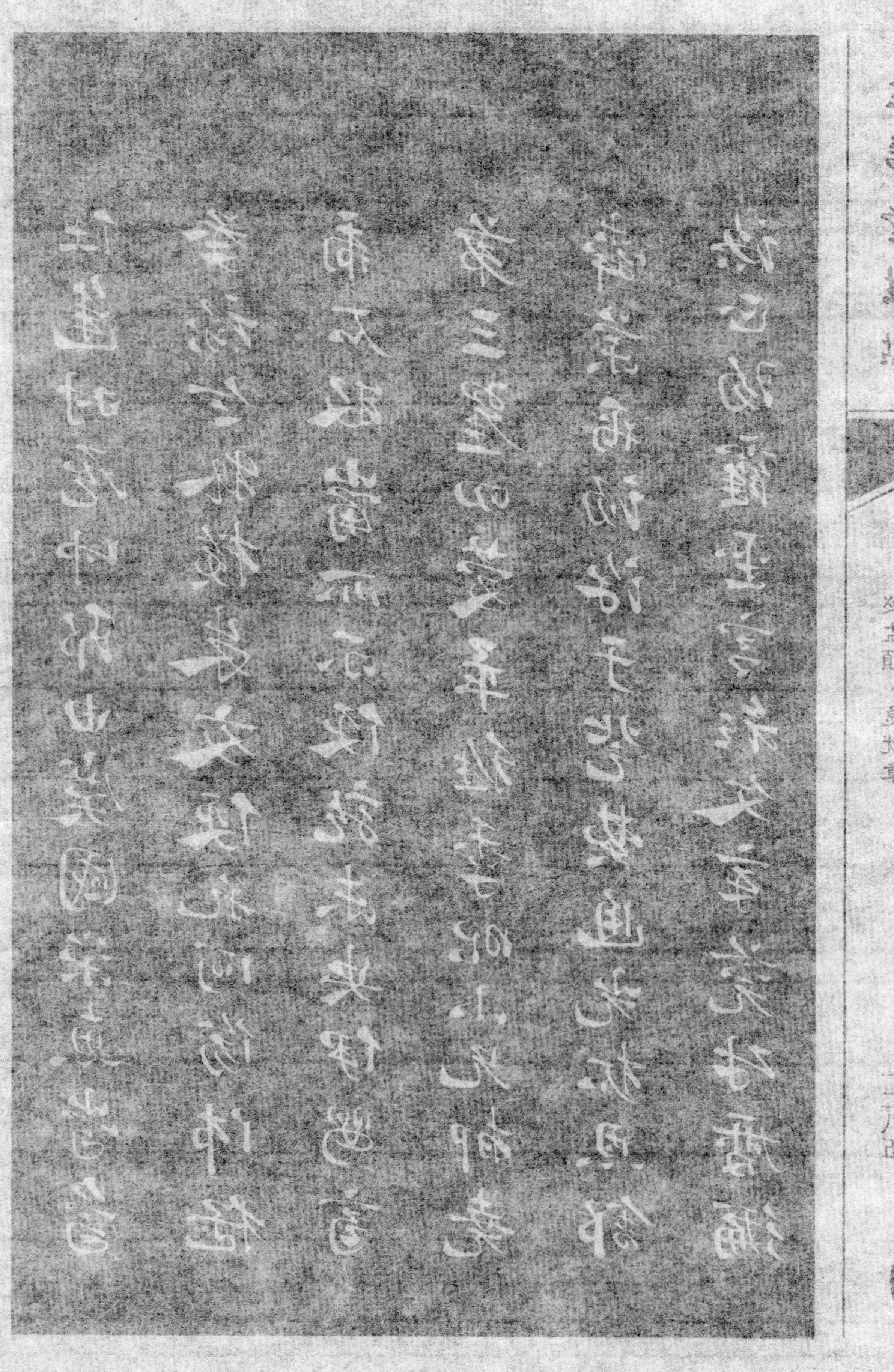

蔡士梁朱博好范建羌苗雍春第
五亨可兵尚負支常涉怕因細兒沙
內黃柴桂林溫丘衛奚豁于邴豫
翁雒孤敞冒差芽毛遺羽馬牛羊
尚次倩丘則剛陰賓上翟鴛鴦庶
霸遂萬叔子治易功建初思第六

褚回池蒹伴房臧罷軍橋竇陽原
輔福宣棄奴殷滿息充申屠夏修俠
公孫都慈仁他郭破胡虞偃憲義
渠蔡游威左地餘譚平定孟伯徐
葛咸軻敦錡蘇耿潘扈第七鉄獨
騁捲綎云尋京鳳孔錘蕭陵東豹首

落莫兔雙鶴春草雞翹鳧翁濯鬱金半見緗白䋞縹綟綠紈皁紫硟烝栗絹紺縉紅繎青綺綾縠靡潤鮮綈絡縑練素帛蟬第八絳緹絓紬絲絮緜紕幣囊橐不直錢服瑣緰此與繒連貰貸賣買販肆便資貨

三希堂法帖

市贏匹幅全綌紵枲緼裹約纏綸組縌綬以高遷量丈尺寸斤兩銓取受付予相因緣第九稻黍秫稷粟麻秔餅餌麥飯甘豆羹葵韭蔥䪥蓼蘇薑蕪荑鹽豉醯酢醬芸蒜薺芥茱萸香老菁蘘荷冬日藏梨柿

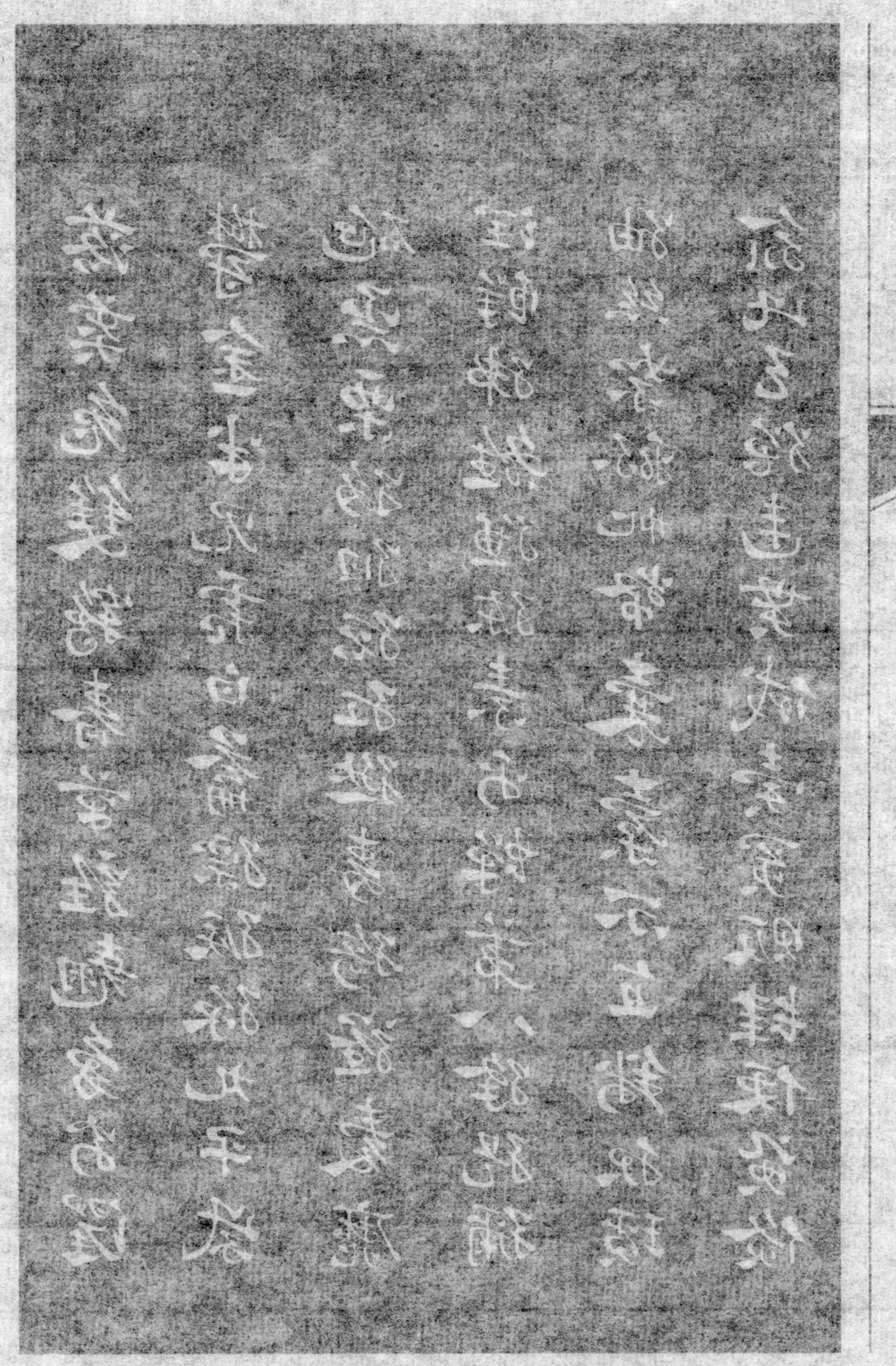
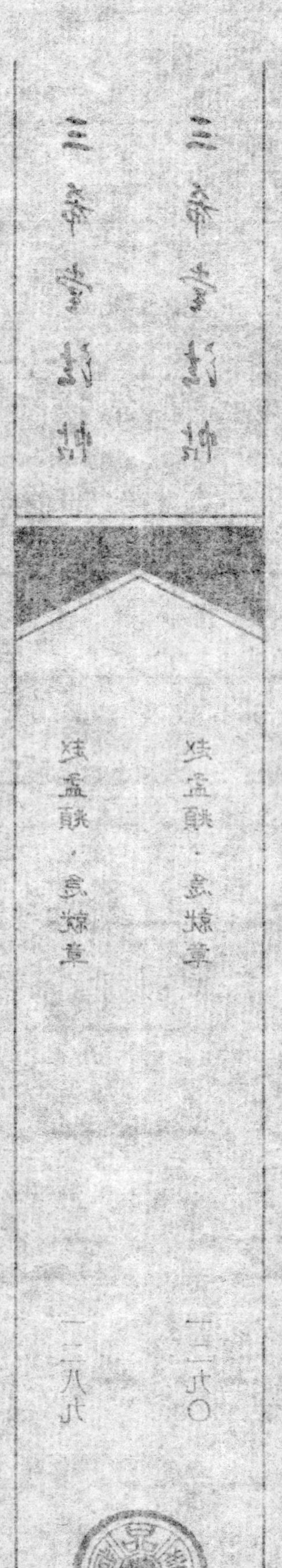

柰桃待露霜棗杏瓜棣饊飴餳園

菜果蓏助米粱第十甘麩殊美奏諸

君袍襦表裏曲領帬襜褕袷複褶

袴褌襌衣蔽膝布母縛鍼縷補縫

綻紩緣履舄鞜裒絨緞紃靸鞮卬

角褐韤巾尚韋不借為牧人完堅耐

事踰比倫第十一屐屩絜麤羸窶

貧旃裘索擇蠻夷民去俗歸義來

附親譯導贊拜稱妾臣戎翁總冗什

伍陳廩食縣官帶金銀鐵鈇錐鑽

釜鍑鍪鍛鑄鉛錫鐙鐎錠鈐鏤

鉤銍斧鑿鉏第十二銅鍾鼎鋞鋗

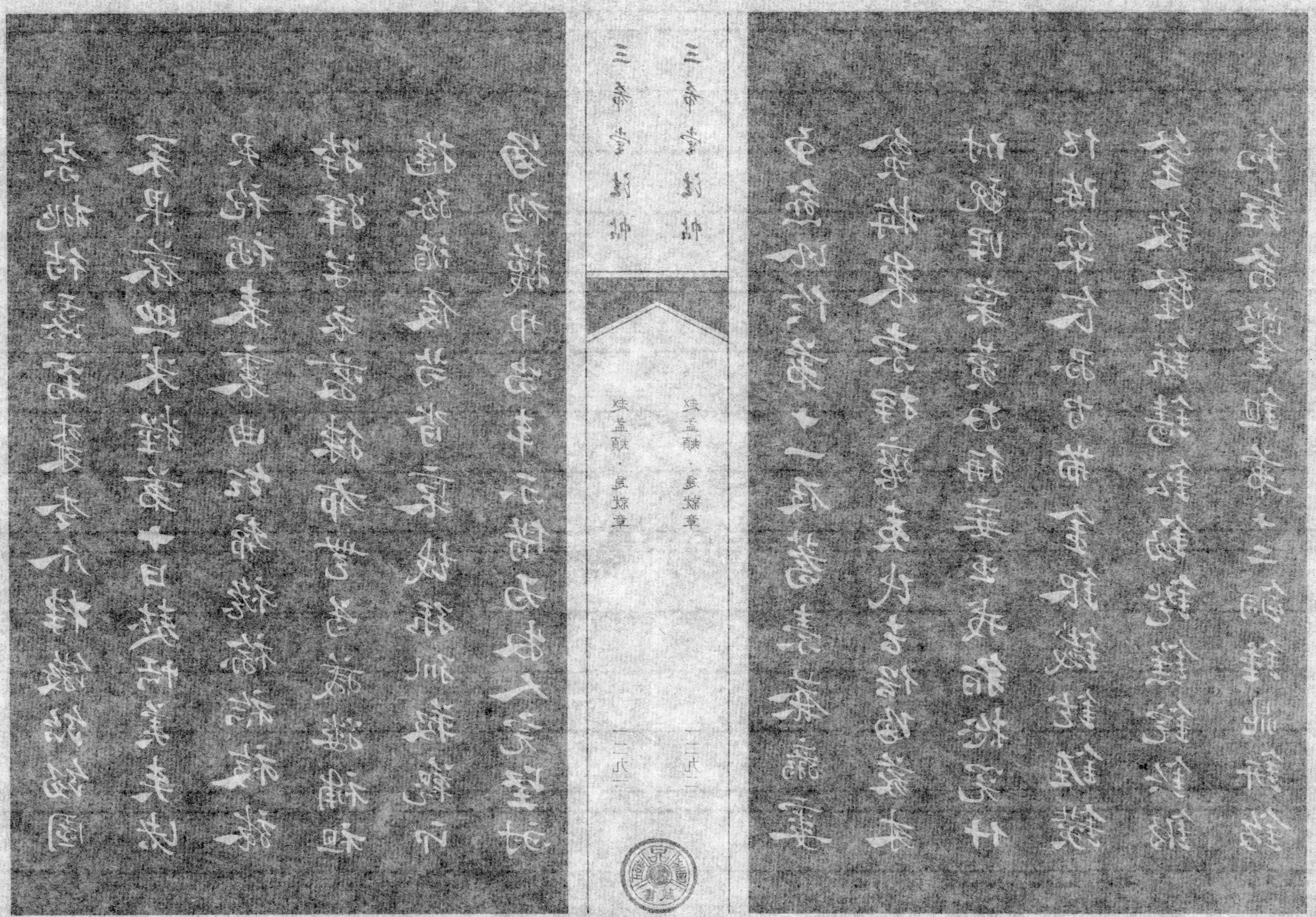

匜銚釭鐧鍵鉆冶錮鐈竹器簦笠
簟籧篨篅箯筥篝箅簁箄箕
帚筐篋簍橢杅槃案杯問盌蠡斗
參升半卮觛槫榼椑榹匕箸籫甀
盆盎甕罃壺第十三甑瓽甂甌瓨甖
盛纍繘繩索絞紡纑簡札檢署槧牘

家板柞所産谷口茶水虫科斗鼃蝦蟆
鯉鮒蟹鱓鮐鮑鰕妻婦聘嫁齎媵僮
奴婢私隸枕床杠蒲蒻藺席帳帷幢第
十四承塵戶簾絛繢總鏡籢疏比各異
工芬薰脂粉膏澤筩沐浴揃搣寡合
同襐飾刻畫無等雙係臂琅玕虎魄龍

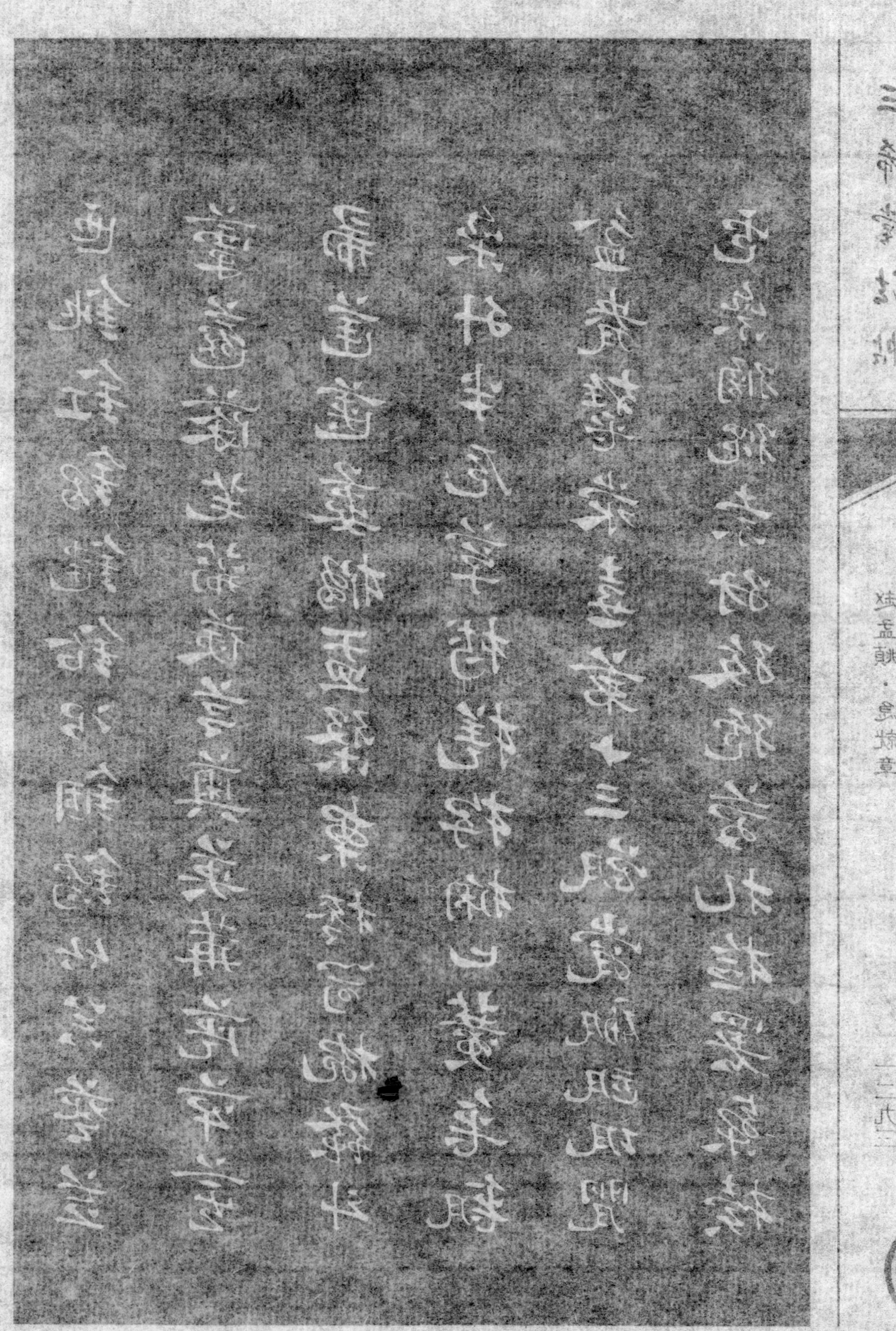
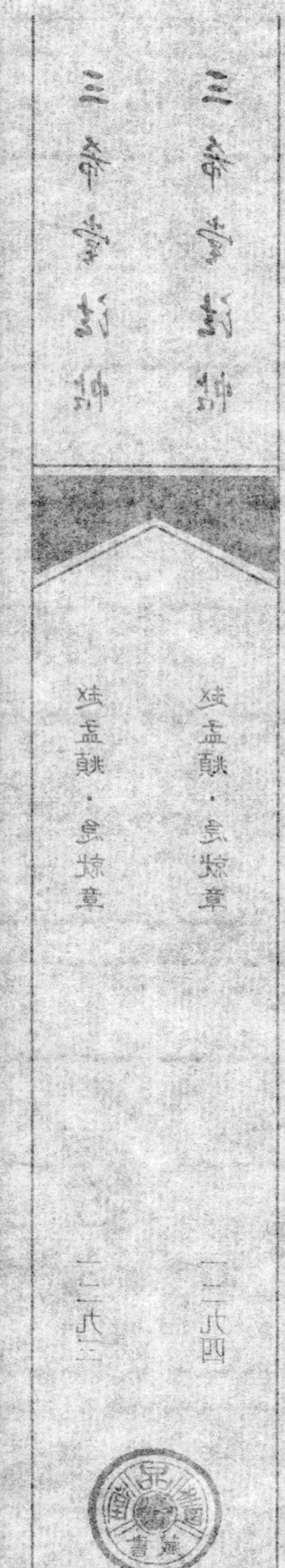

龍璧碧珠璣玫瑰甕玉玦環佩靡從
容射鬾辟邪除群凶第十五竽瑟空
侯琴筑箏鐘磬鞀簫鼙鼓鳴五音
總會歌謳聲倡優俳笑觀倚庭侍酒
行觴宿昔酲廚宰切割給使令薪炭
萑葦炊孰生膹膾炙胾各有形酸鹹

酢淡辨濁清第十六肌膓脯腊魚臭
腥沽酒釀醪稽檠程寬而倚飢契
狂孚懊蕃荧猪鼓狃以頟頞准蒙目
耳鼻口脣舌齗牙齒頰頤頸項肩臂
肘卷捥節爪拇指手胂腴胸脇喉
膺髃第十七腸胃腹肝肺心主脾腎

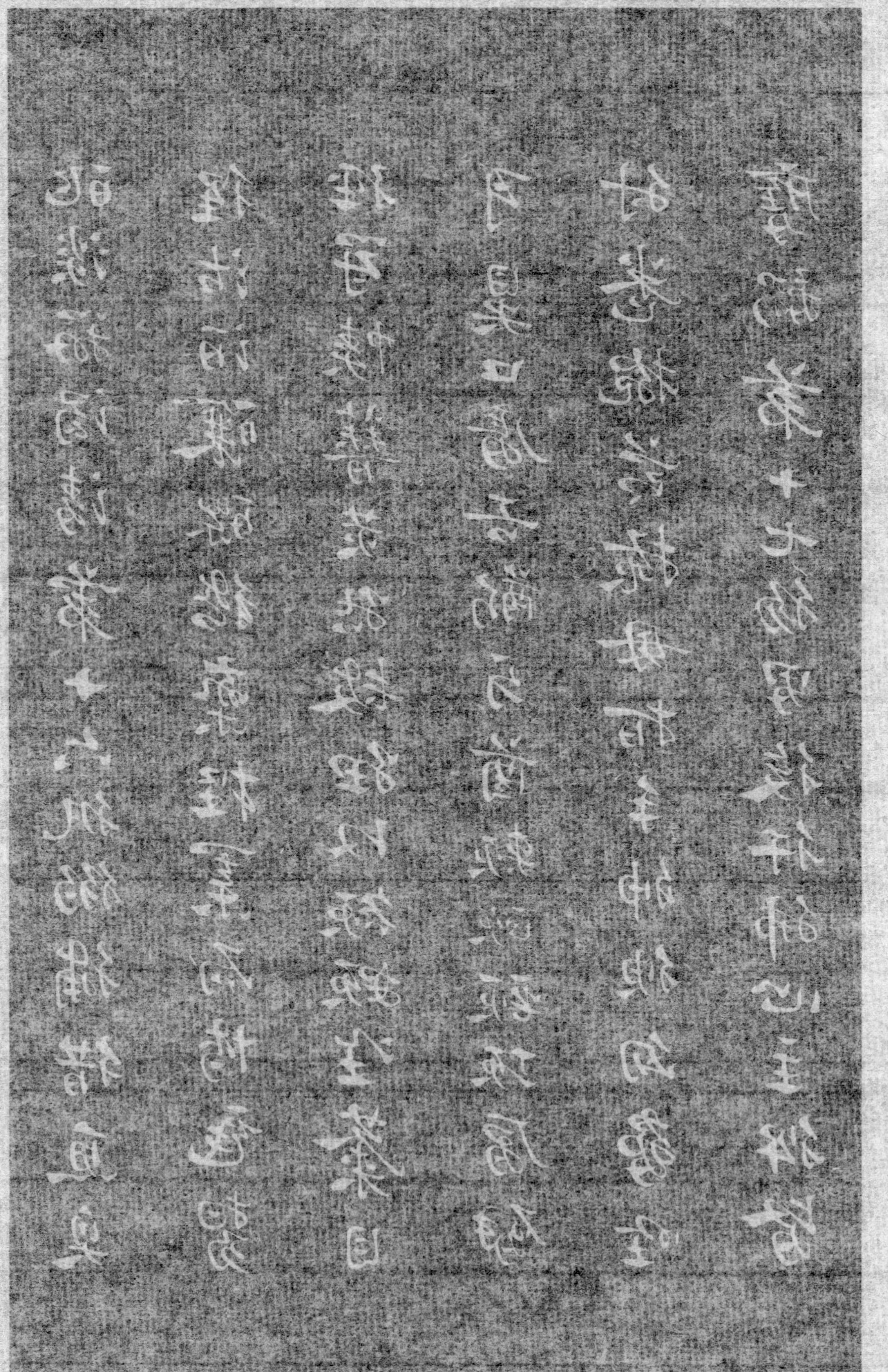

乙梔緩裹亂瓦窮窖夢要脊僂緩
御倈儐徑為柱佛課誤誣拘迫乘矛
鑲盾刃刀鉤鈒戟鈹鎔劍鐔鍭弓
弩箭矢鎧兜鍪鐵錘檛杖梲柲杸
第十八輜軺轅軸輿輪康輻轂輨轄
朵轞棄軹軾軫蓋轑軥衛蓋軛縛

三希堂法帖

扰𡯄猗崇䶂鞅鞠𤝝羈𢏎茵蓐薦
杜羣鐩鍚靳鞠箭鞈色熾煌華肅
蛛漆狢黑宮室宅廬舍樓殿堂第
十九門戶井竈廡囷京榱椽欂櫨瓦
屋梁泥塗堊壁垣牆楨榦板栽
度圜方屏廁溷清糞土壤墼壘

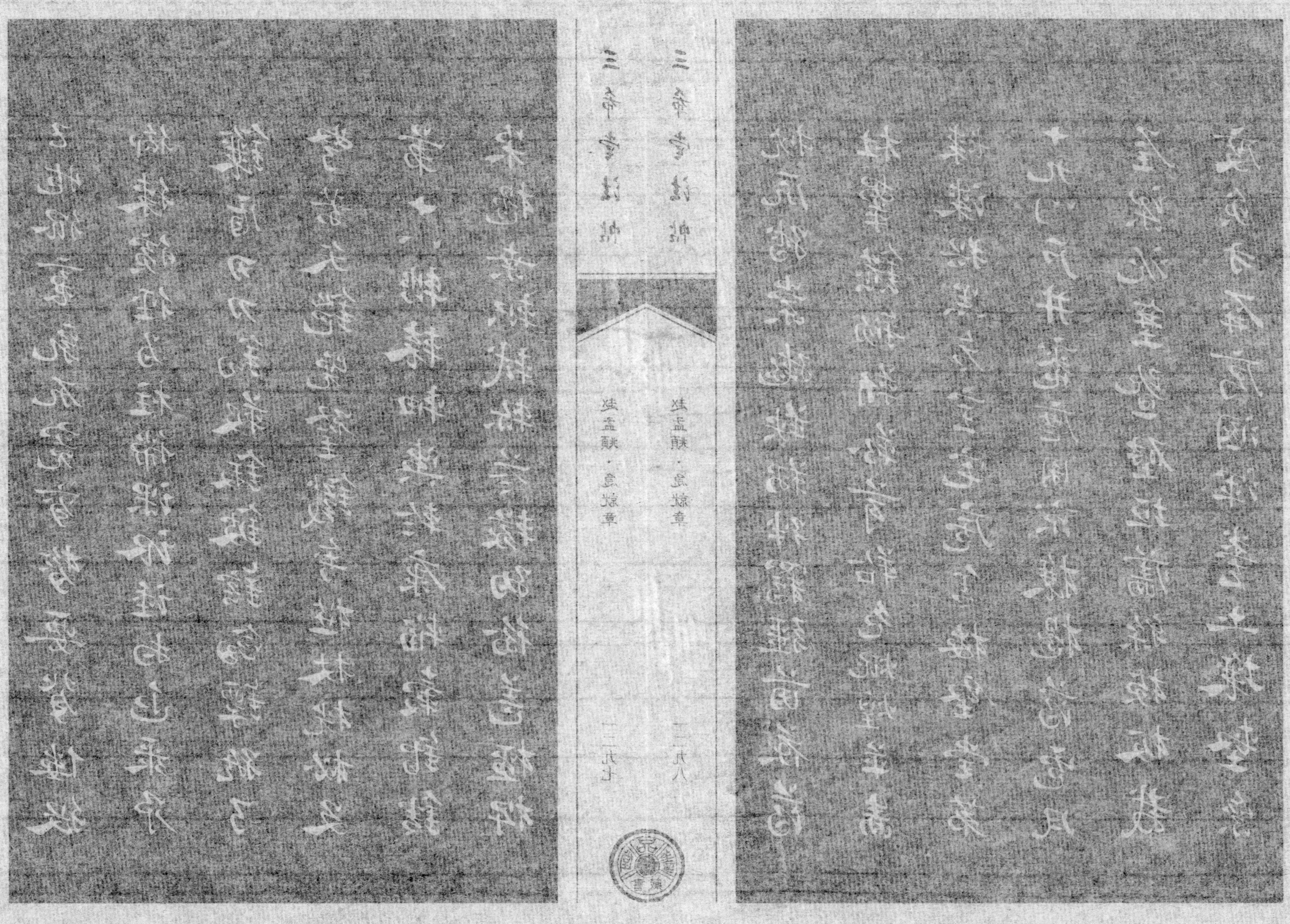

㡿廡庫東箱碓磑扇隤舂簸揚
頃町界畝畦畔畷伯耒犁鉏
第廿種樹收斂賦稅捃穫秉把插
捌杷桐梓樅松榆樠樗槐檀荊棘
葉枝扶騂騩騅駮驪騮驄騧騶
怒步跆佯叛鷄鶵靴鵂六畜蕃息

豭豮豬豶狡狗野雞雛第廿一犙牸
牸特羔犢羜羝牝牡羯隨䍺犗獷汁
羣豪豎芻鳳爵鴻鵠　鶩雉鷹
鷂鴇鴰翳鵲尾鳩鴿鶉鴳中罔死鳶
鸛鴟鳥鷙豹狐距虛豺豕犀兕
貍兔飛鼯狼麋麃第廿二麋麞

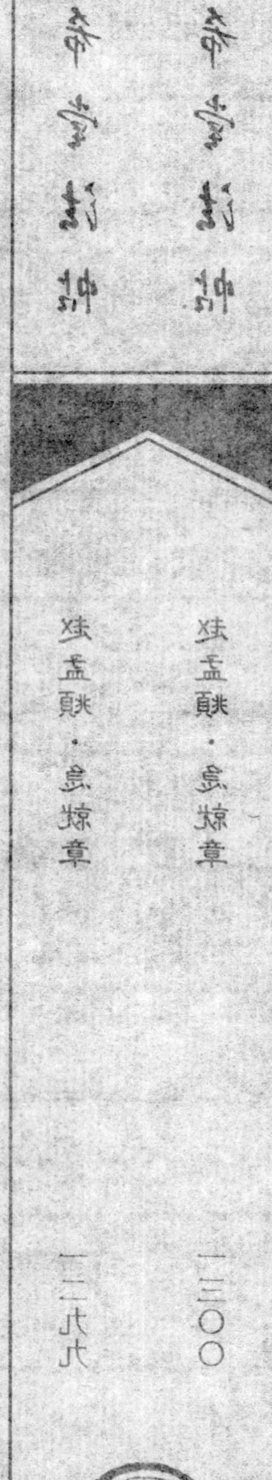
三希堂法帖
趙孟頫·急就章
一三〇〇
三希堂法帖
趙孟頫·急就章
一二九九

蘩荼皮殆履寒氣泄注腹臚脹痂
疕疥癘癡聾盲癰疽瘛瘲痿痹痮
疝瘕顛疾狂失響　痛痲溫病
消渴歐逆欬懣讓瘀熱瘻痔眵䁾
眼篤癃衰廢迎醫匠第廿三灸刺和
藥逐去邪黃芩伏令礜茈胡牡蒙甘

三希堂法帖

草菀藜蘆烏喙付子椒元華半夏皂
莢艾橐吾芎藭厚朴桂栝樓款東
貝母薑狼牙遠志續斷參土瓜亭歷
桔梗龜骨枯第廿四雷矢雚菌蓋
兔盧卜問譴祟父母恐祠祀社稷叢
臘奉謁禓塞禱鬼神寵棺槨槥櫝

赵孟頫・急就章

三希堂法帖

皇象·急就章

遣送踊喪弔悲哀面目腫哭泣醊祭
墳墓冢諸物盡訖五官出宦學諷詩
孝經論第廿五春秋尚書律令文治
禮掌故砥厲身智能通達多見聞名
顯絕殊異等倫抽擢推舉白黑分積
行上究為牧人丞相御史郎中君進

近公卿傅僕勳前後常侍諸將軍第
廿六列侯封邑有土臣積學所致非
鬼神馮翊京兆執治民廉潔平端撫
順親變化迷惑別故新姦邪並塞皆
理馴更卒歸誠自詣因司農少府國
之淵援眾錢穀主調均第廿七皋陶

三希堂法帖
一三〇四
三希堂法帖
一三〇三

造獄法律存誅罰詐偽劾罪人廷
尉正監承古先總領煩亂決疑文鬭
變殺傷捕伍鄰游徼亭長共雜診
盜賊繫囚榜笞臀朋黨謀敗相引
牽欺誣詰狀還反真第廿八坐生患
害不足憐辭窮情得具獄堅籍

三希堂法帖

受證驗記問年閭里鄉縣趣辟論鬼薪
白粲鉗釱髡不肯謹慎自令然輸
屬詔作谿谷山箛篍起居課後先斬
伐材木斫株根第廿九犯禍事危置
對曹謾訑首匿愁勿聊縛束脫漏
亡命流攻擊劫奪檻車膠嗇夫假

赵孟頫·急就章

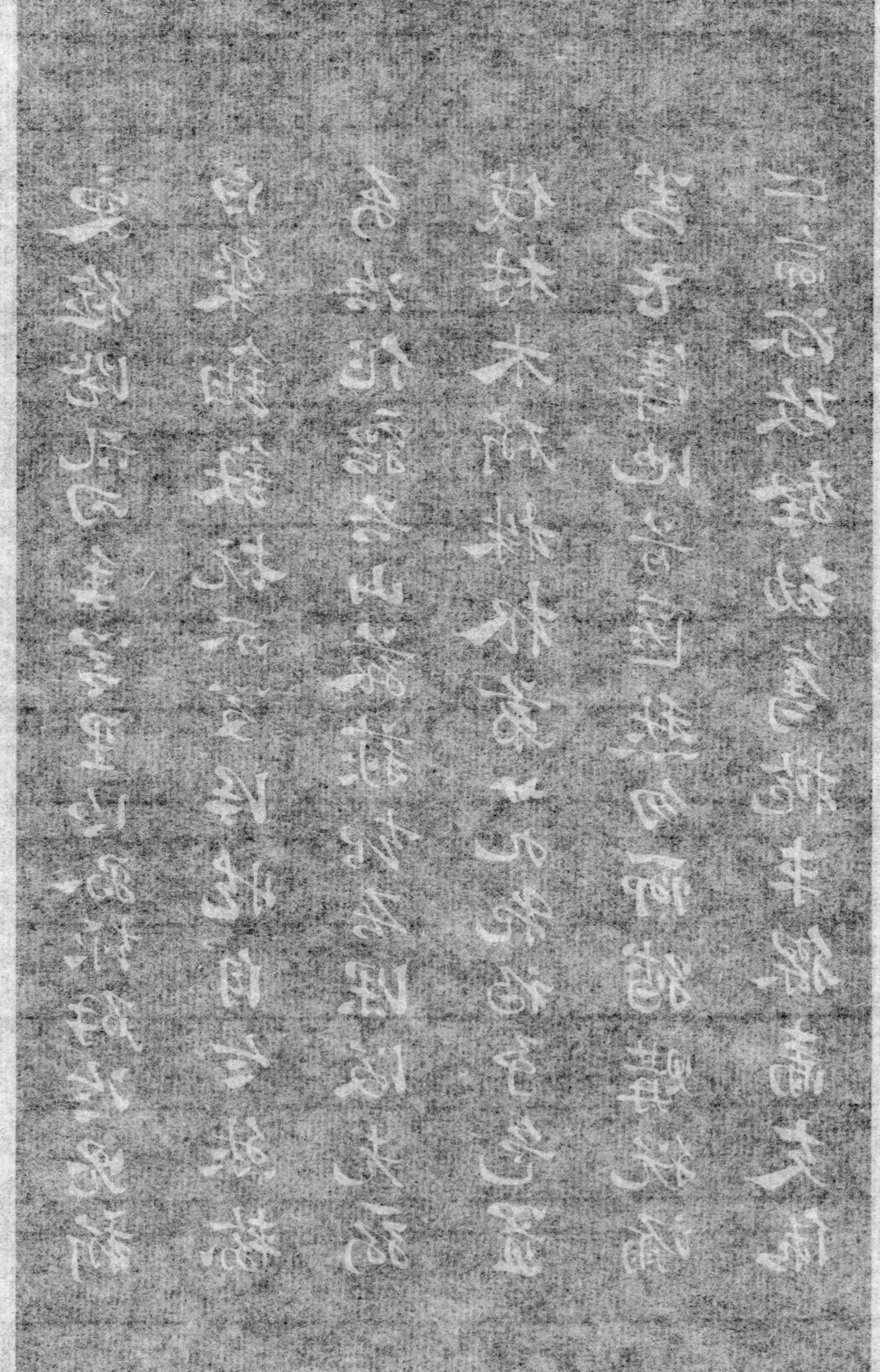

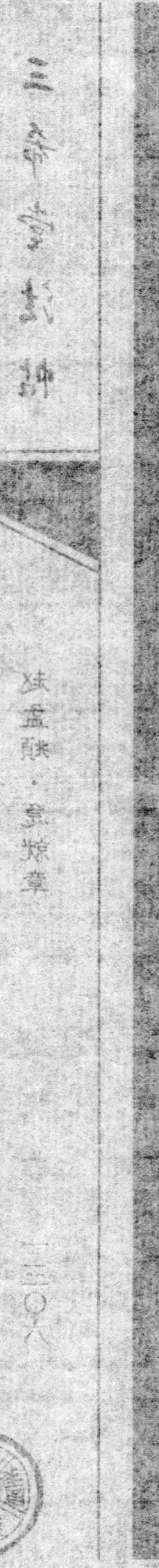

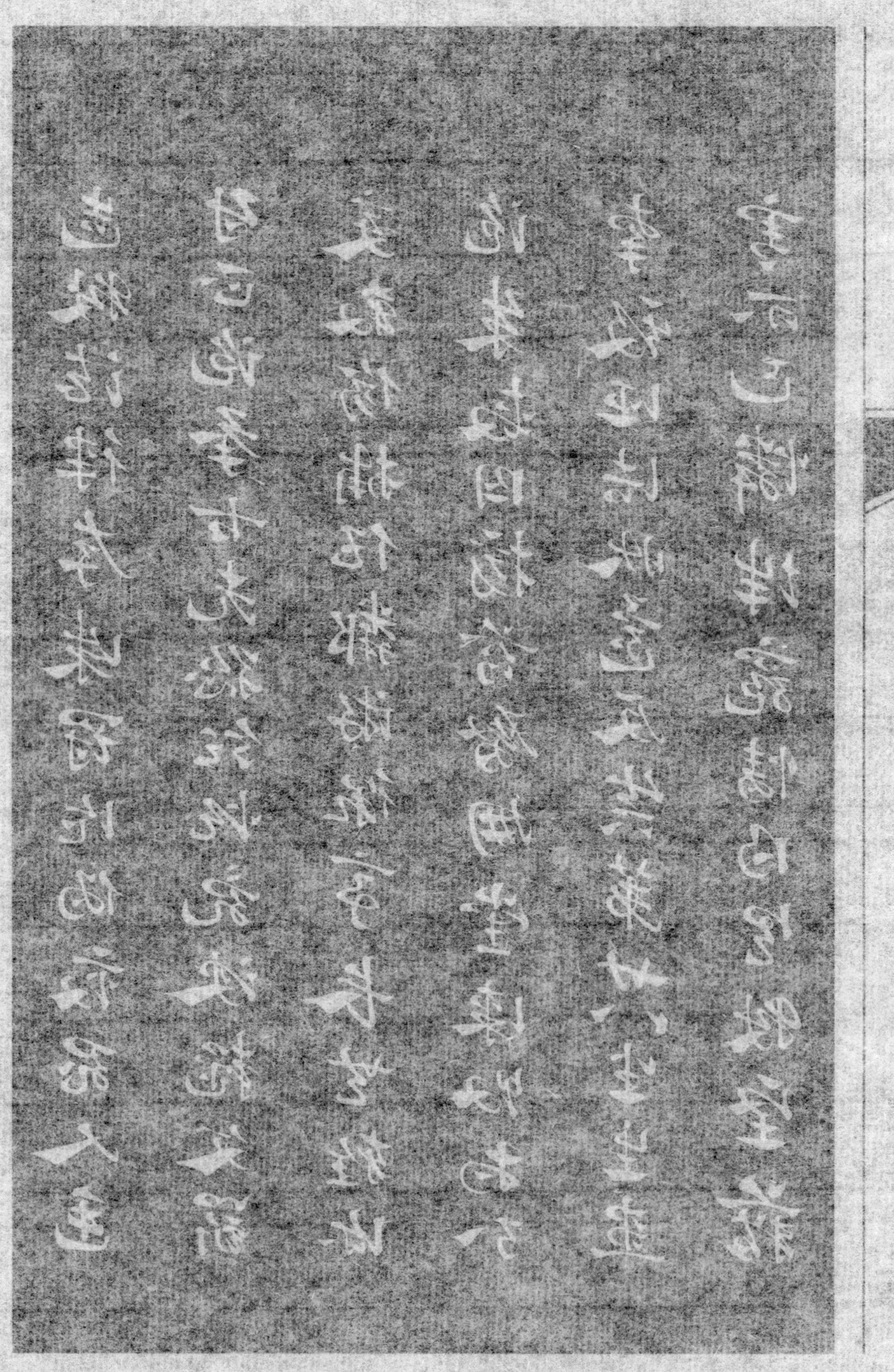

佐扶致宰販瘍保奎傭呼猝之興狠
遝迥後來孫覓沒人棍挾宿交昧柱
冤分怒仇第卅逸使男語為雅獨
亥豆猿息悍勇豹西窮省察颯凍
瀆江水涇渭街術曲筆研投美旁
火燭拔紋叔斜貽稚祿邯鄲河間沛

巴蜀穎川臨淮集課錄依溷汙拯
貧老為第卅一漢地廣大無不容
盛萬方來朝臣妾使令邊竟無
事中國安寧百姓承德陰陽和平
風雨時節莫不滋榮蝗不起五穀
孰成賢聖並進博士先生長樂無

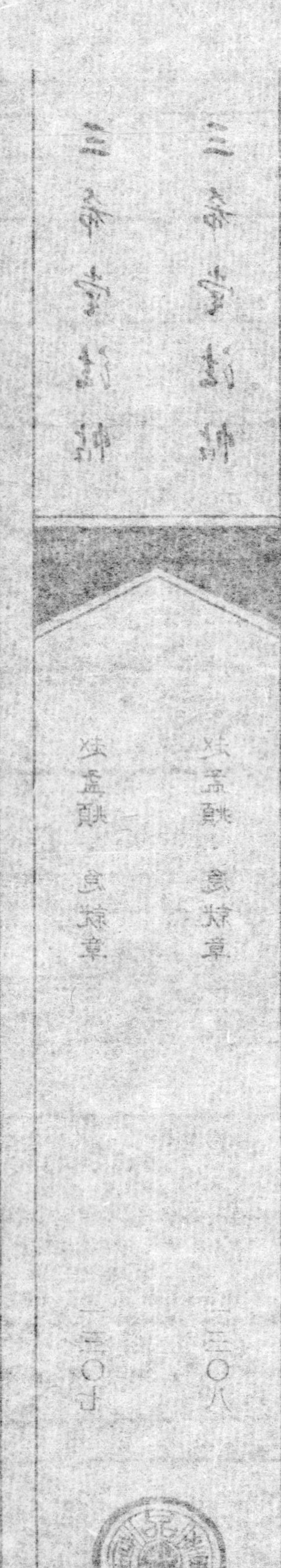

極老復丁

大悳癸卯八月十二日吳興趙孟頫

此書不傳久矣非深於書者未易語也又急就章文字最奇古得柏梁體製尤為可寶至元辛卯十二月廿六日濟南周密公謹漁陽鮮于樞伯幾

三希堂法帖

同觀于困學齋之東軒

科斗久癈篆隸存章草一變啓字源鍾張史索法愈尊後百千年世罕論章語叢彫分部門指陳諸事及蟲鼠風氣朴古理不煩坐窓展玩開蒙昏書法一一手可捫和今學之自有元要與此書繼後昆庶使學者知本根慎勿輕視保尔琨

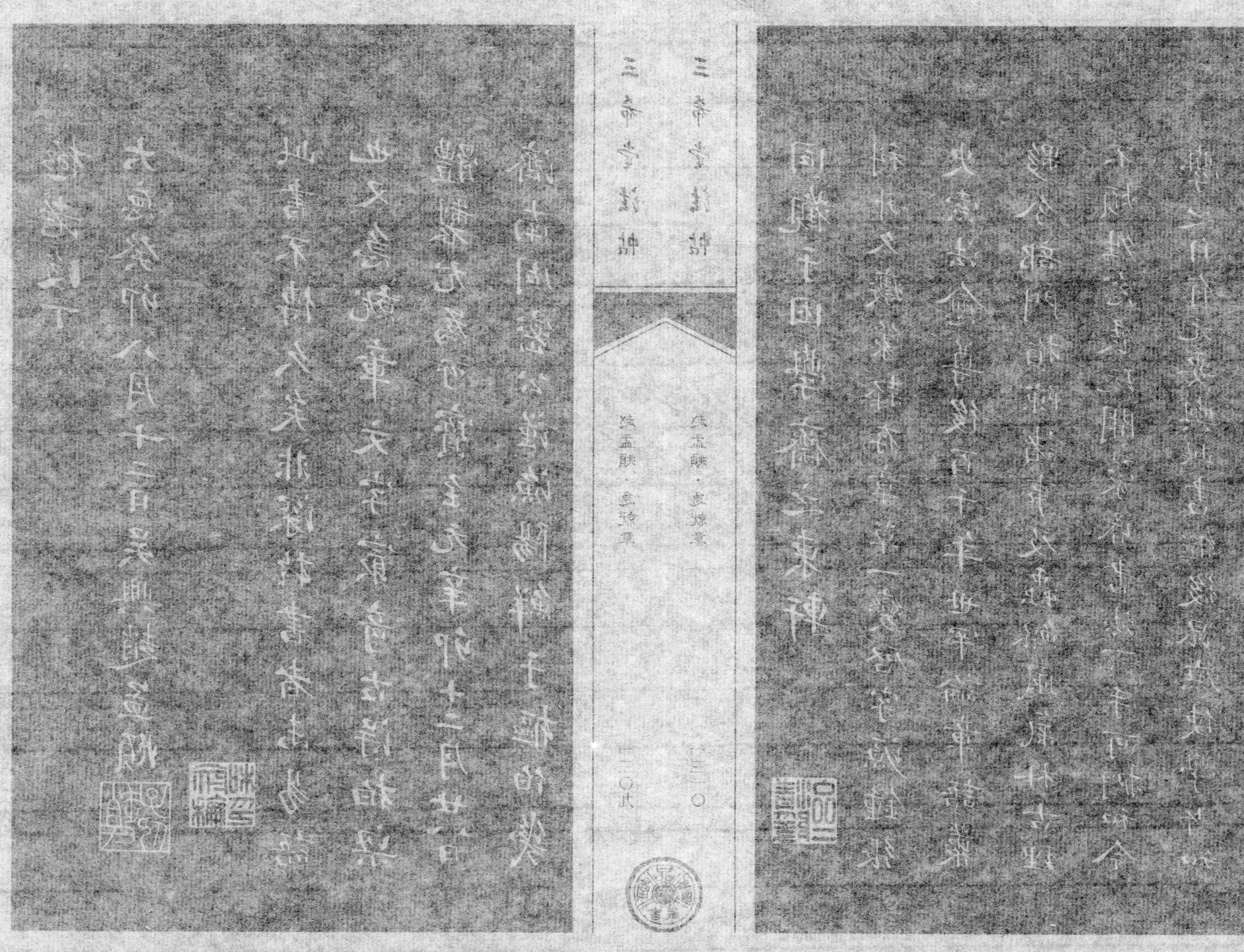
三希堂法帖
趙孟頫·急就章
二一〇
三希堂法帖
趙孟頫·急就章
二〇九

撫州永安禪院僧堂記　無盡居士撰

項元汴氏審定真迹

古之學道之士灰心泯志於深山幽谷之间穴土
以為廬紉草以為衣掬溪而飲煮藜而食虎豹
之與隣猿狙之與親不得已而　名聲
文彩發露則枯槁同志之士不遠千里裹糧
躡屩來從之游道人深拒而不受也則為之樵
蘇為之舂炊為之灑掃為之刈植為之給侍奔

三希堂法帖

赵孟頫·抚州永安院僧堂记

走凡所以效勞苦致精一積月累歲不自疲猒
覬師見而憫之賜以一言之益而超死生之
岸焉有今日所謂堂殿宫室之華床榻臥具
之安氈幄之温簟席之涼窗牖之明巾單之潔
飲食之盛金錢之饒所須而具所求而獲也哉
嗚呼古之人吾不得而見之矣曰永安禪院之新
其僧堂也得以發吾之绪言元祐六年冬十一月吾
行郡過臨川聞永安主僧老病物故以兜率從
悅之徒竹常繼之常陞座說法有陳氏子一㱠

耳根生大欣慰謂常曰諦觀師誨前此未嘗
當有淨侶雲集而僧堂狹陋何以待之願出家
貲百萬爲衆更造明年堂成高廣加曠殆甲
江右常遣人来求文曰公迫常於山而及此也幸
亦成之吾使謂常擊鼓集衆以吾之意而告
之曰汝比丘此堂既成坐卧經行惟汝之適汝
能於此帶刀而瞑離諸夢想則百丈即汝、即
百丈若不然者昏沉睡眠毒蛇伏心暗冥無知
晝入幽壞汝能於此跏趺宴坐深入禪定則

三希堂法帖
赵孟頫・抚州永安院僧堂记

空生即汝、即空生若不然者猕猴在檻外覩楂
栗雜想變亂坐化異類汝能於此横經而誦
研味聖意因漸入頓回頓入圓則三藏即汝、即
三藏若不然者春禽啼晝秋蟲夜鳴風氣所
使曾無意謂汝能於此閲古人話一見千悟入
紅塵裏轉大法輪則諸祖即汝、即諸祖若不
然者狗齧枯骨鵶啄腐鼠鼓吻唇重增飢
火是故析爲垢淨列爲因果判爲情想感爲
苦樂漂流汩溺極未来際然則作此堂者有損

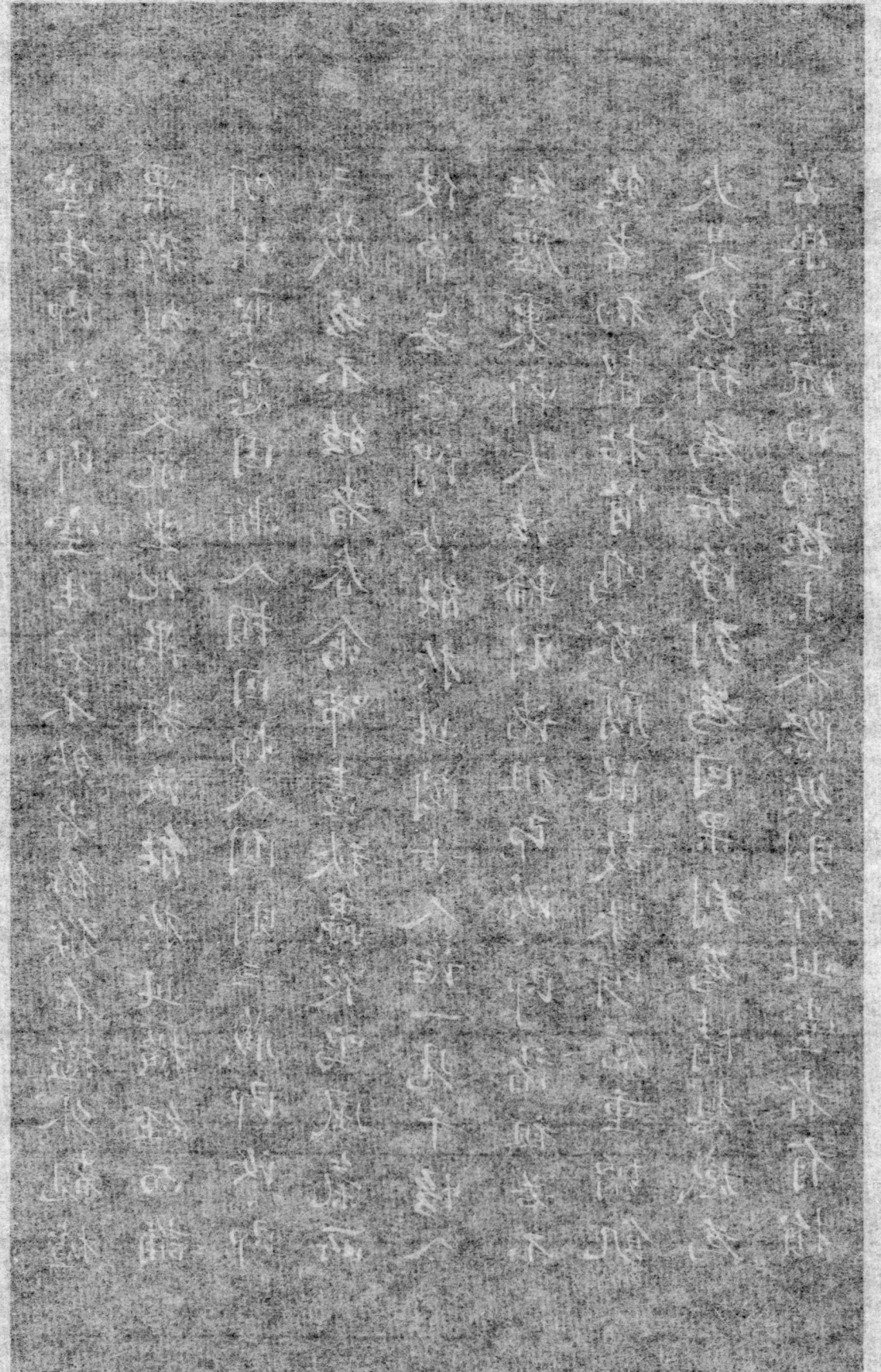

三希堂法帖

趙孟頫·杭州永安院僧堂記

有益居此堂者有利有害汝等比丘宜知之
汝能斷毗盧髻截觀音辟刳文殊目折普賢
脛碎維摩座焚迦葉衣如是受者黄金爲凡
白銀爲辟汝尚堪任何況一堂戒之勉之吾說
不虛了常諮參悅老十餘年盡得其末後大
事蓋古德所謂金剛王寶劍云元祐七年十
二月十日南康赤烏觀雪夜擁爐書以爲記
至治元年正月廿四日千江上人過余溪上茗
談中話及無盡居士所作永安禪院僧堂記

三希堂法帖

詞意卓絶深有抑揚宗旨勉勵後學之語
因上人求余書故書此以歸之
吳興趙孟頫

趙承旨書永安僧堂記法出思陵兼子敬洛
神賦盡離畦町而化之良是乃不得意筆
惟章宜寶藏之以當金氏天球可也萬曆
乙未年中秋後十日菱塘館獲觀敬題
新安詹景鳳

趙孟頫・杭州永安院僧堂記

三希堂法帖

趙孟頫・杭州永安院僧堂記

大元勑賜袁州路大仰山重建太平興國禪
寺碑
翰林學士承旨榮祿大夫知制誥
同脩國史臣程鉅夫奉勑撰
皇元有天下佛法益尊大天下名山思致崇
極以稱

德意皇慶元年袁州大仰山重建太平
興國禪寺成有司圖上其事
詔加封開山祖師小釋迦曰慧慈靈感昭
應大通正覺禪師二神曰顯德仁聖忠
佑靈濟廣慶王曰福德聖仁忠衛康濟
順慶王
命詞臣發揚烈休勒乘堅珉臣鉅夫謹按

唐宰相陸公希聲塔銘師名慧寂世韶州族葉氏文宗朝從溈山大圓師悟曹溪心地直指之奥又從國師忠和尚得玄機境智之妙又按宜春圖經會昌元年師来自郴遇二白衣神指其地居之蓋方是時國王傲蔑佛法學徒陵遲幾不自立而師應七葉之運龍縱此山

三希堂法帖

赵孟頫·太平兴国禅寺碑

歷歲數百其道大暴於天下斯亦奇矣神蕭姓伯大分次隆初宅水上游忽夜半風雨遷廟于堵田漢晋以来或淖高原為田或助官軍殲盜禦菑捍患神惟不可度已迄今水旱疾疫之禱輒響應廟而祀者幾半天下非聰明正直能若是耶神得師而化乃弘師得神而道益

彰故合祠於師之室封秩必俱大德癸
卯冬十有二月乙亥寺灾明年長老希陵
圖復厥宇冰涉暑陟不懈輸幣薦儥
者川至為殿閣各四樓亭各二堂六祠一
若方丈衆寮若門廡軒庭若庫庾庖
湢以區計卌有八丹碧煥粲制度宏邃廣
貟倍于舊而加美焉攢峯突嶂靈潭

三希堂法帖
赵孟頫·太平兴国禅寺碑

鍵瀑風景不改于昔而增勝焉十方来
者莫不驚異讚歎惝怳四顧而忘歸又
建栖隱禪院于城南門為出入祝
釐之所噫勤矣陵何氏世以儒顯金華
去為釋嗣雪巖欽師之學為臨濟十八
葉孫外弘而內峻學禪而行律故施諸
其徒則尊嚴整齊而學成者衆示諸行

事則感動聽信而業樹者隆凡三
錫命曰大圓佛鑑禪師於戲是道也藏
體用於體體則靜無不爲推體而用則動無
不虛慧慈以之承六祖開名山二神以之
輔有道惠四方佛鑑以之廓教基弘法
緒其致顯累朝宣光
聖代北儕岱華南友衡廬歸乎大江之右徼

三希堂法帖

赵孟頫·太平兴国禅寺碑

而着毁而完豈徒然哉繫之辭曰
維大仰山周八百里據楚之表昔有神
人伯仲恭靈廟食其間在唐武宗粤
小釋迦至自郴山歷澗絕谷神獻異境
瓶鉢以安彌危躒難道豈不悖既固既
完湜湜曹溪益濬而蹤流爲大川畎澮
澮決廣洽混冥會于一源道得其正地

三希堂法帖

趙孟頫·太平興國禪寺碑

得其勝来學日蘇後五百年室燬徒
隳適啓
聖元莫盛匪今莫高匪禪式鐫而刊乾〻佛
鑑統壹儒釋有光厥先揚溈潡濟惡衣
糲食以示學人學人若林直指其心有
覺有聞表正失盛遐迩丕變順風駿奔
崇構拓陁高朗博碩如衹陁園青山為

城白雲為屯翼〻言〻緜甲庭壬克潰厥
成孔勩且勤職司上言
天子嘉之景命攸敦於恭慧慈洎于大神
鼎峙齊尊靈宮既杭休號允鑠尚迪
恩綸天經地寧保有無疆壽我
聖君太史稽首播頌萬億永啟山門
集賢侍讀學士正奉大夫臣趙孟頫

書并篆額

宜人姓衛氏諱淑媛世居崐
山石浦曾祖諱洽宗進士及
第脩職郎故叅政魯國文節
公諱涇之母弟也祖諱楠父

三希堂法帖

赵孟頫·卫淑媛墓志

諱然俱隱德弗仕母吳氏宜
人生
大元至元十五年戊寅三月
初七日年十七歸吳興趙氏
為承務郎松江府判官府君
諱由辰之妻從仕郎太平路
繁昌縣尹諱孟頫之冢婦集

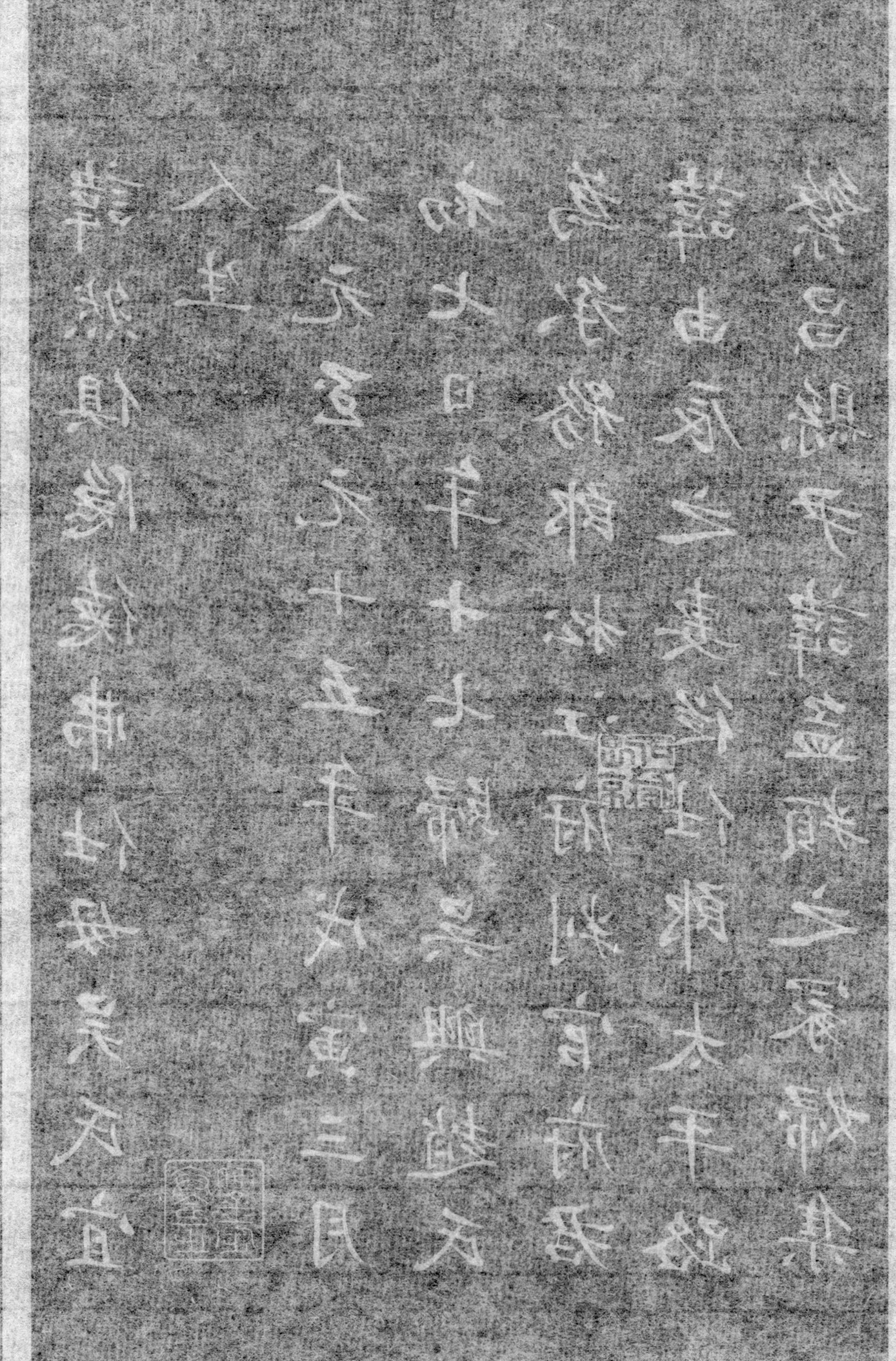

賢大學士榮祿大夫柱國魏國公諱與訔之孫婦資善大夫太常禮儀院使上護軍吳興郡公諱希永之曾孫婦至順三年壬申以府君官從仕郎封宜人善女紅涉獵經史事舅致孝相夫教子各盡其

三希堂法帖

道處妯娌以和御奴僕莊而慈撫育諸孫愛訓兼至主饋承祀者七十年府君終于至正五年乙酉後十九年當至正二十三年癸卯閏三月感癃疾醫禱罔效四月初十日乙酉終于歸安縣崇禮鄉建

賢大學士榮祿大夫柱國魏
國公諱顯言八孫歸者嘉大
夫太常禮儀院使上護軍吳
興郡公諱希永八路總歸臨
恒三年壬申以府君官從仕
郎封宜人善女紅於織紝尤
事舅姑於相夫教子皆盡其

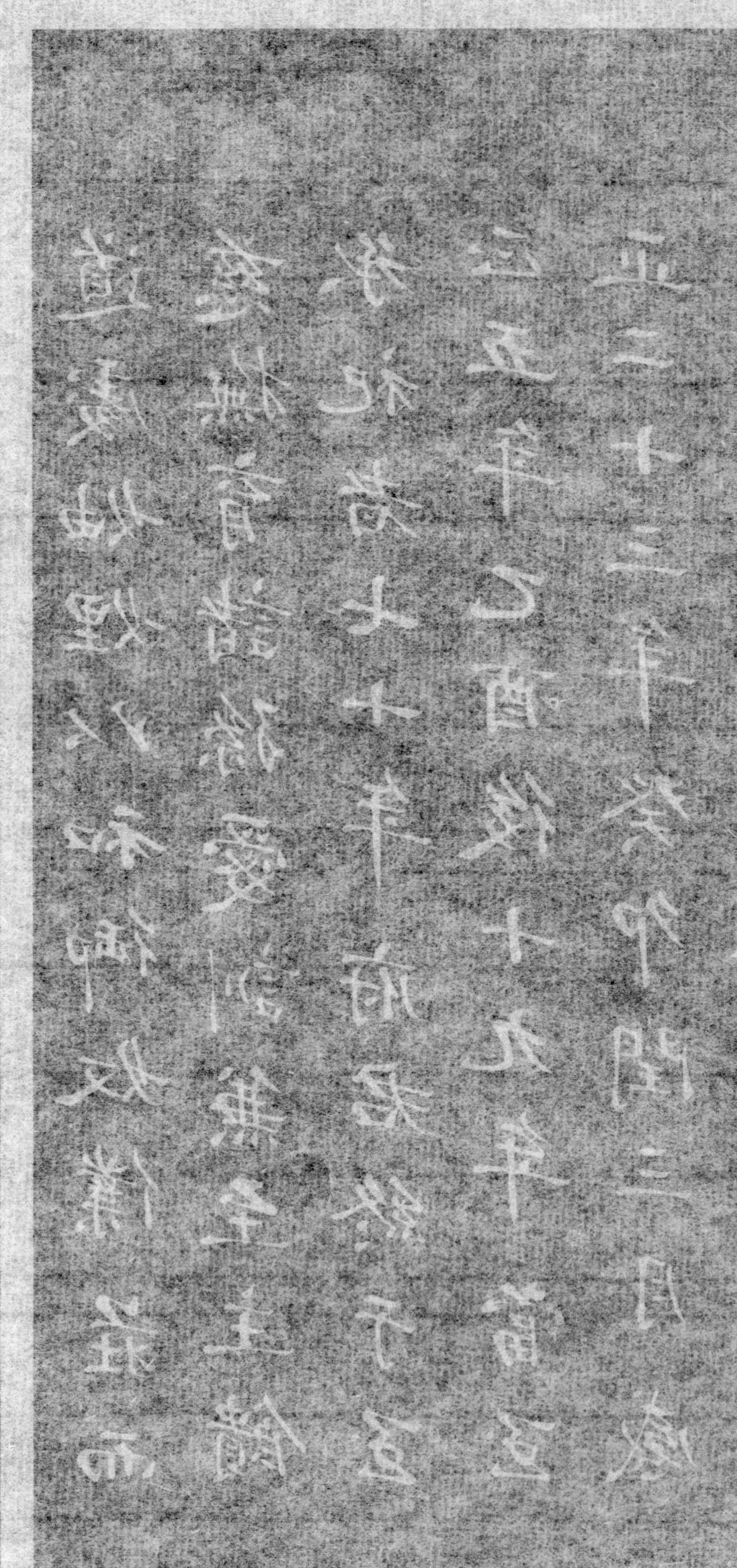

道義姆訓八和遜友謙延右
德撫育諸孫嚴而無倦其禮
孫紀若七十年府始終于至
正五年乙酉後十九年富回
近三十三年癸卯閏三月殮
舊疾醫禱因致四月初十日
己酉終于賜第葬漆縣寧地

德里之寓舍享年八十有六
子一人肅將仕佐郎前松江
府華亭縣務稅課大使孫男
六人桐生前鄉貢進士溫州
路宗晦書院山長柯生湖州
路德清縣典史松生柱生梓
生椿生孫女四人德生適褚

彌寧生適倪思齊歸生適陳
謙善止生適陳井善曾孫男
四人燧炳[火幾]燦曾孫女四人
貴〻端〻閨奴復奴府君墓
在烏程縣霅水鄉趙灣霞坡
原道阻弗克合葬孤哀子肅
思死卜是年七月初六日癸

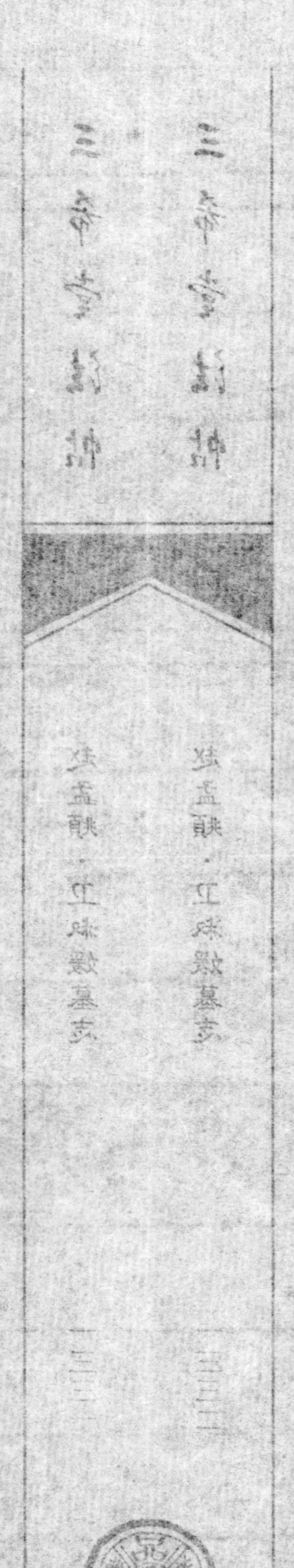

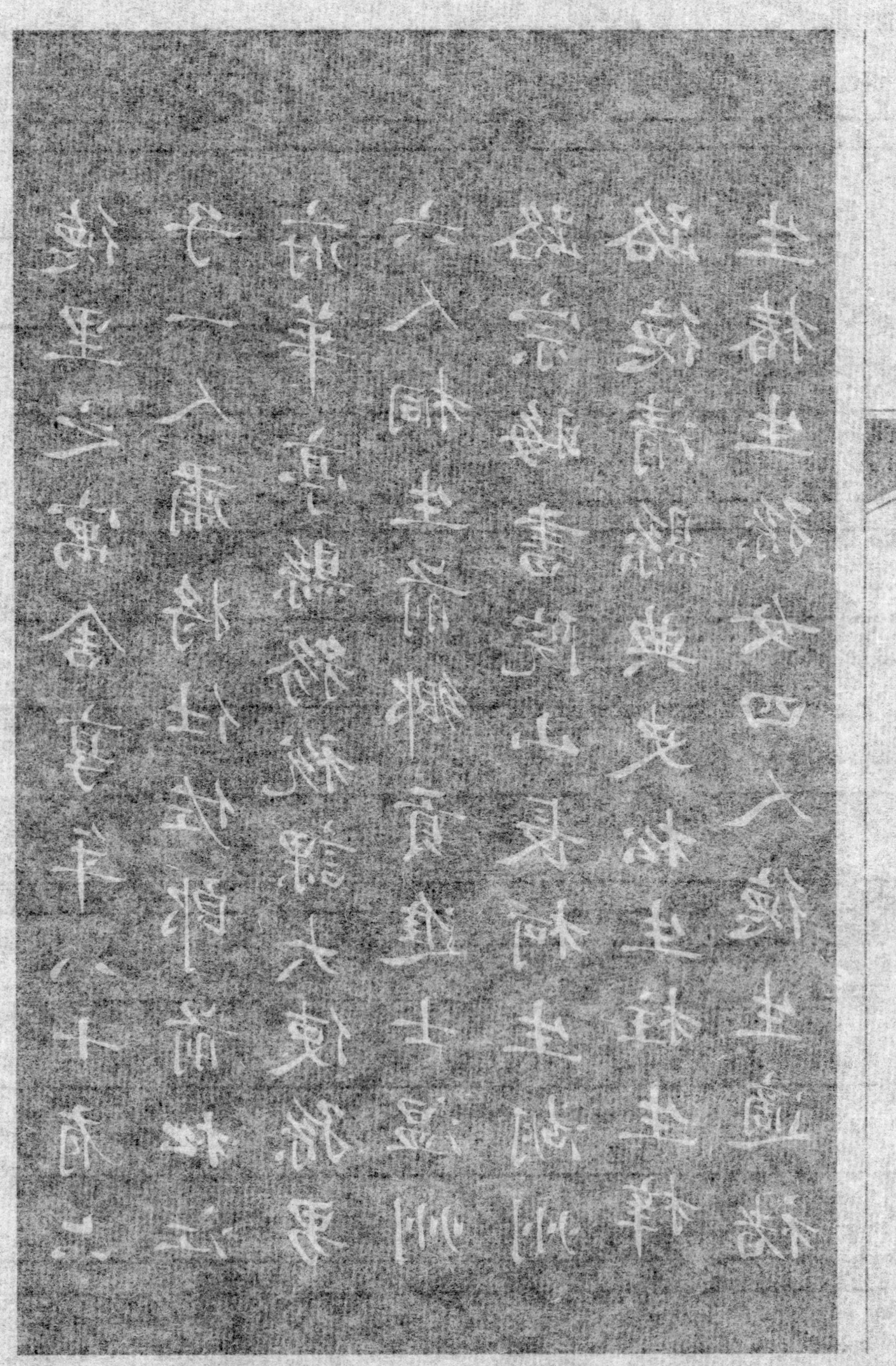

酉奉樞櫬葬寓舍西北梁山之原事嚴未暇乞銘謹誌歲月納諸幽

趙孟頫書

歸去來辭序

余家貧耕植不足以自給幼

稚盈室缾無儲粟生生之資未見其術親故多勸余為長吏脫然有懷求之靡途會有四方之事諸侯以惠愛為德家叔以余貧苦遂見用為小邑于時

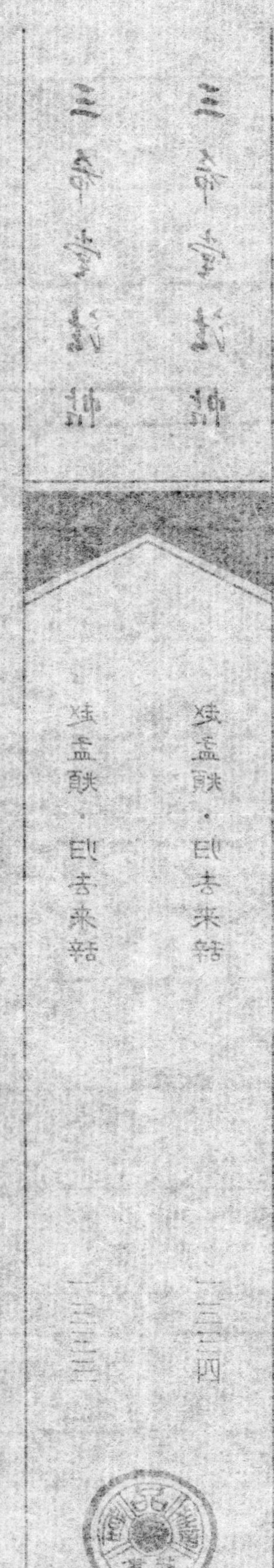

風波未静心憚遠役彭澤
去家百里公田之利足以為
酒故便求之及少日眷然
有歸歟之情何則質性自
然非矯厲所得飢凍雖迫
違己交病嘗從人事皆口腹

自役於是悵然慷慨深愧
平生之志猶望一稔當斂
裳宵逝尋程氏妹喪于
武昌情在駿奔自免去職
仲秋至冬在官八十餘日因
事順心命篇曰歸去來兮

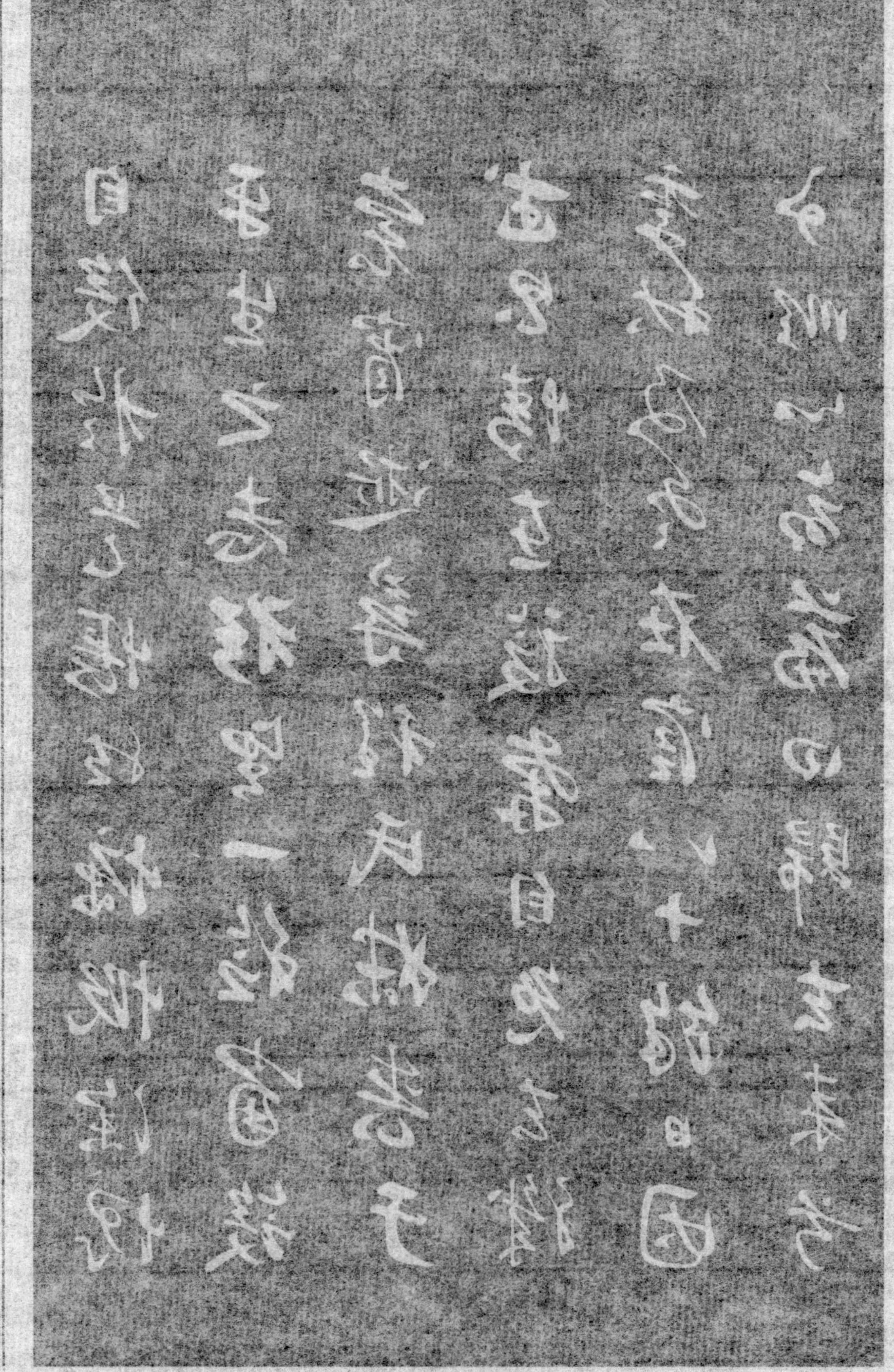

三希堂法帖
赵孟頫·归去来辞
一三三六
三希堂法帖
赵孟頫·归去来辞
一三三五

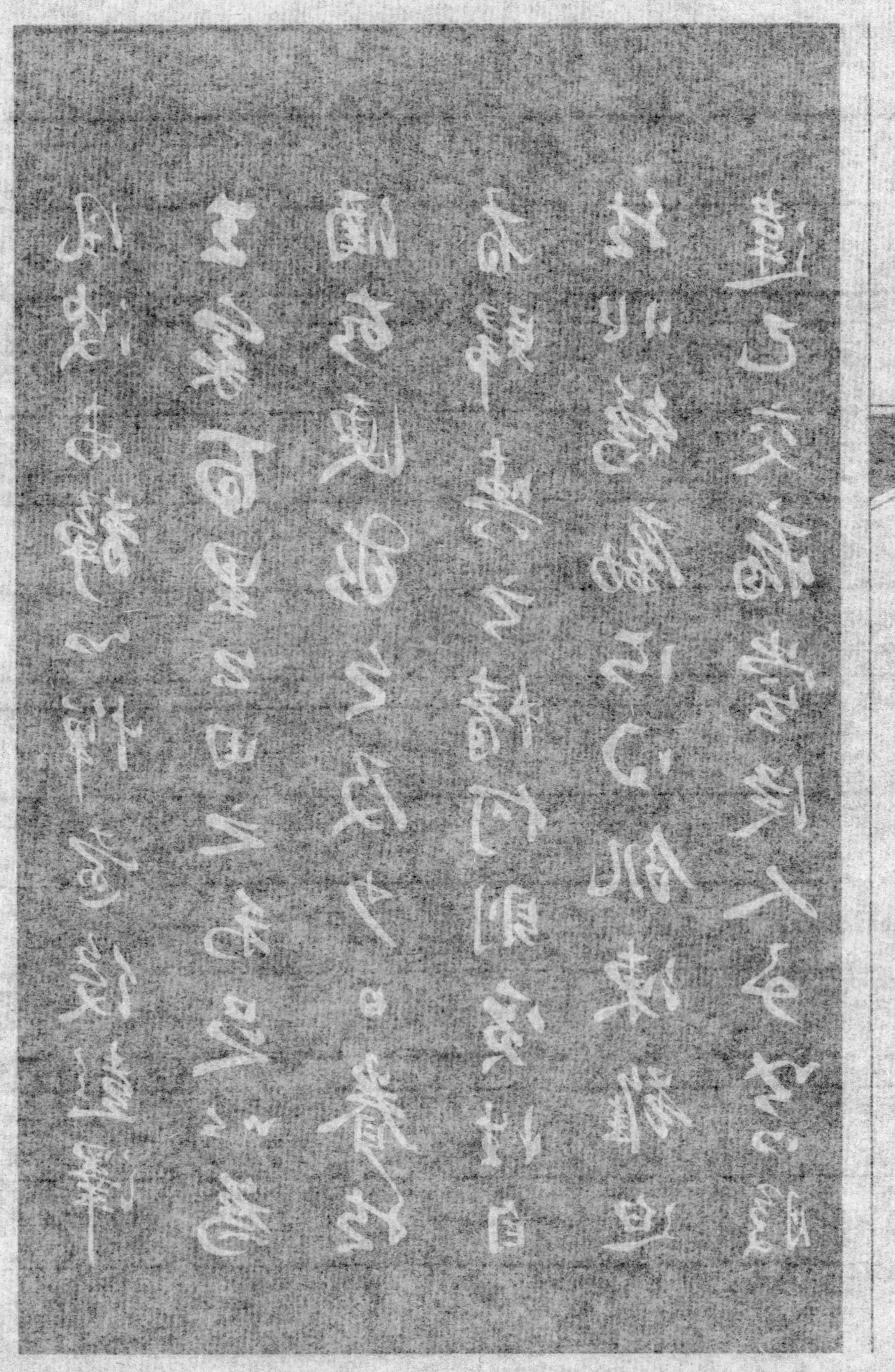

巳歲十一月也
歸去來兮田園將蕪胡不歸
既自以心為形役奚惆悵而
獨悲悟已往之不諫知來者
之可追寔迷途其未遠覺
今是而昨非舟遙遙以輕颺

風飄飄而吹衣問征夫以前路
恨晨光之熹微乃瞻衡宇
載欣載奔僮僕歡迎稚子
候門三逕就荒松菊猶存
攜幼入室有酒盈樽引壺
觴以自酌眄庭柯以怡顏倚

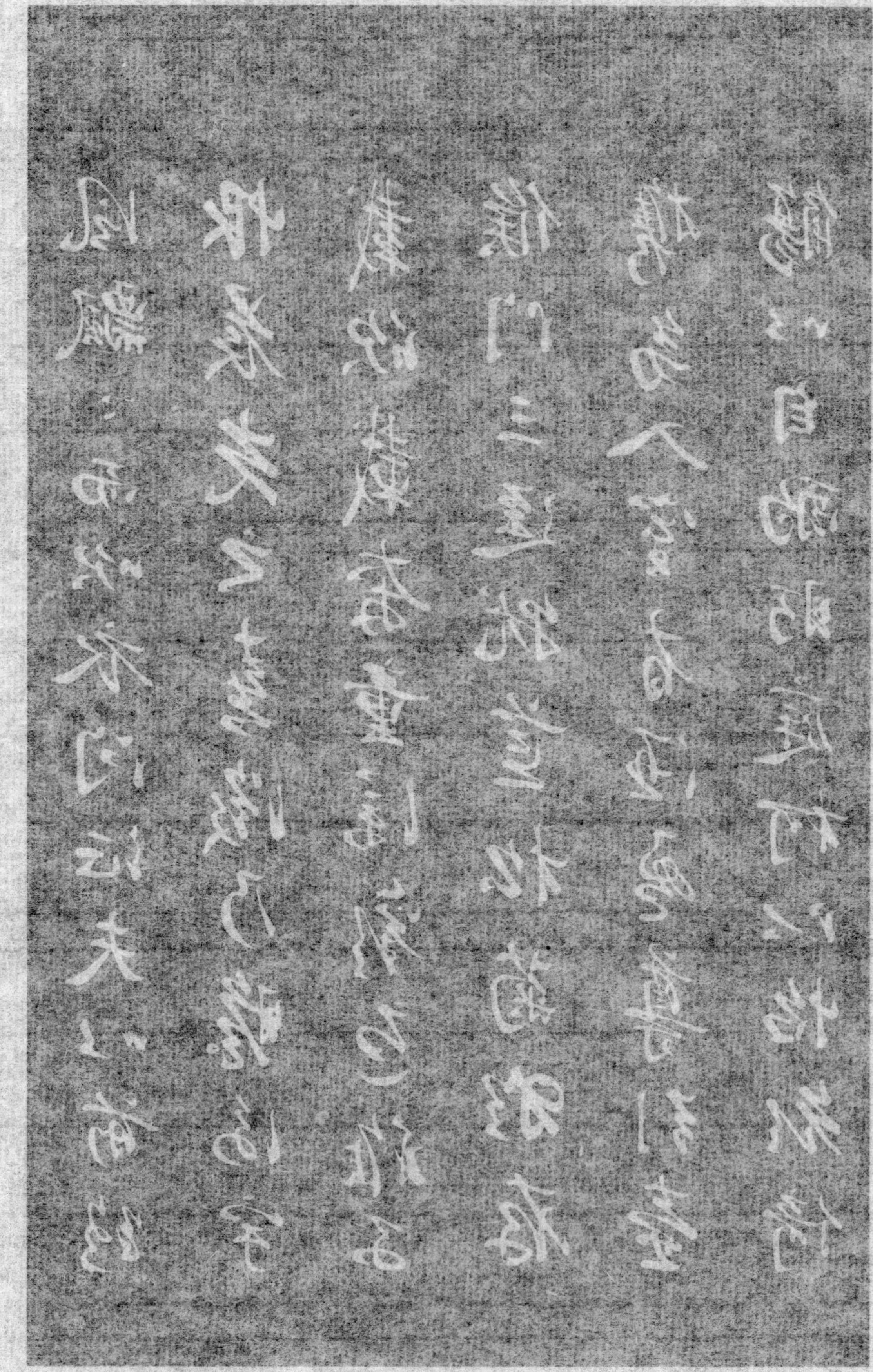

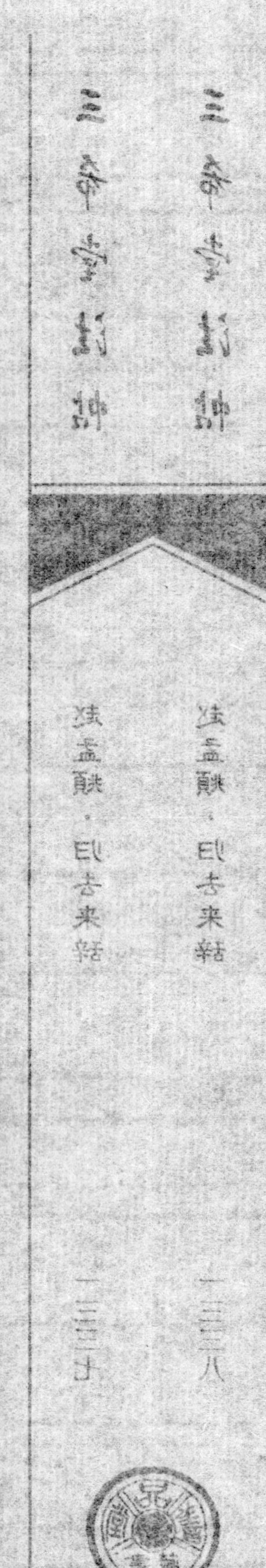

三希堂法帖
赵孟頫·归去来辞

南窗以寄傲審容膝之易安園日涉以成趣門雖設而常關策扶老以流憩時矯首而遐觀雲無心以出岫鳥倦飛而知還景翳翳以將入撫孤松而盤桓歸去來兮請息交

以絕遊世與我而相違復駕言兮焉求悅親戚之情話樂琴書以消憂農人告余以春及將有事于西疇或命巾車或棹孤舟既窈窕以尋壑亦崎嶇而經丘木欣欣以向榮泉涓涓

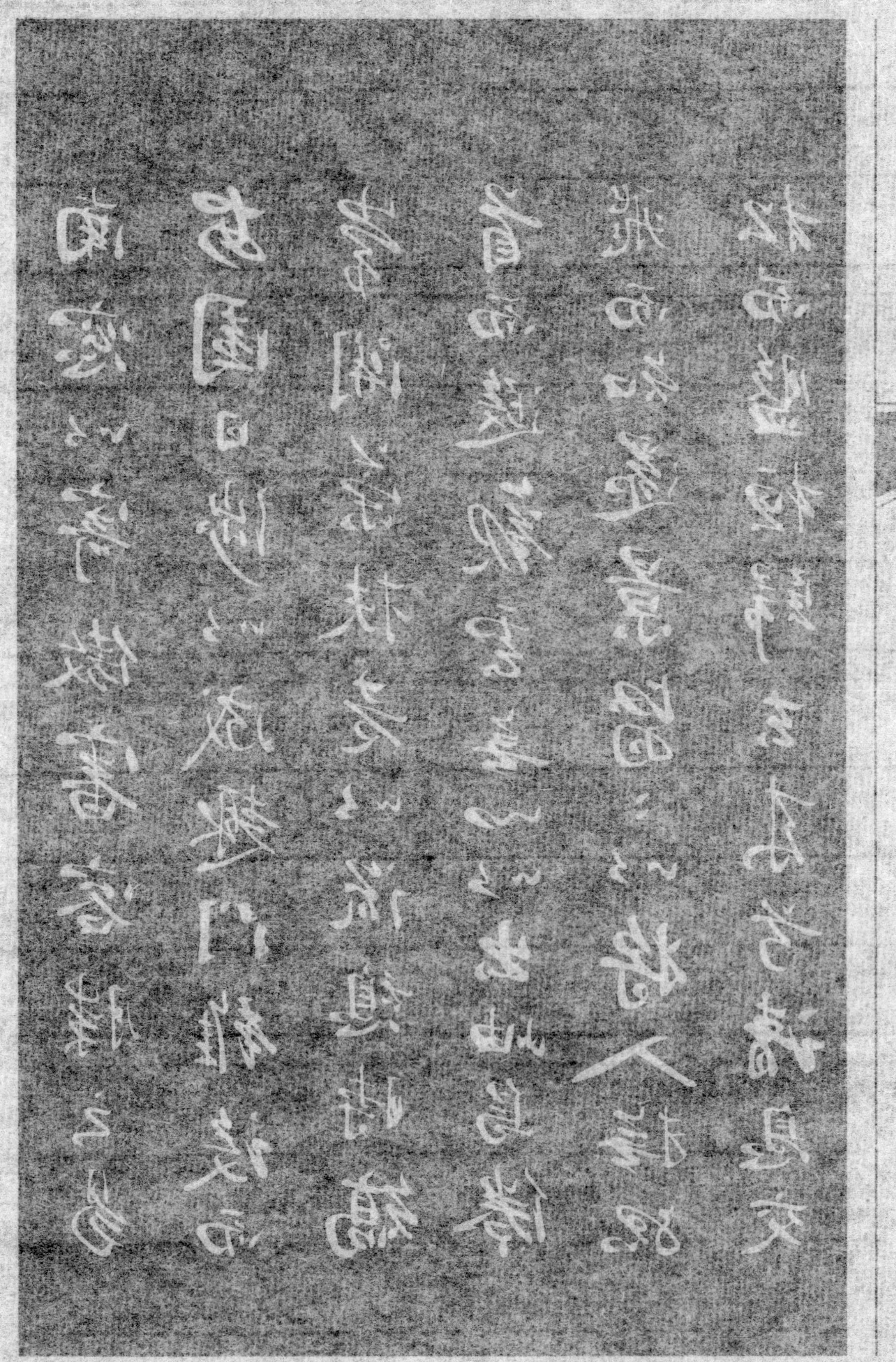

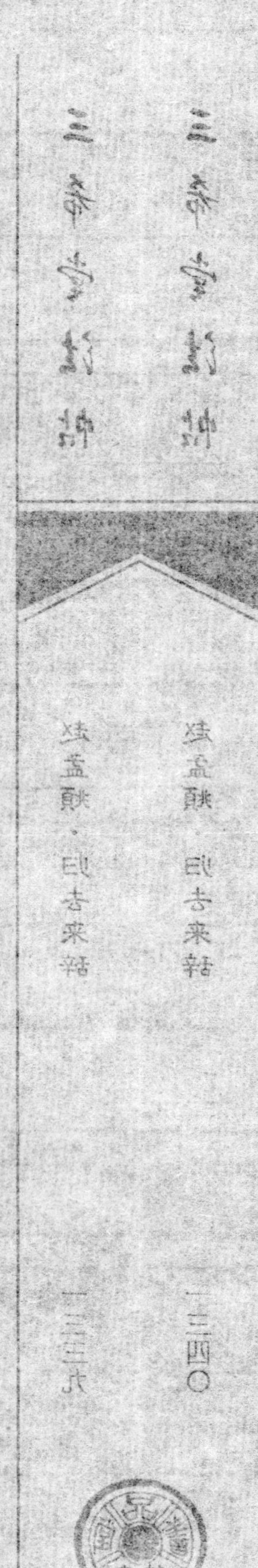

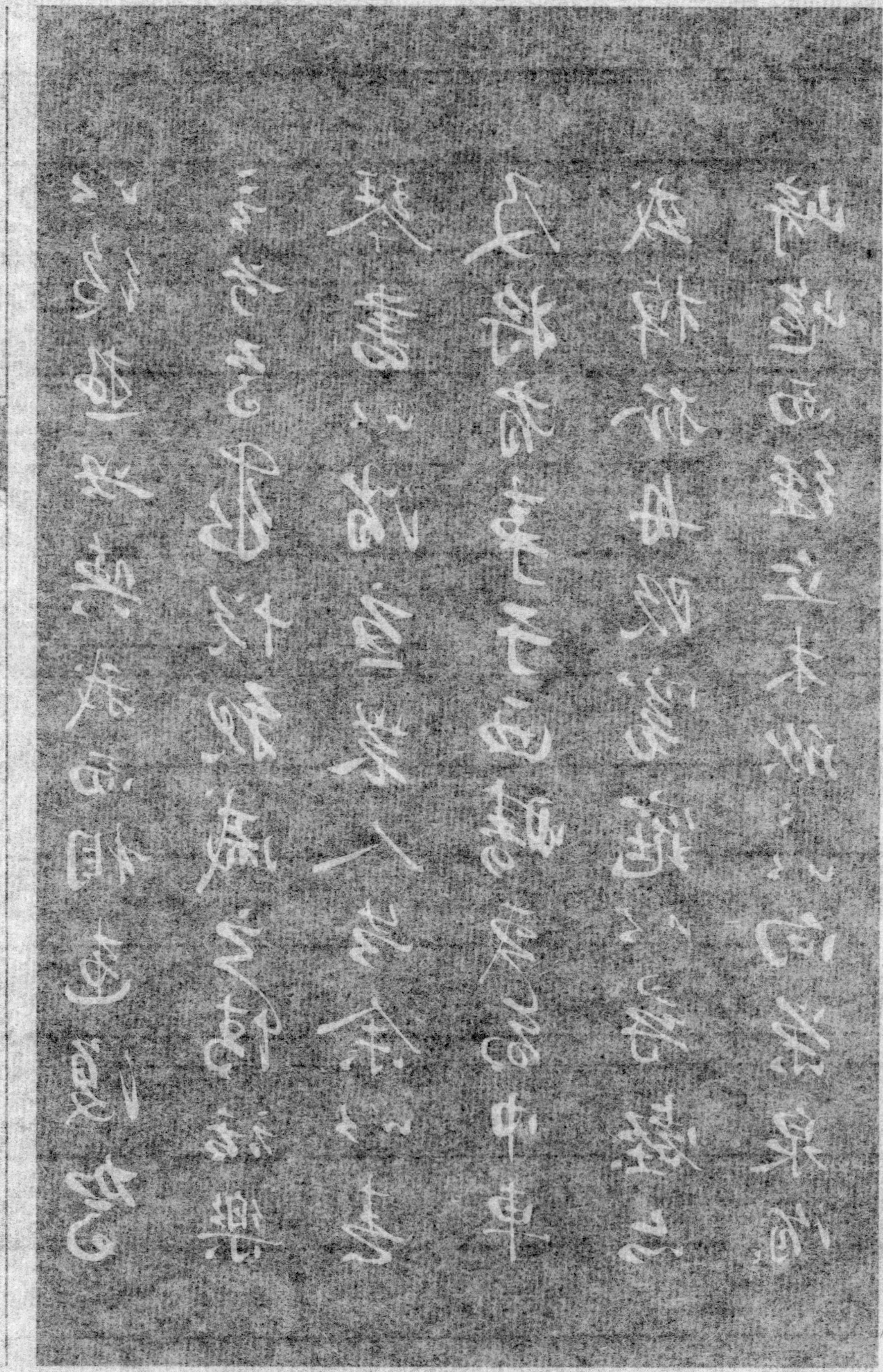

而始流善萬物之得時感吾生
之行休已矣乎寓形宇內復
幾時曷不委心任去留胡為遑遑
欲何之富貴非吾願帝鄉不
可期懷良辰以孤往或植
杖而耘耔登東皋以舒嘯

三希堂法帖
赵孟頫·归去来辞

臨清流而賦詩聊乘化以
歸盡樂夫天命復奚疑

子昂

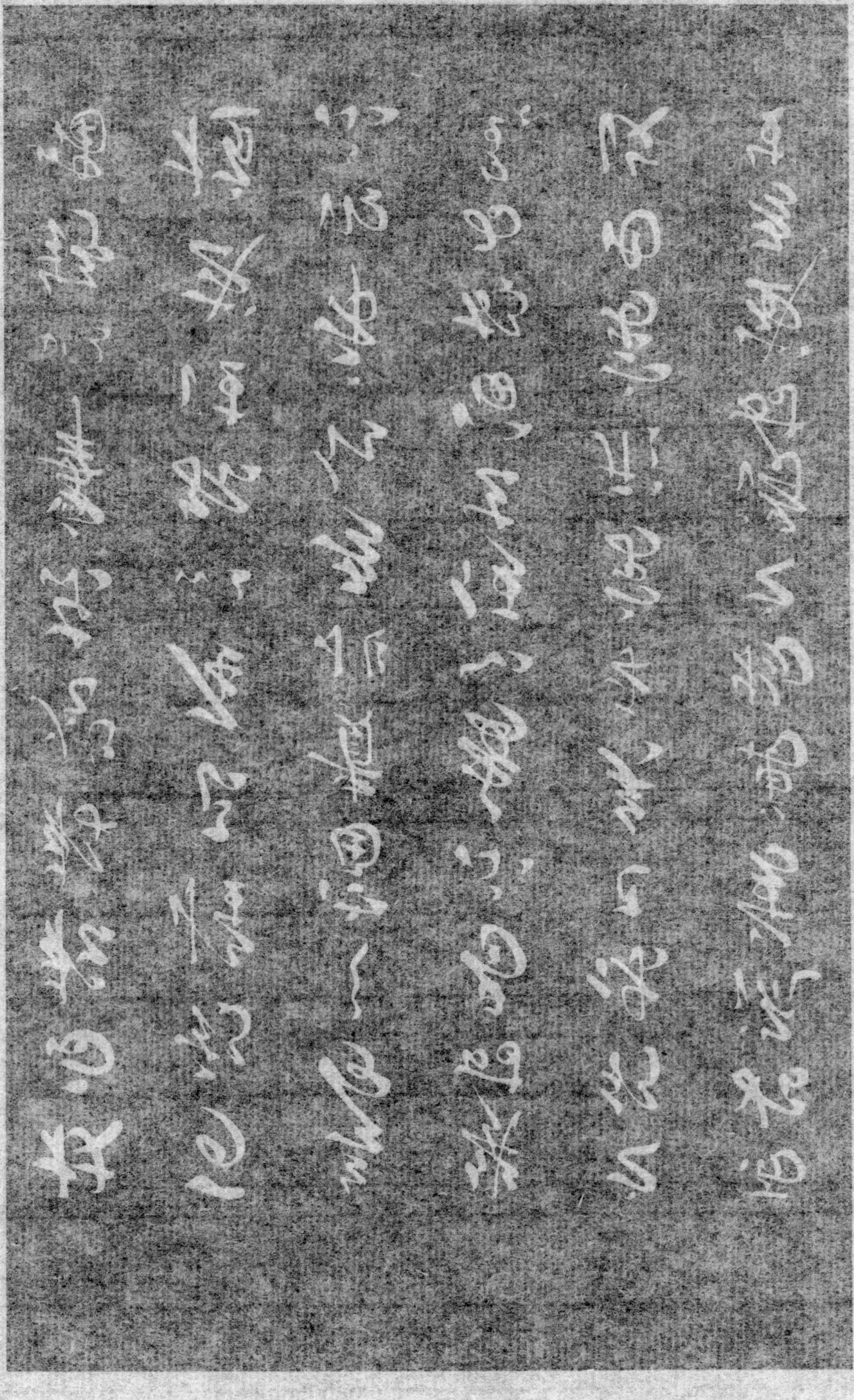

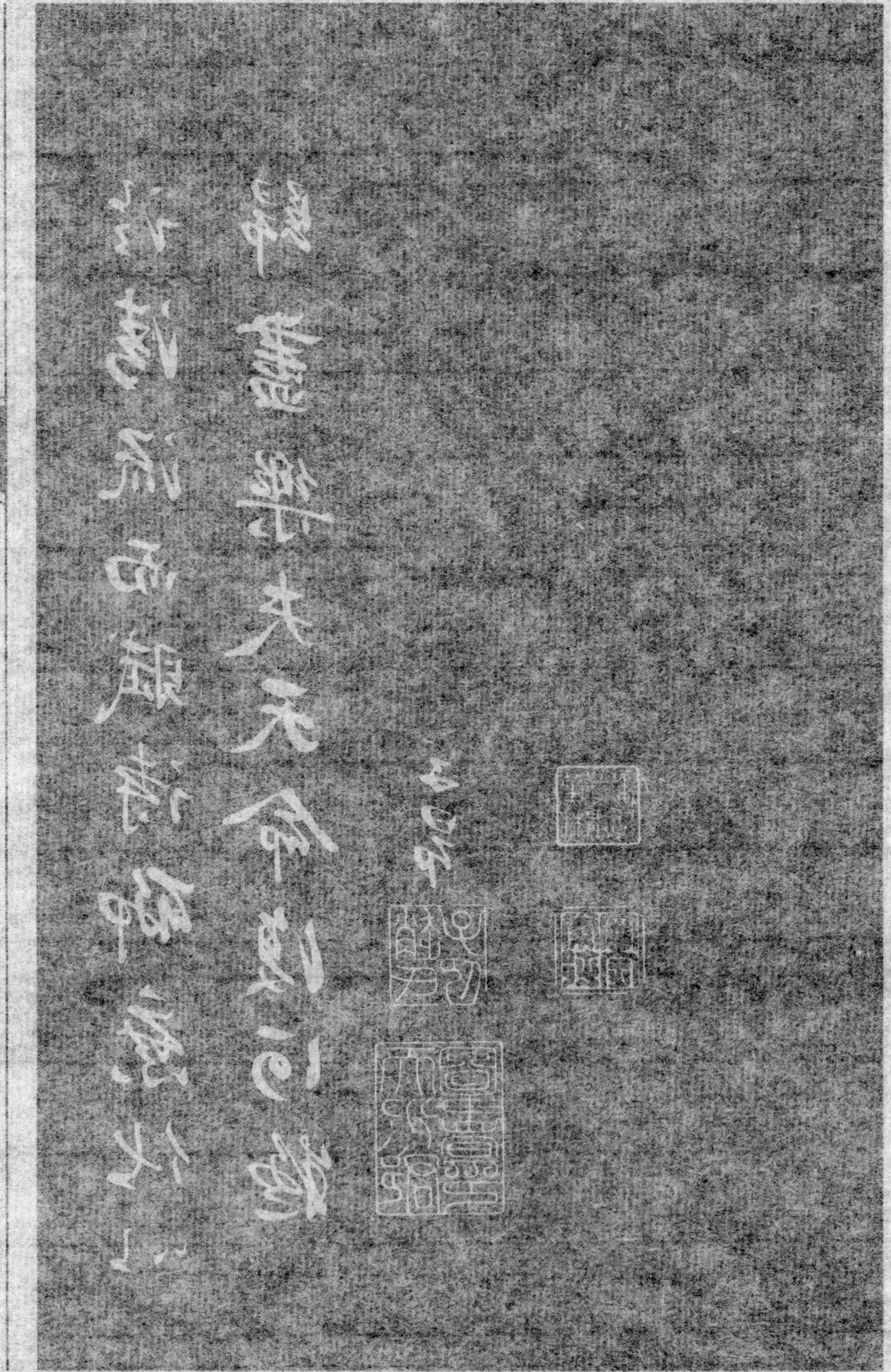

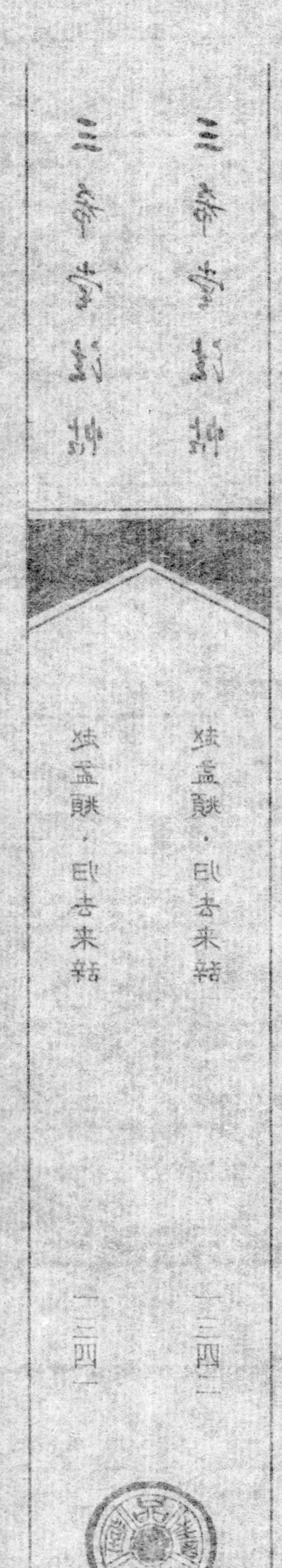

三希堂法帖
苏轼·归去来辞

御刻三希堂石渠寶笈法帖第十九冊

元趙孟頫書

石渠寶笈

計与足下別廿六年於今
雖時書問不解闊懷省足下

三希堂法帖

先後二書但增歎慨頃積
雪凝寒五十年中所無
想頃如常冀來夏秋
間或復得足下問耳比者
悠悠如何可言吾服食久

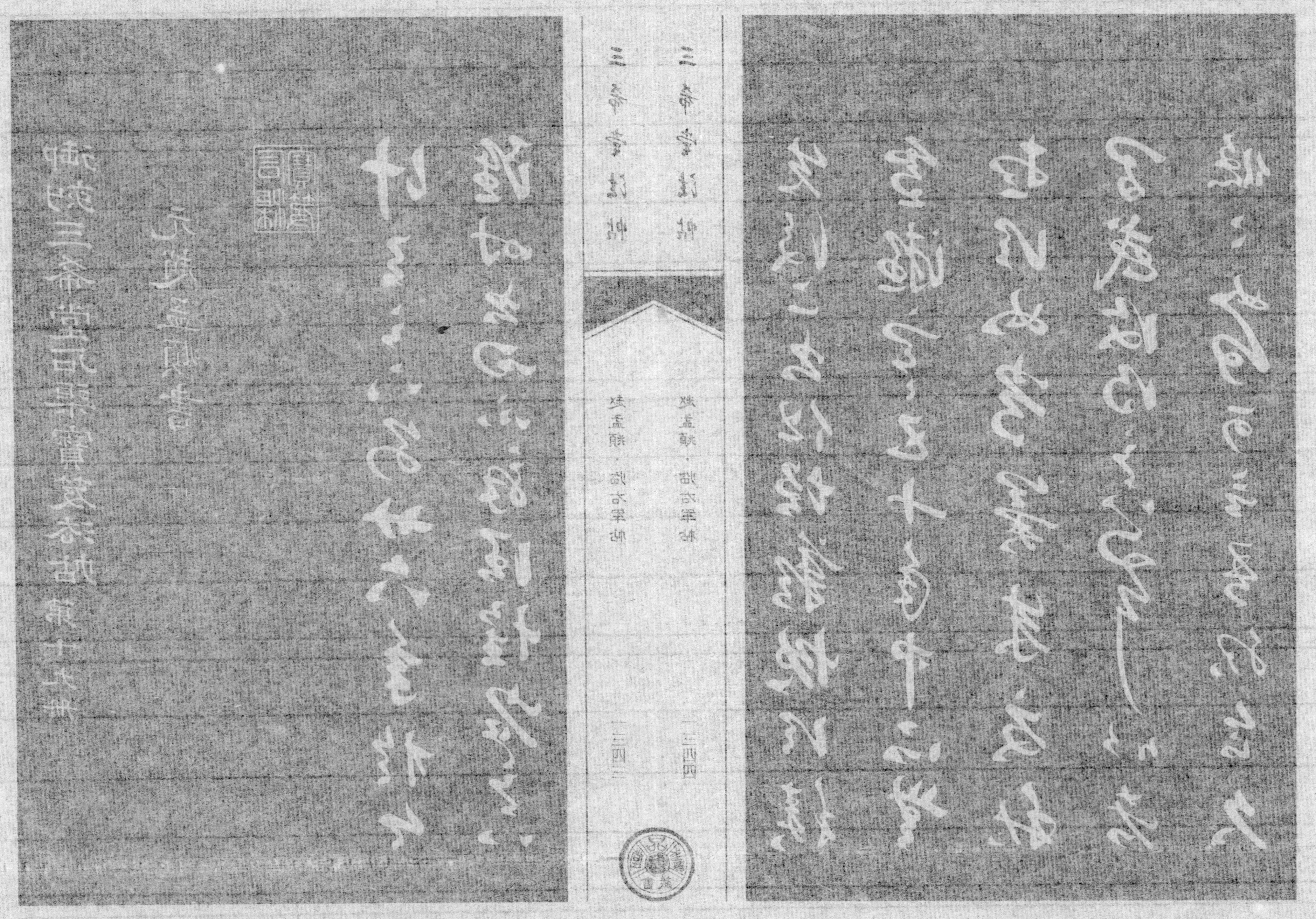

三希堂法帖

赵孟頫·临右军帖

氣常佳此大慶也想復
勤加頤養吾年垂耳
順推之人理得爾以為厚
幸但恐前路轉欲逼耳
以爾要欲一遊目汶領非

三希堂法帖

復常言足下但當保護
以俟此期勿謂虛言得
果此緣一段奇事也
趙氏子昂
省別具足下小大問為慰
多分張念足下懸情武

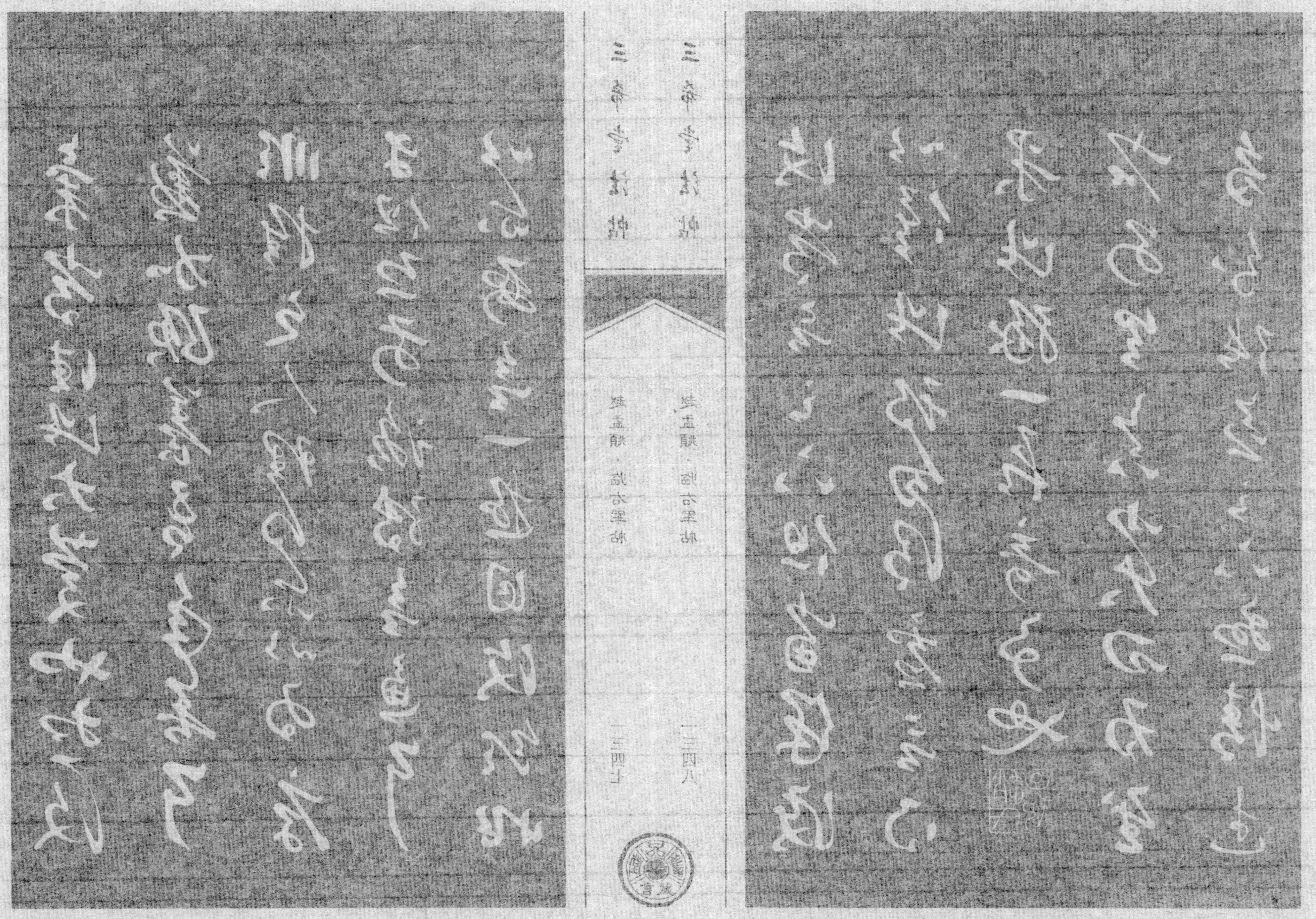

三希堂法帖

赵孟頫・临右军帖

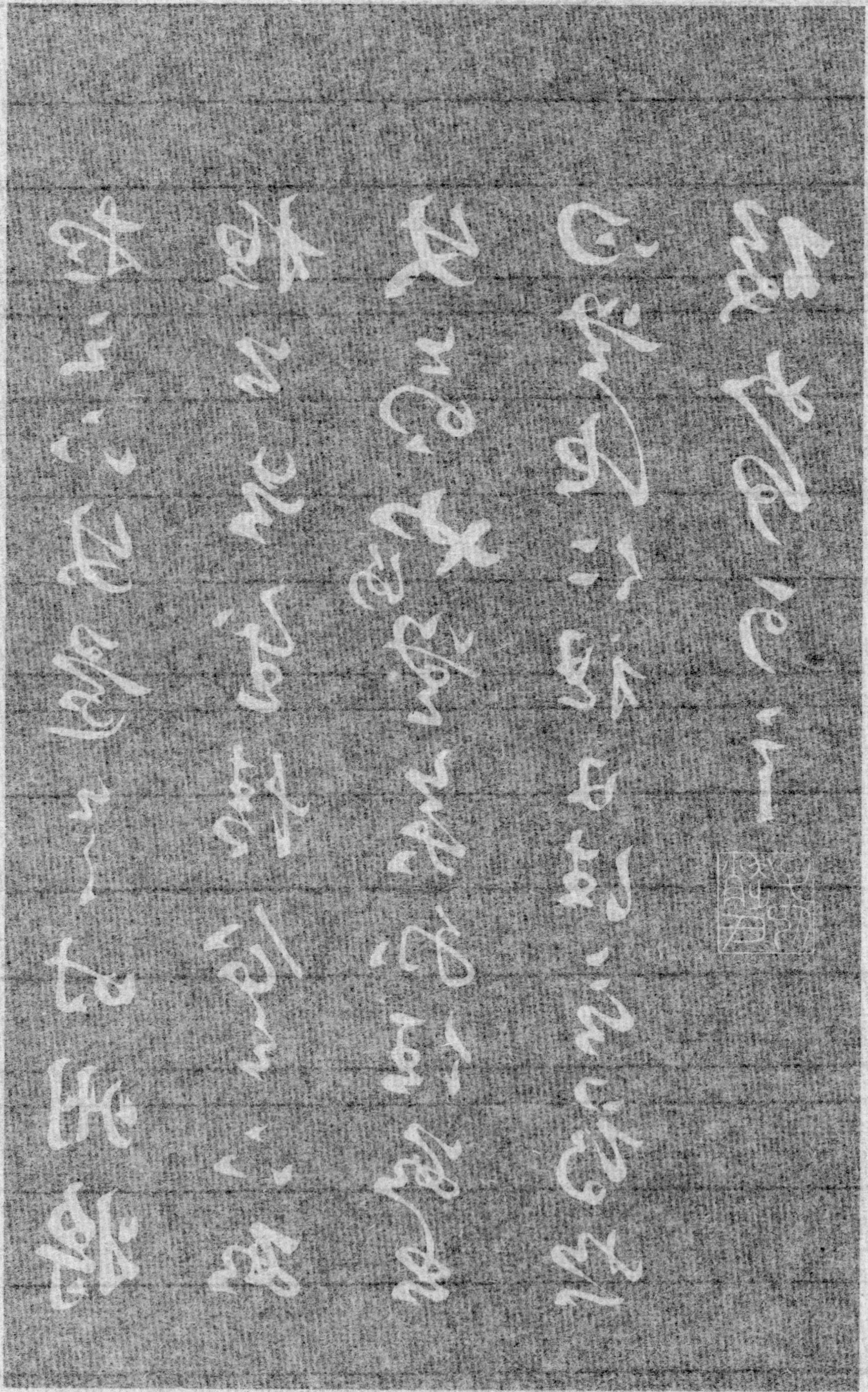

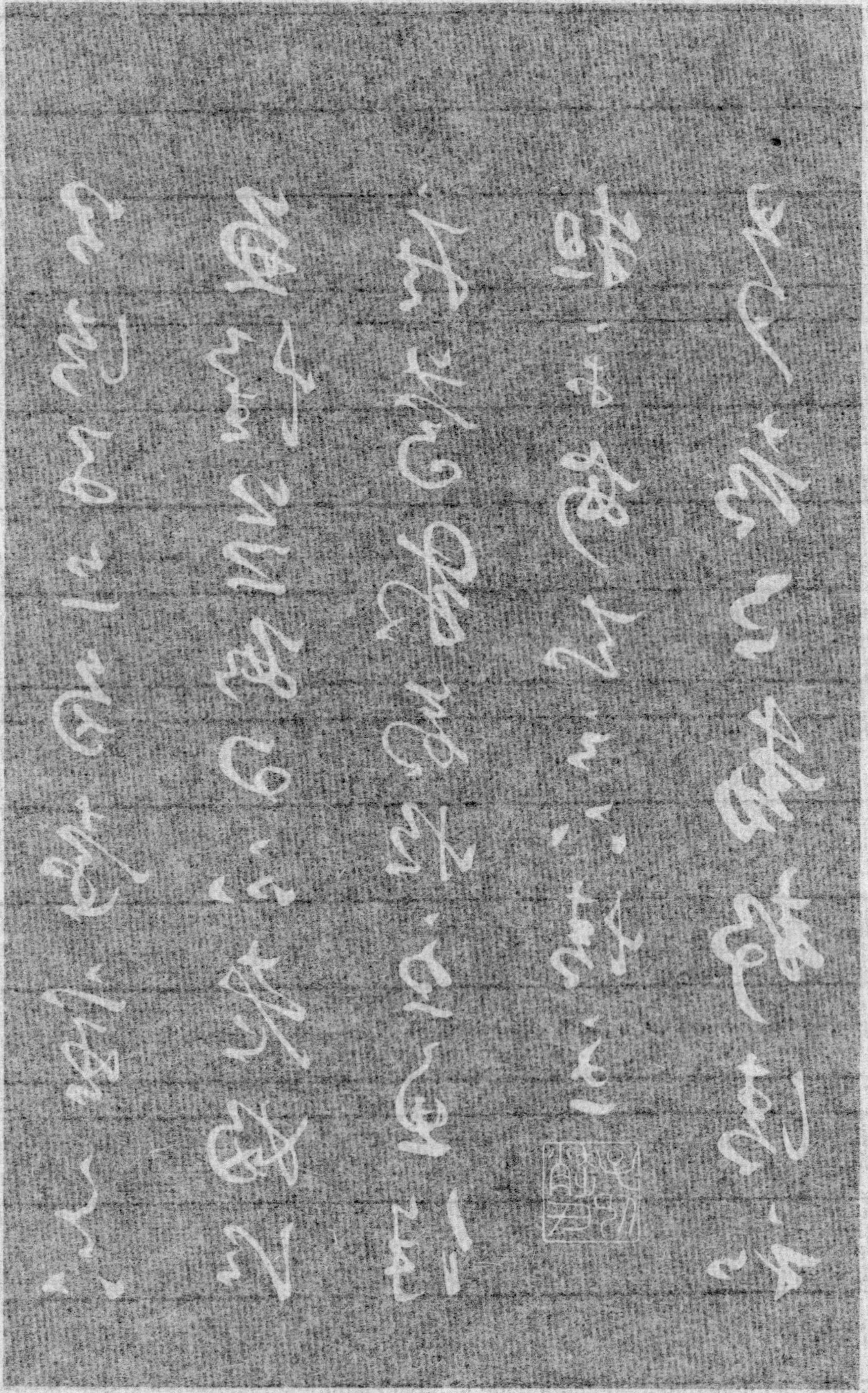

諸從並數有問粗平安
唯脩載在遠音問不數
懸情司州疾篤不果西
公私可恨足下所云皆盡
事勢吾無間然諸問

想足下別具不復一一
揚母在從妹平安故
在一家無苦以七十也
吾在肯清瘦極篤以
以汝向來家云至去

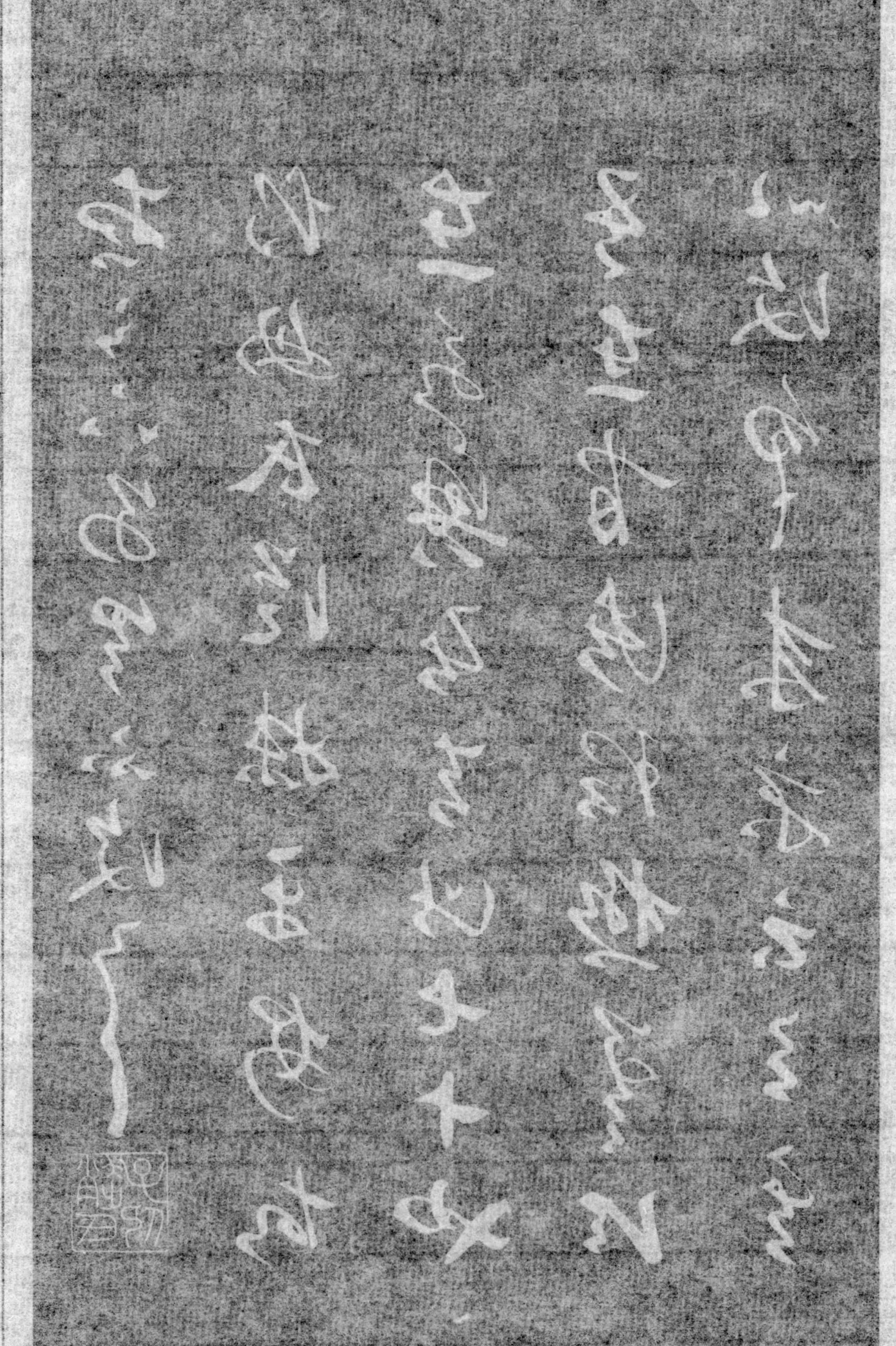

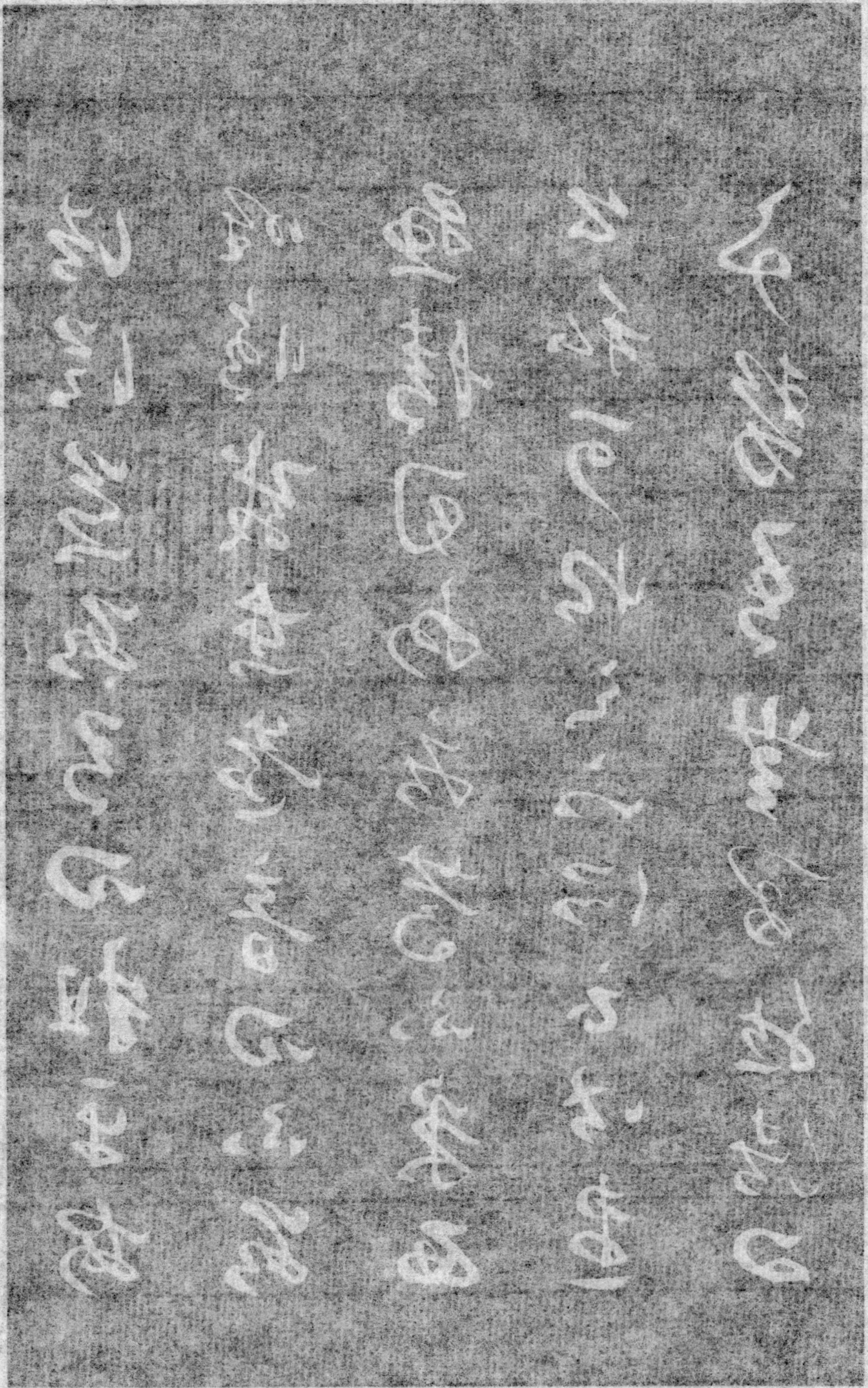

好日來信亦得也
得足下旃罽胡桃[藥]二種
知足下至戎鹽乃要
也[是]服食所須知足下謂須
服食方回近之未許

三希堂法帖
赵孟頫·临右军帖

吾此志知我者希
此有成言無緣見卿
以當一笑
省足下別疏具彼土山
川諸奇揚雄蜀都左

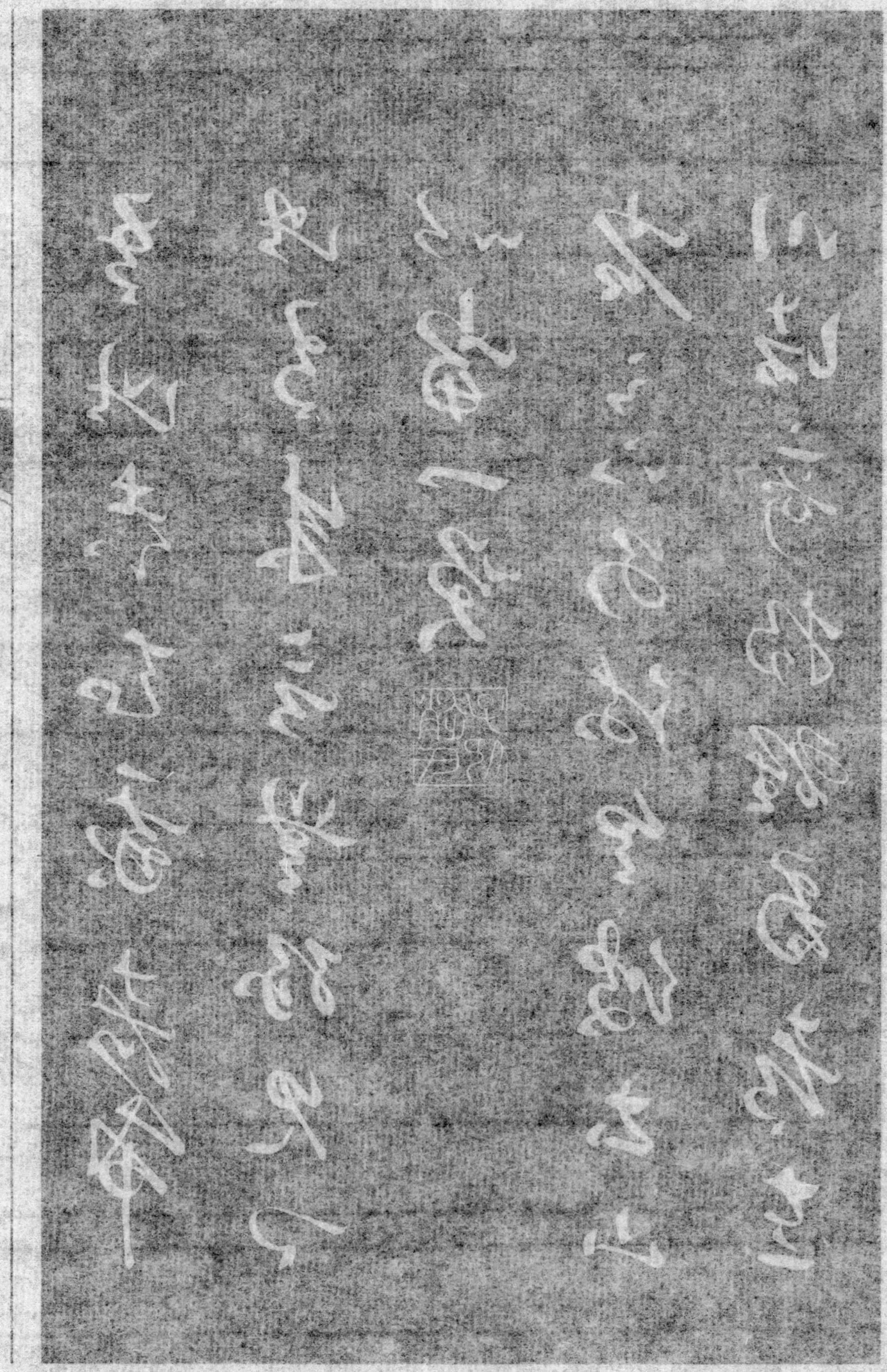

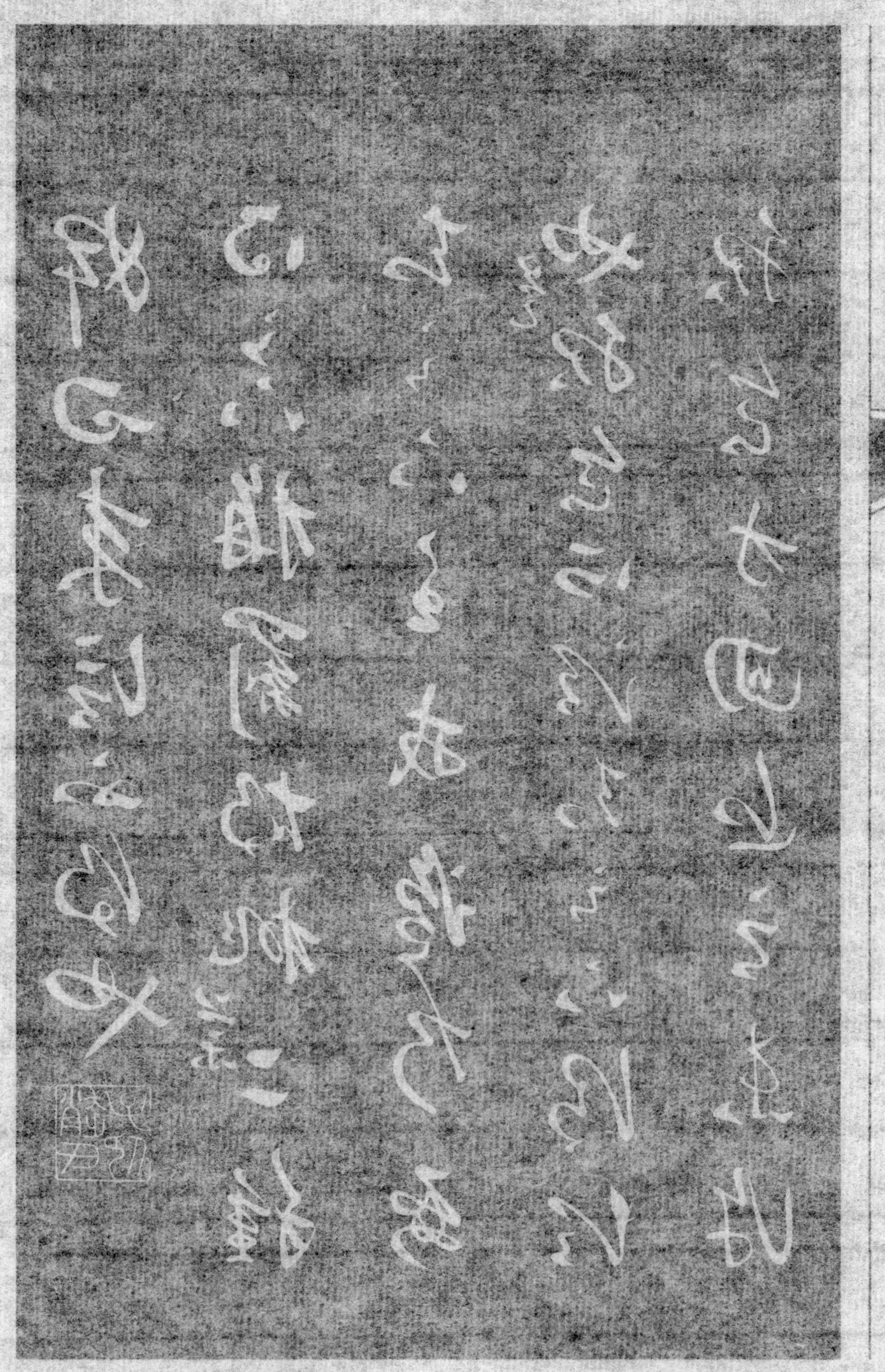

太冲三都殊为不备
悉彼故为多奇益令
其游目意足也可得果
当告卿求迎少人足耳
至时示意迟此期真

以日为岁想足下镇彼
土未有动理耳要
欲及卿在彼登汶领
峨眉而旋实不朽之
盛事但言此心以驰于

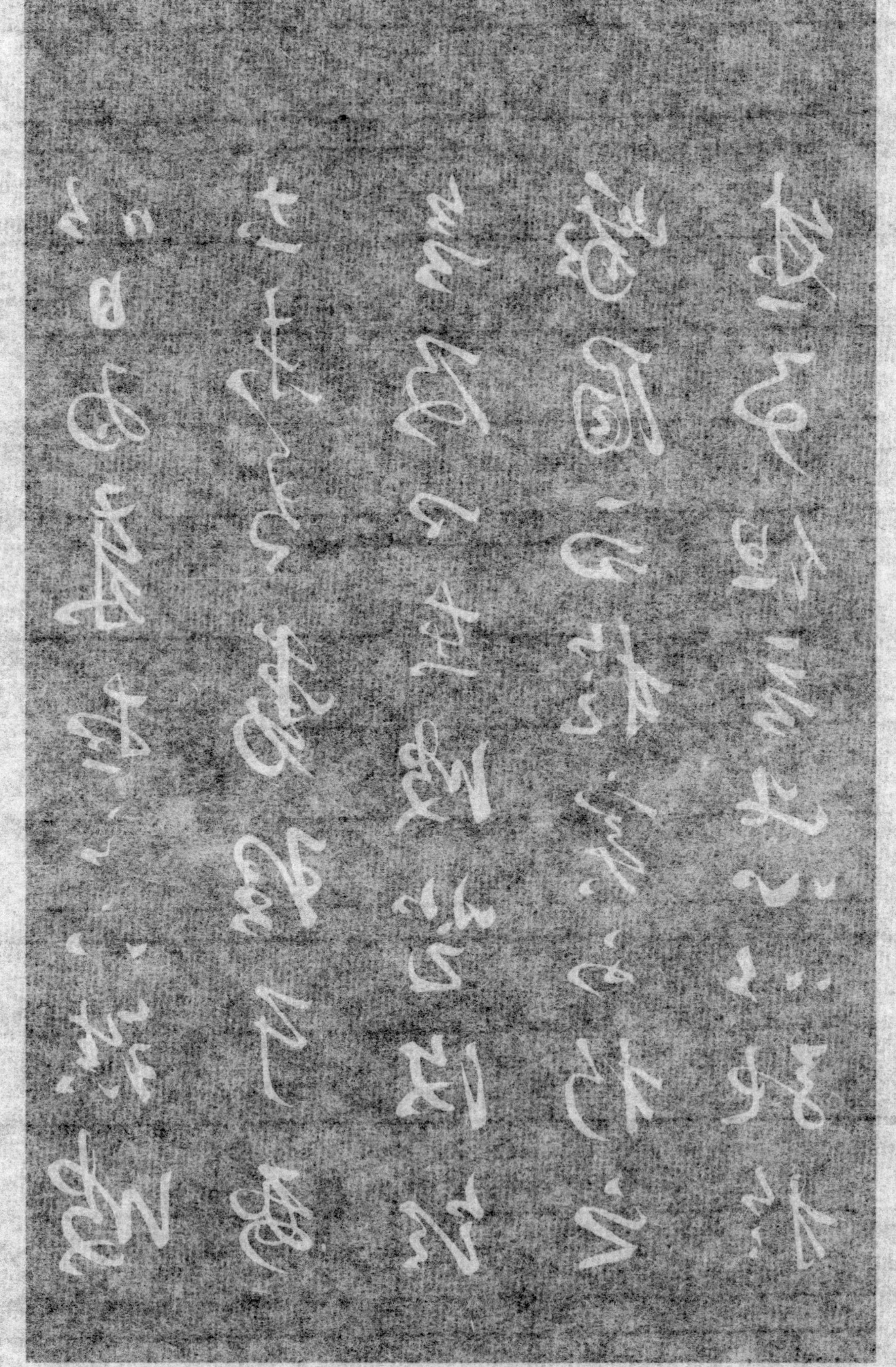

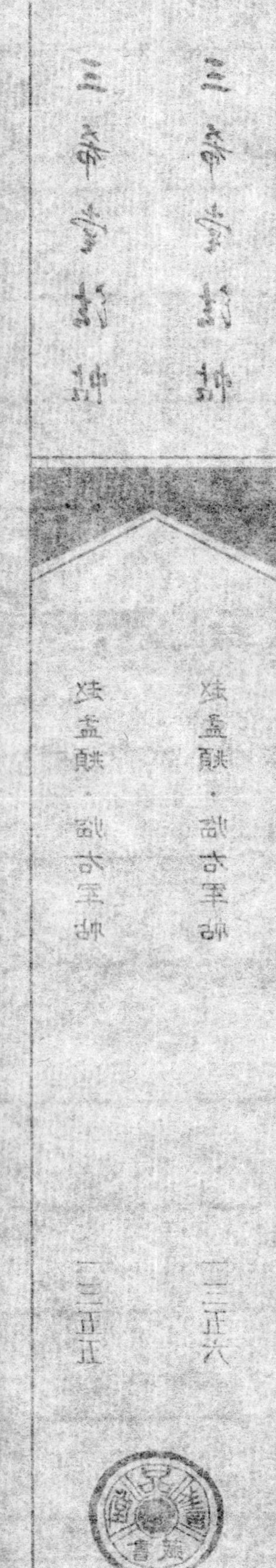

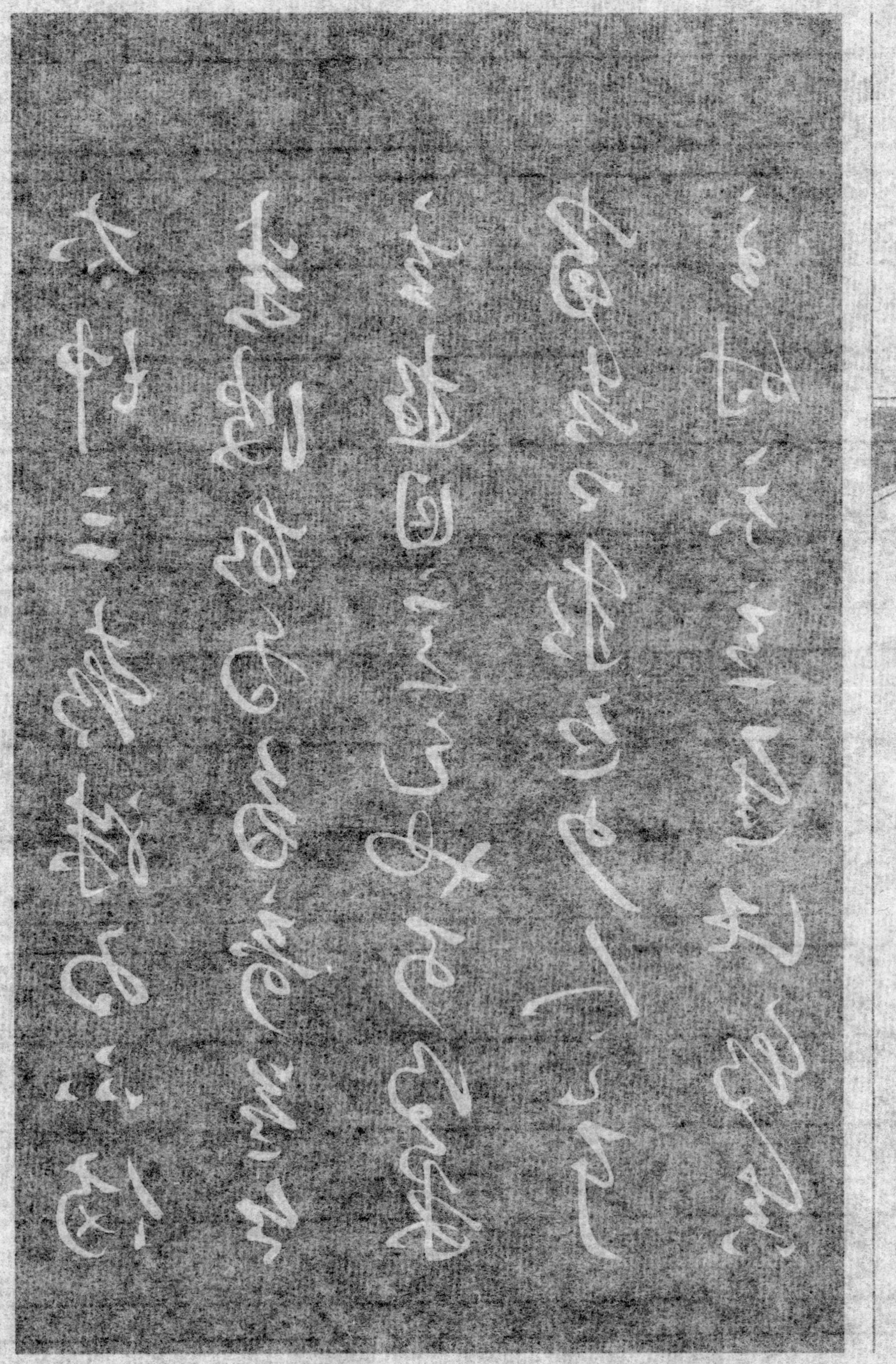

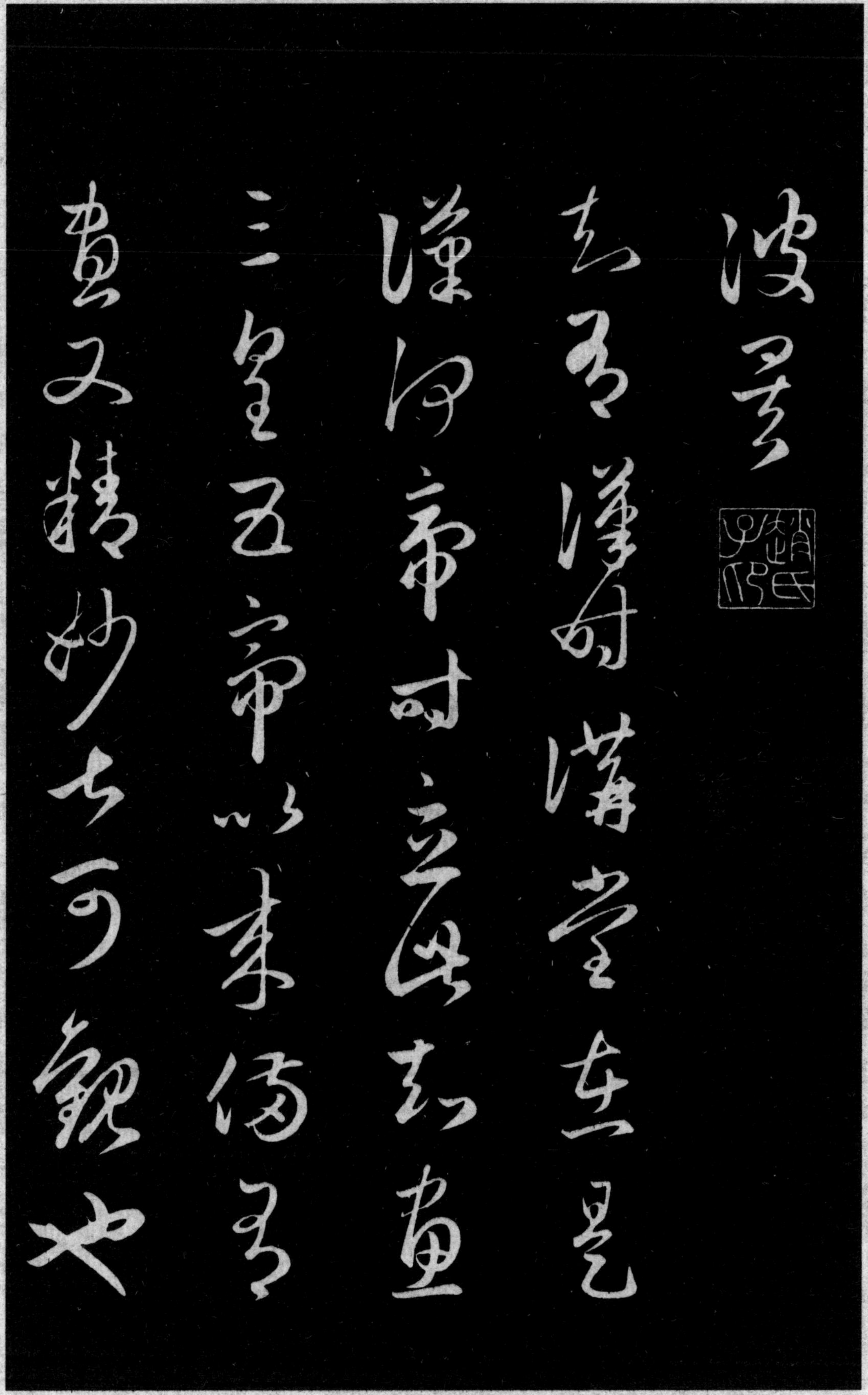

彼云
知有漢時講堂在是
漢何帝時立此知畫
三皇五帝以來備有
畫又精妙甚可觀也

三希堂法帖

彼有能畫者不欲因
摹取當可得不信
具告
往在都見諸葛顒曾
具問蜀中事云成都

赵孟頫・临右军帖

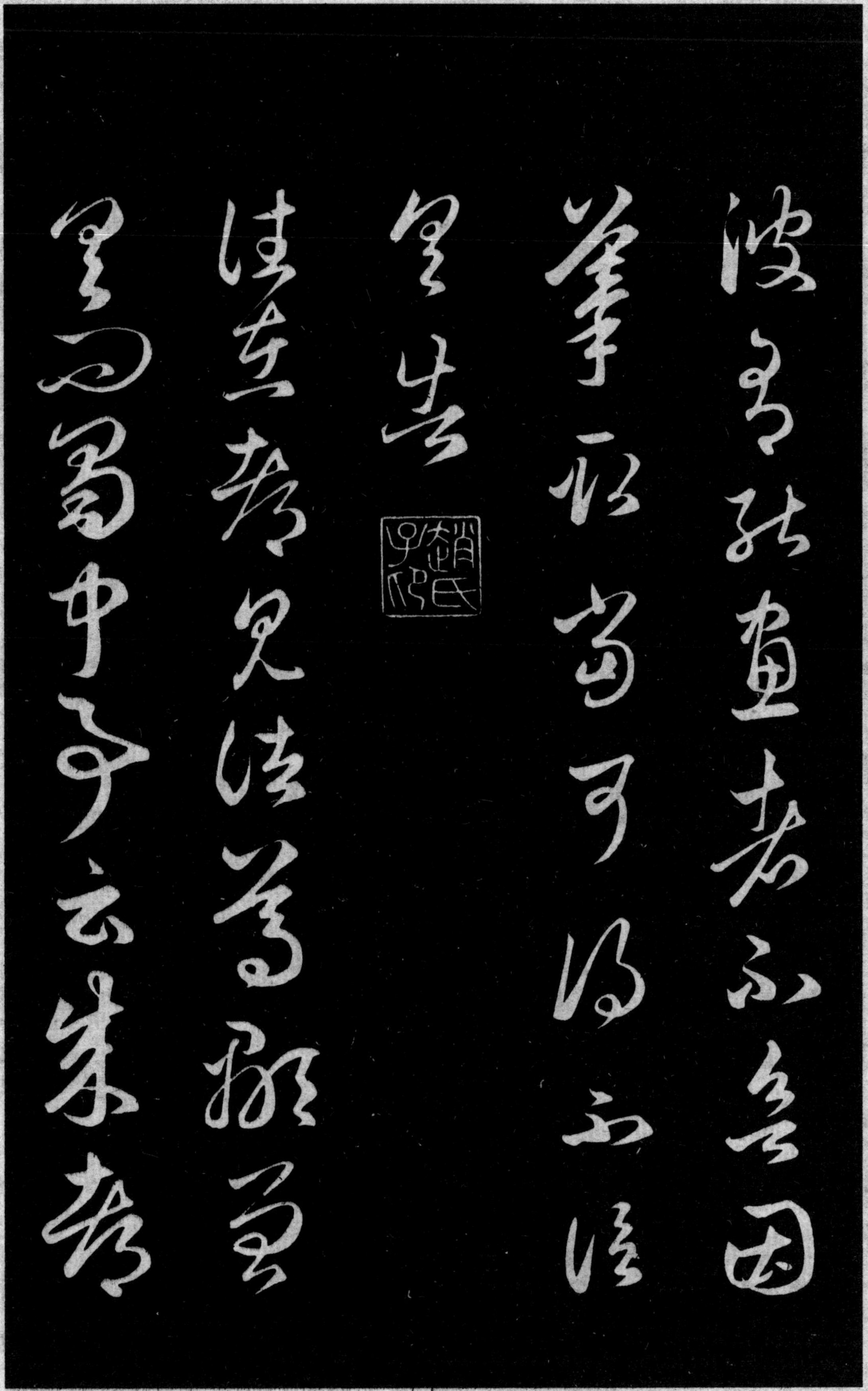

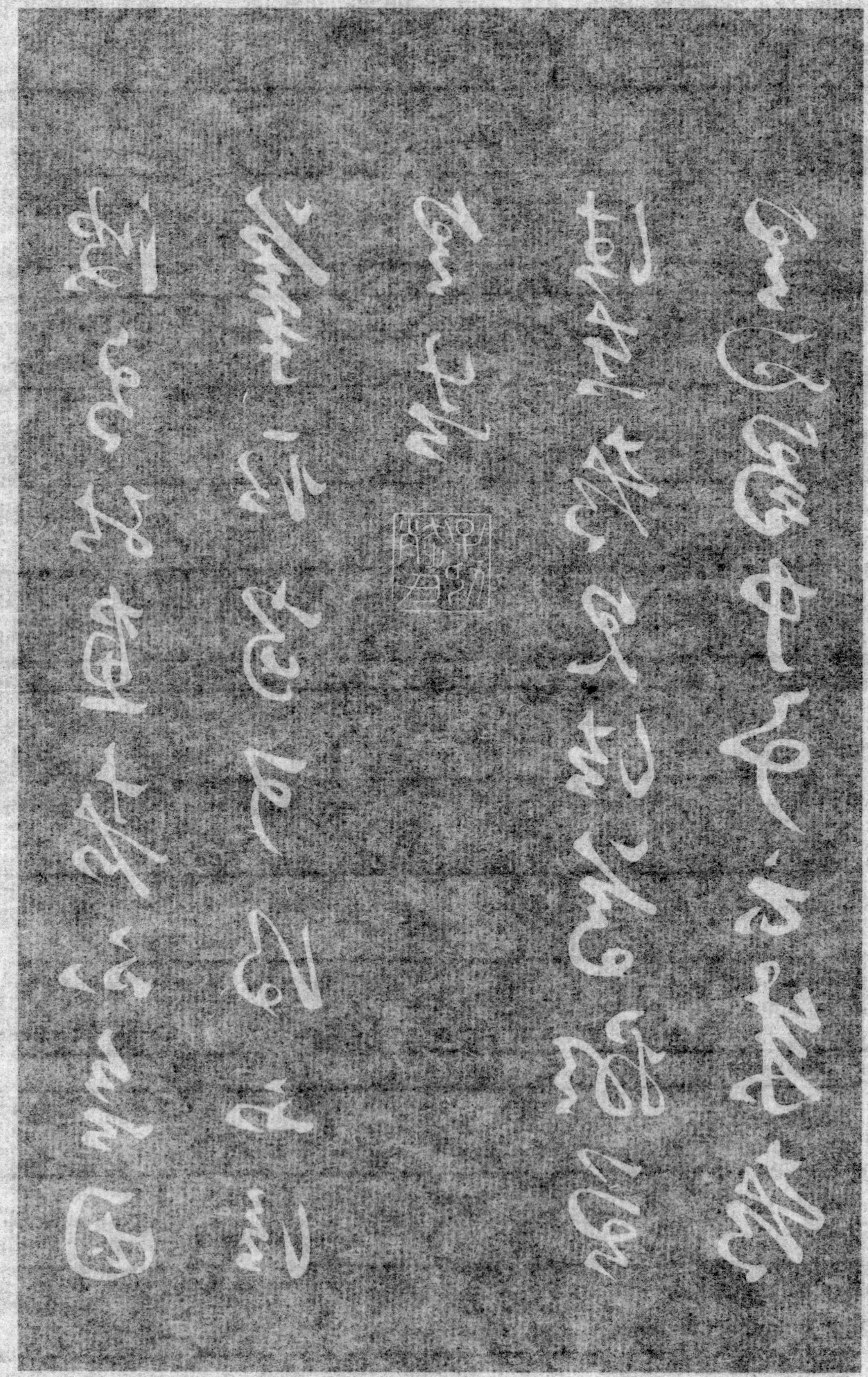

三希堂法帖

趙孟頫·臨右軍帖

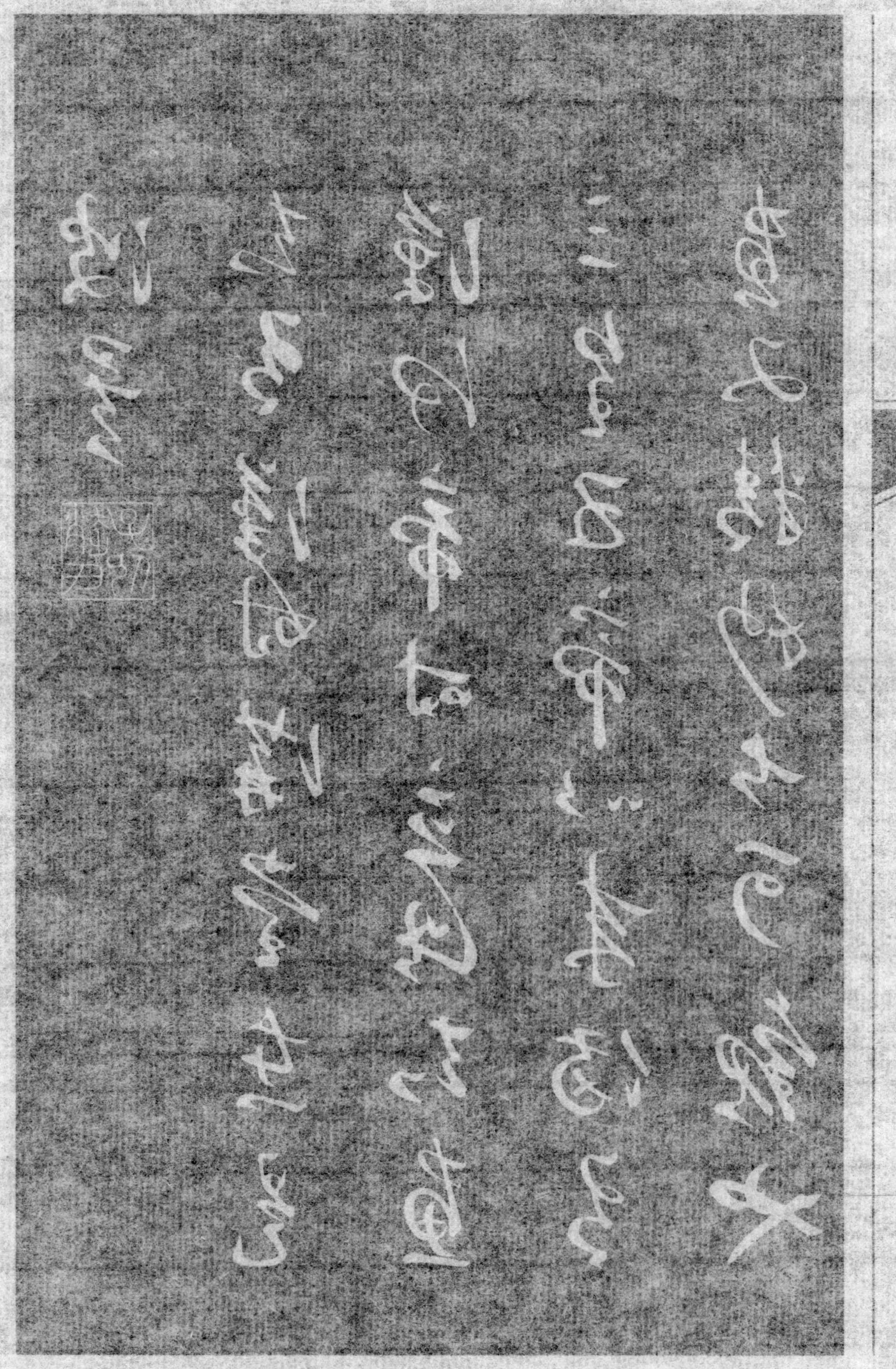

城池门屋楼观皆是
秦时司马错所修
令人远想慨然
为尔不信具示为欲广
异闻

赵氏

云谯周有孙高尚不

出今为所在其人有以
副此志不令人依依足下
具示 严君平司马相如

赵氏

扬子云皆有后不

赵氏

天鼠膏治耳聋有

三希堂法帖

赵孟頫·临右军帖

驗不？有驗者，乃是要
藥。
彼鹽井、火井皆有不？
足下目見不？為欲廣異
聞，具示。朱處仁今所

三希堂法帖

在？往得其書，信遂不
取答。今因足下答其書，可
令必達。
吾有七兒一女，皆同生。
婚娶以畢，唯一小者尚

未婚耳过此一婚便
得至彼今内外孙有十
六人足慰目前足下情
至委曲故具示
彼所须此药草可示

赵氏子昂

当致

赵氏子昂

青李
来禽
樱桃 子皆囊盛爲佳函封多
不生

三希堂法帖

赵孟頫·临右军帖

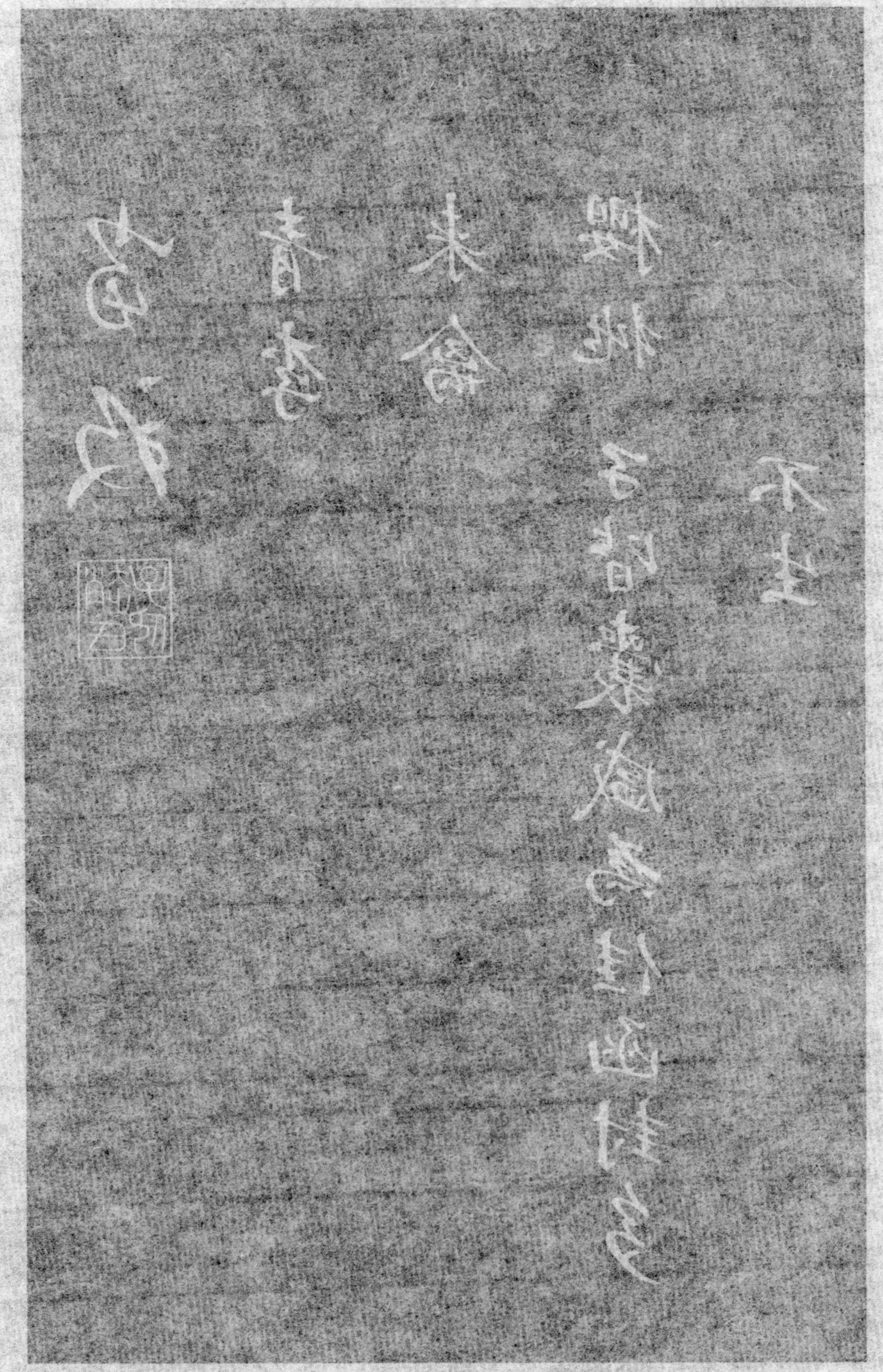

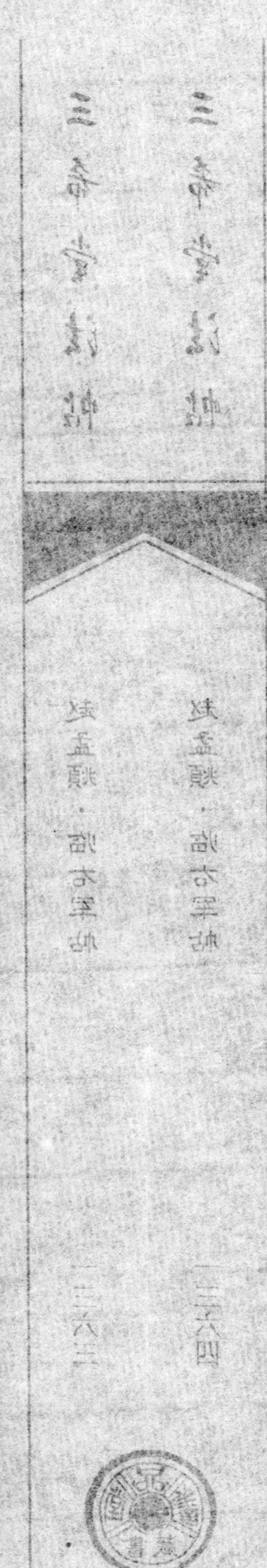

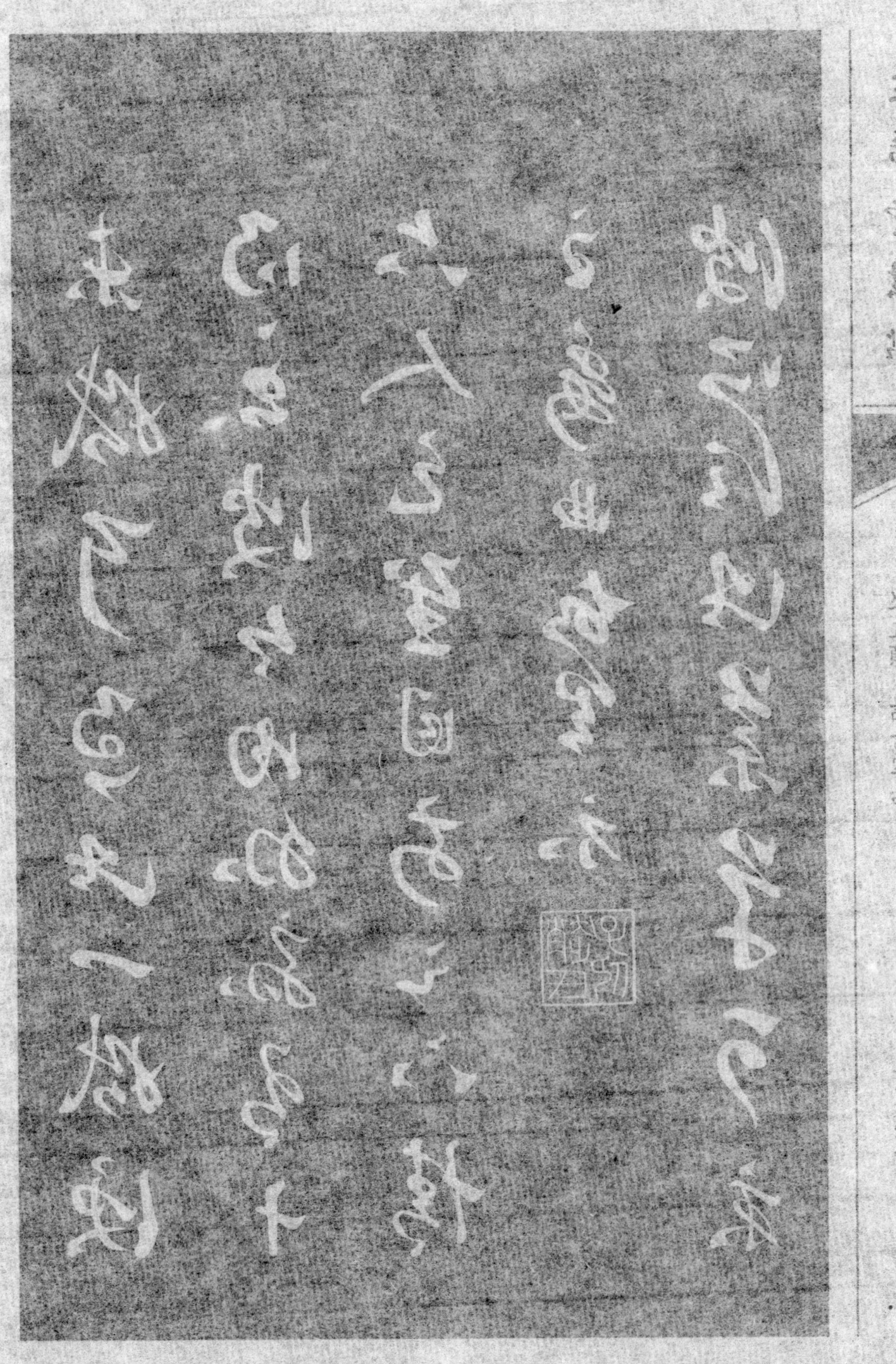

日给滕
足下所疏云此果佳可
为致子当种之此种
彼胡桃皆生也吾笃
喜种果今在田里

唯以此为事故远及
足下致此子者大惠
也
知彼清晏
岁丰故是名处

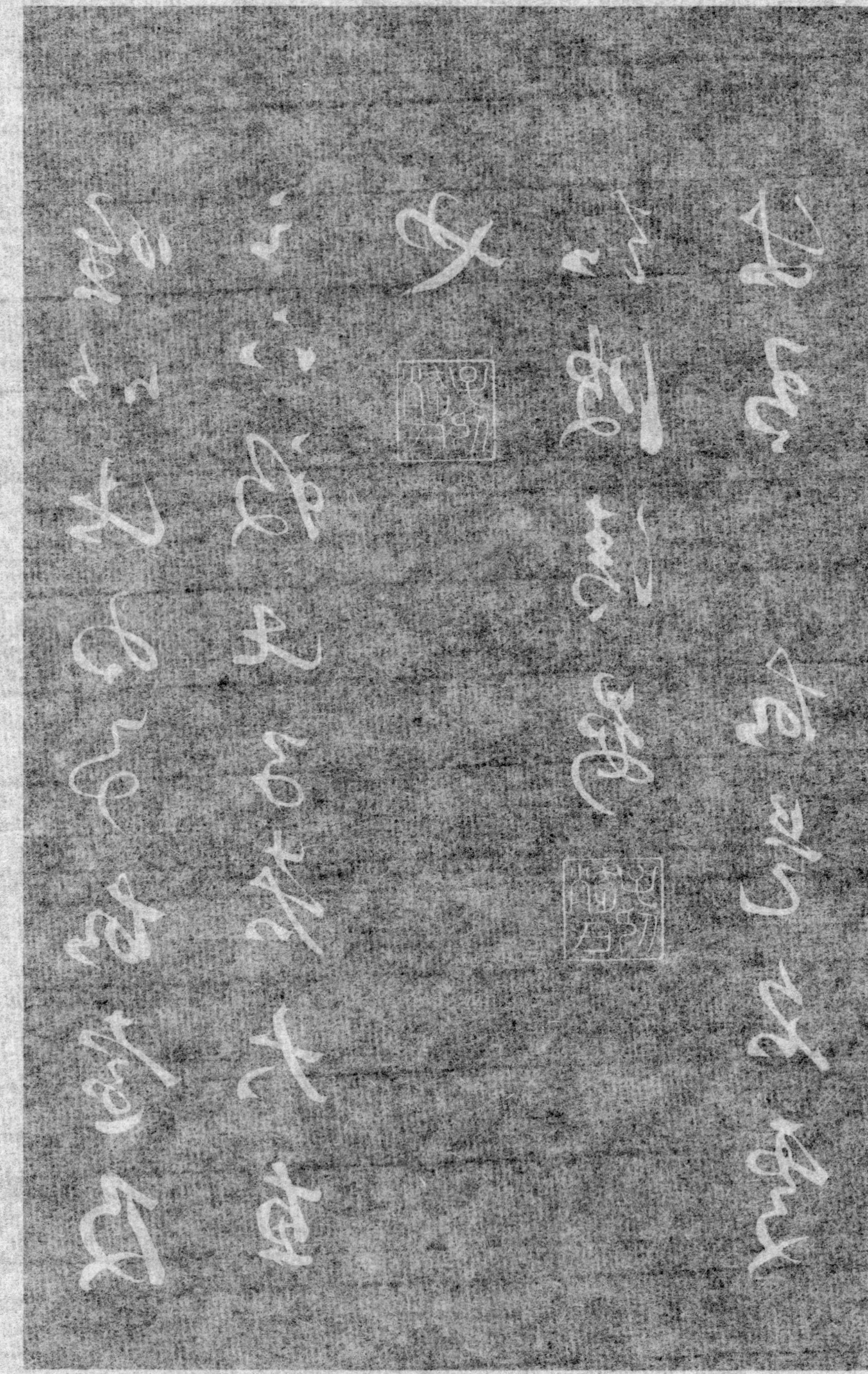

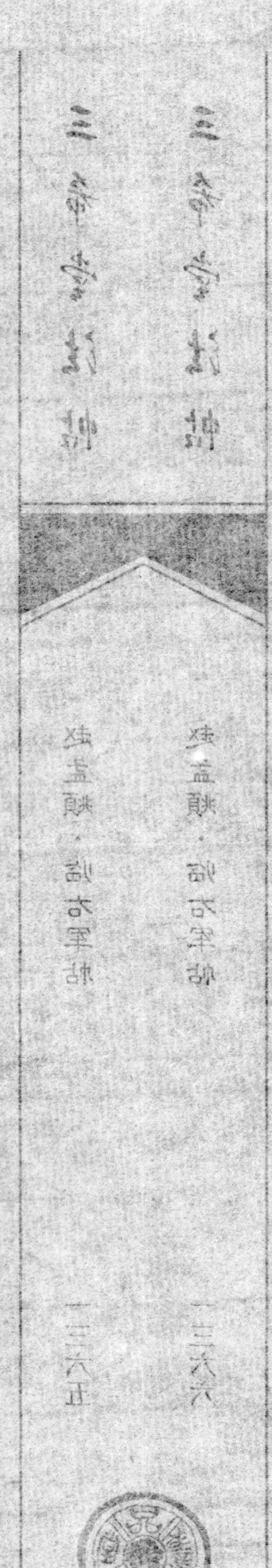

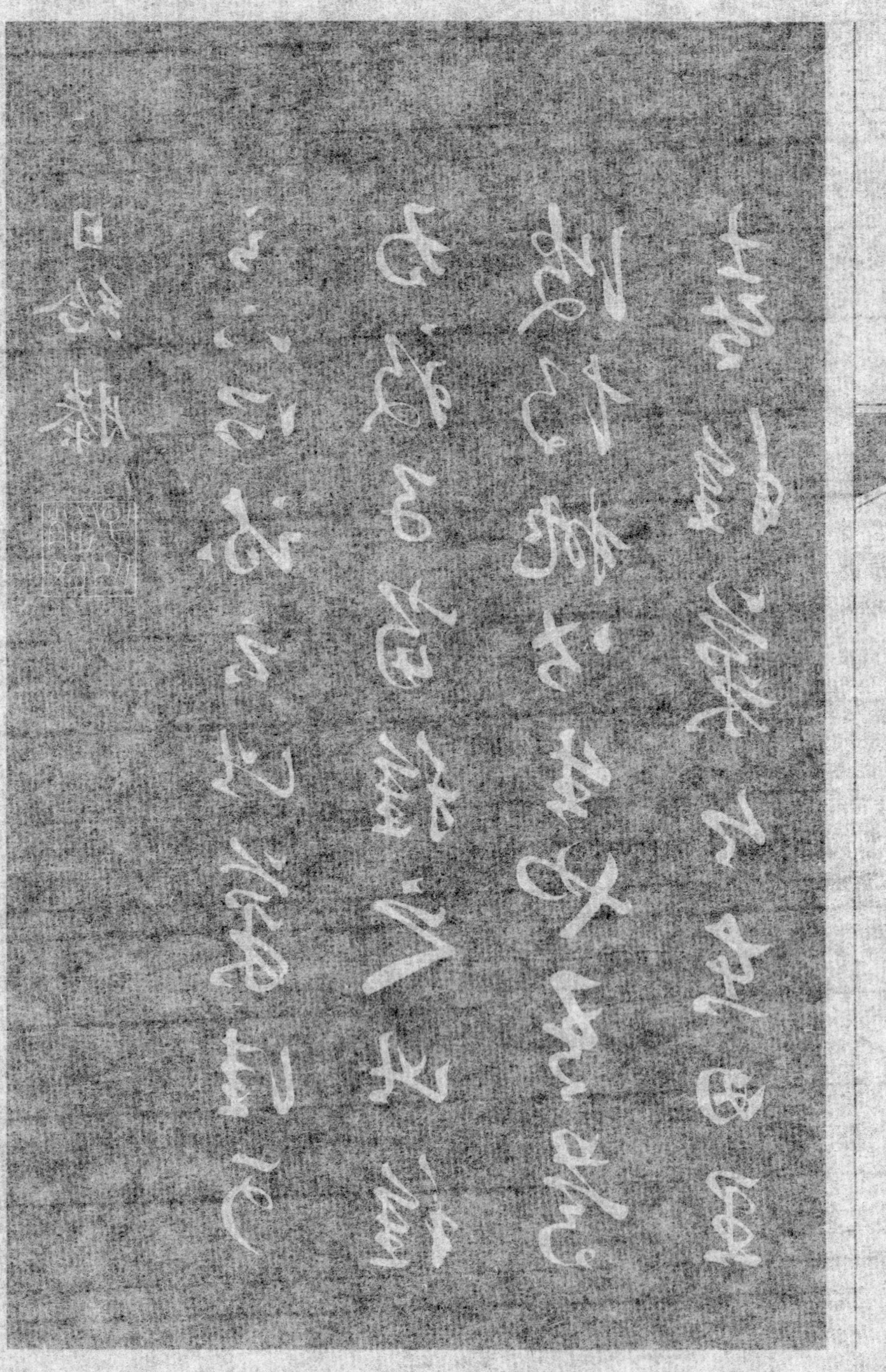

且山川形势乃尔何可
以不游目
虞安吉者昔与共事
常念之今为殿
中将军前过云与足下

中表不以年老甚
欲与足下为下寮意
其资可得小郡足下
可思致之耶所念故
远及

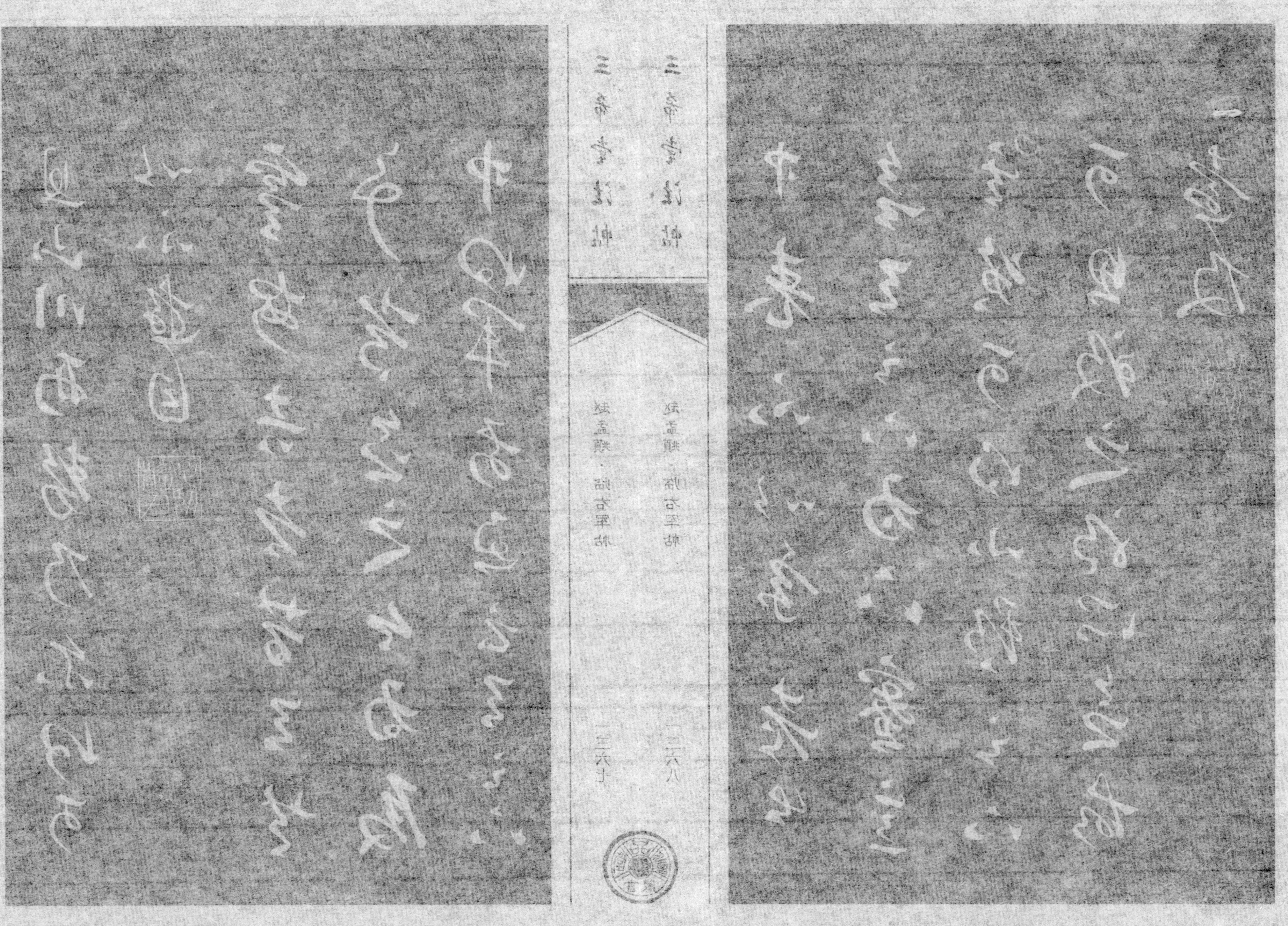

延祐柒年二月廿日松雪齋臨　子昂

紈扇賦

炎暑時至陽烏熱飛金

三希堂法帖

石為流白汗沾衣倦吹
纖條延奕南扉彷徨
躑躅不知所為於是裂
輕紈兮似雪製團扇兮
如月炎揺懷袖涼生毛

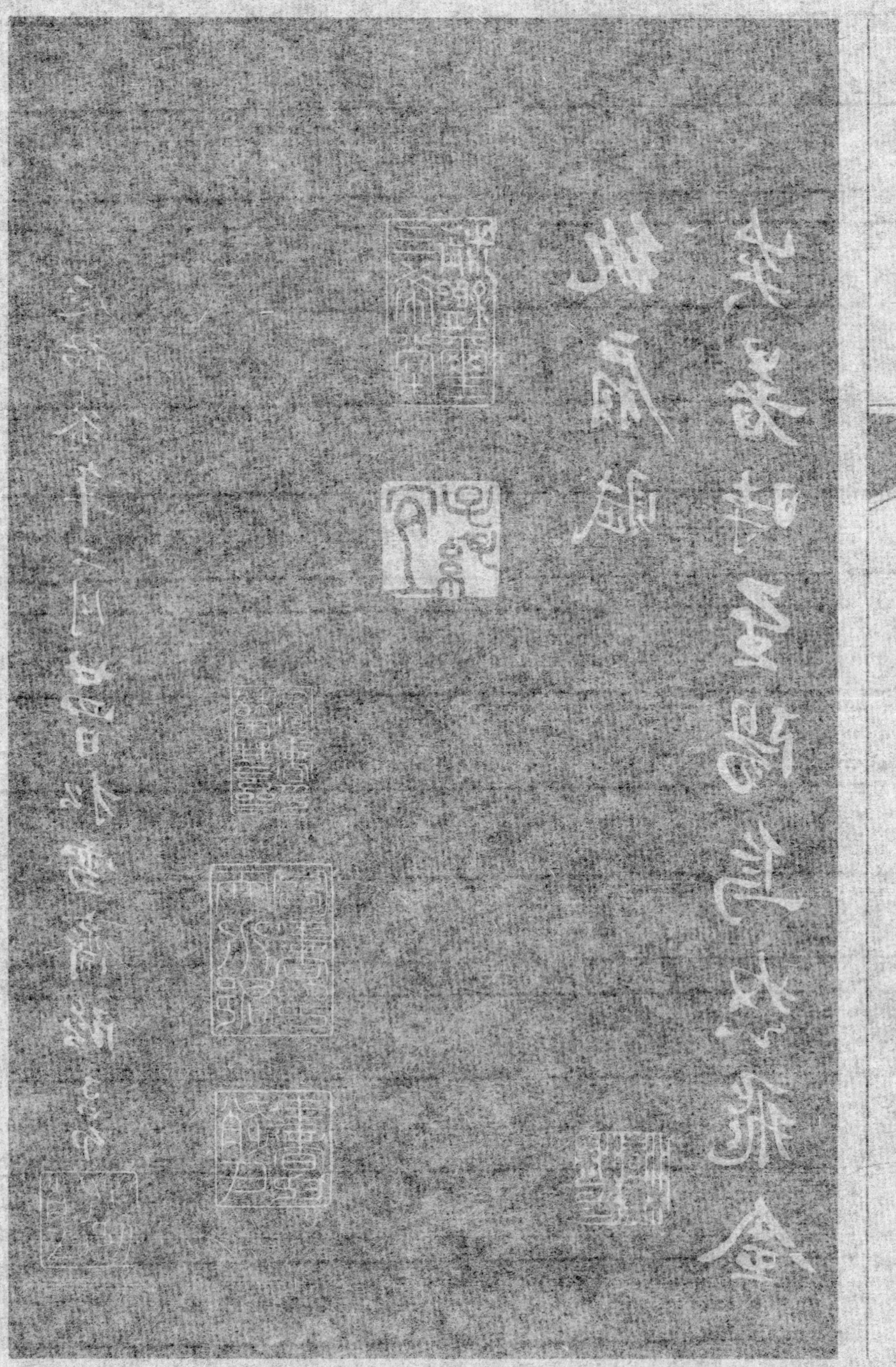

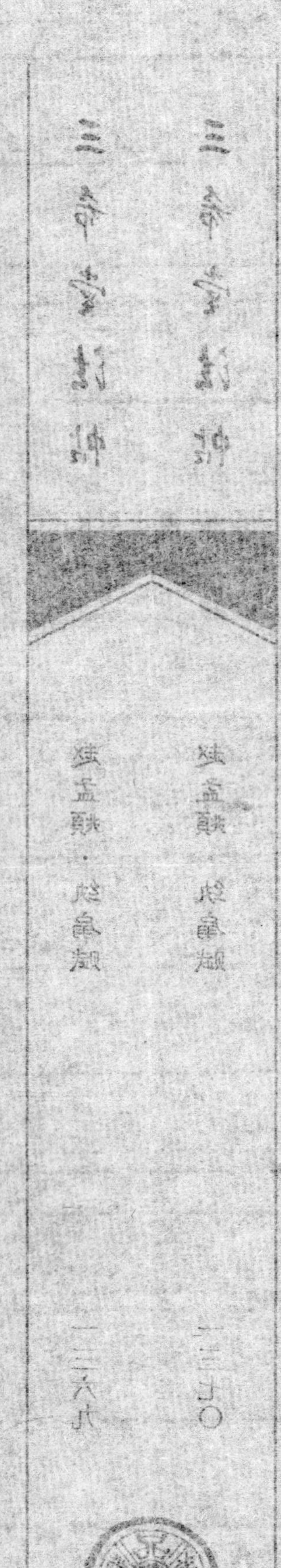

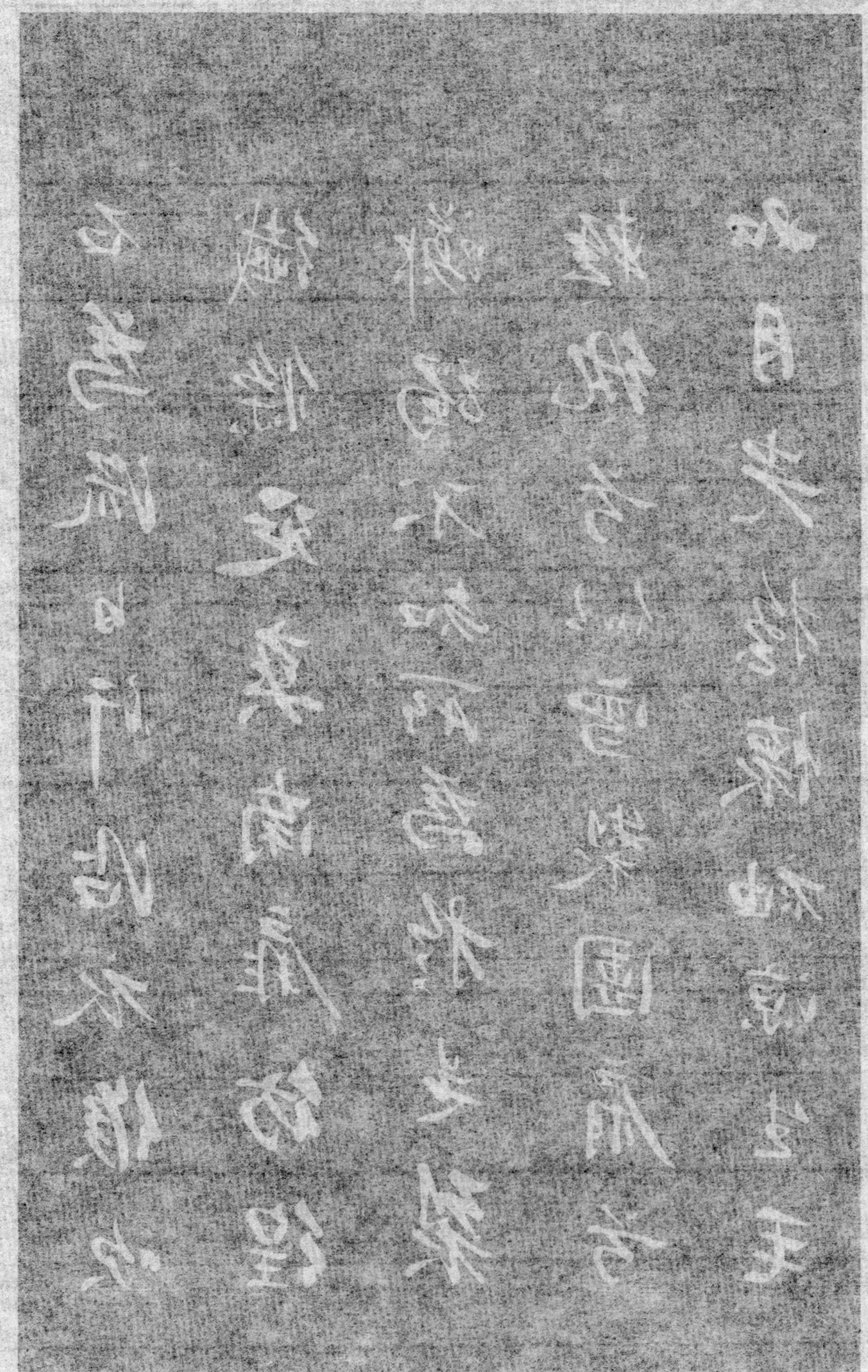

鬟起逦想於青蘋引清
飔于天末蕭然襟帶淒
其絳葛須臾或解中腸
為熱殆造物者所以解民
之愠假人力以為之不然

豈天時之可襲也後有
題詩欲賞因書壽絕障
輕靡以寄恨揚仁風而言
家或畫景齋之女或誤
成蠅之筆白羽纖褆而自

三希堂法帖
赵孟頫·纨扇赋

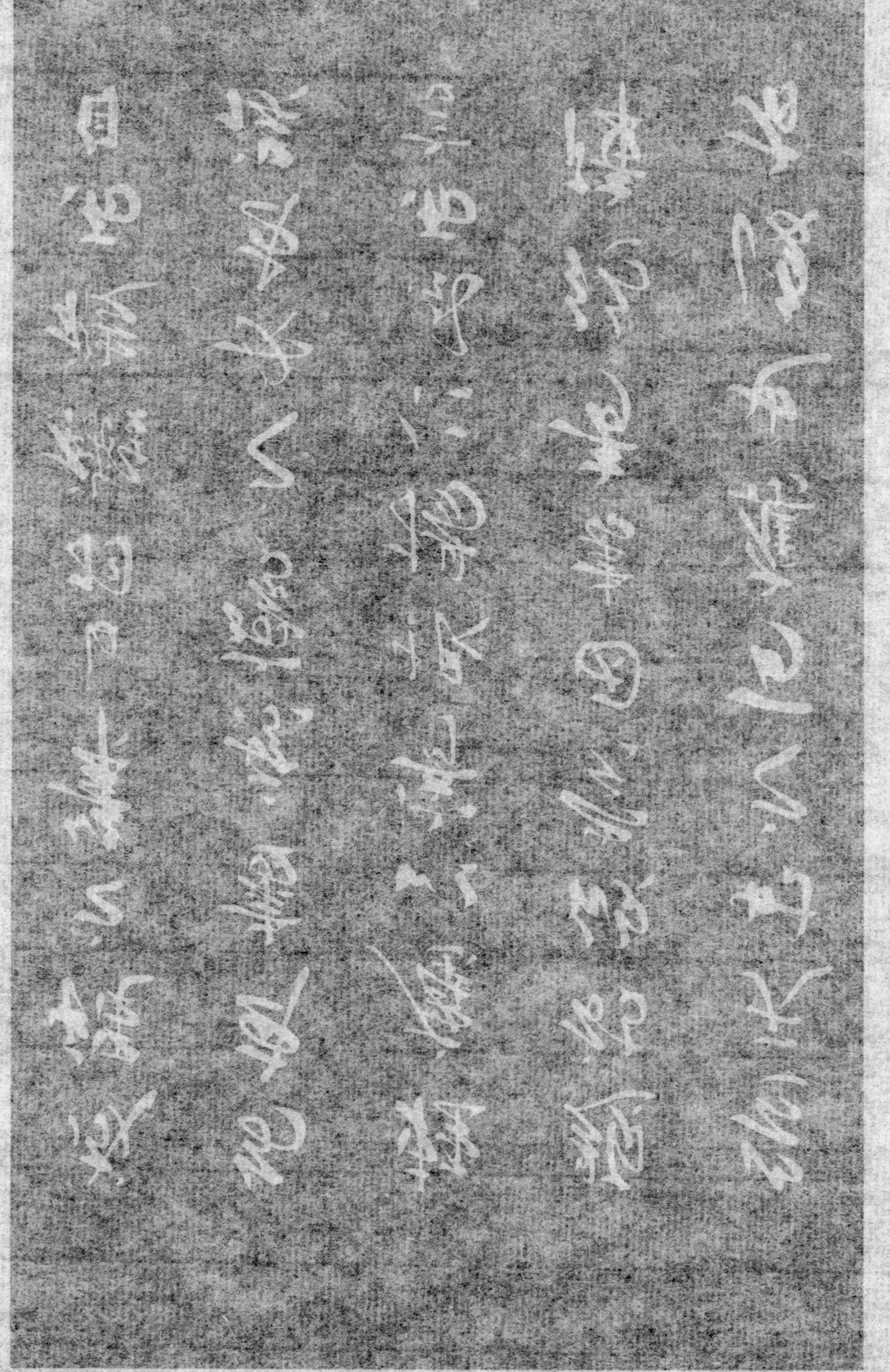

愧蒲葵之方而知劣及
乎商章庭廊民夷玉露
降兮百草金风生兮桂
枝罗衣重拂秋兰复
菲飘萤冷照寒蟾暗

篇橐指箧笥绸缪网
丝班姬形中道之怨江
淹拂赋零落之诗嗟夫
用舍有时出处有宜嗟
人亦尔于物奚疑彼孤貉

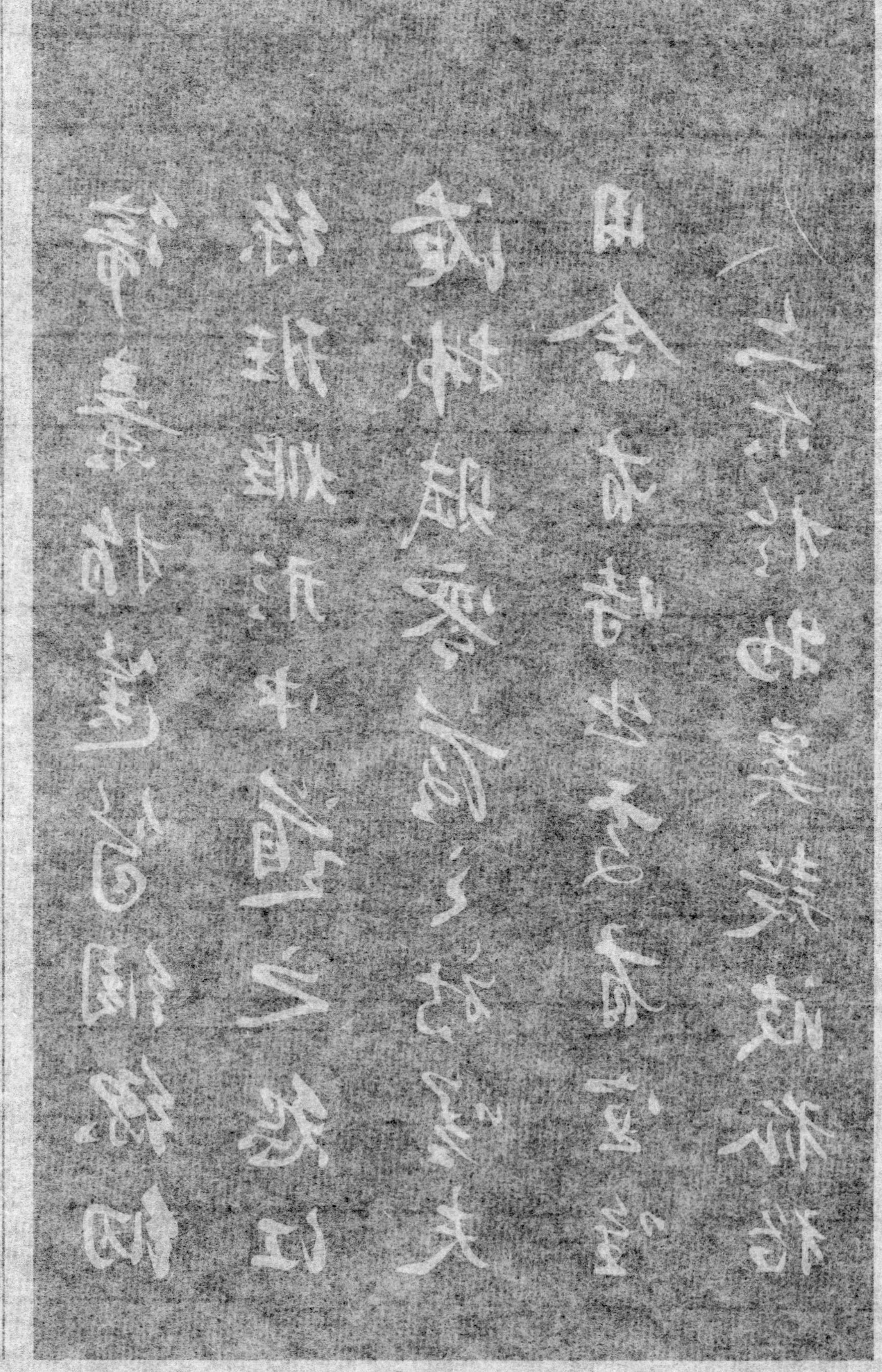

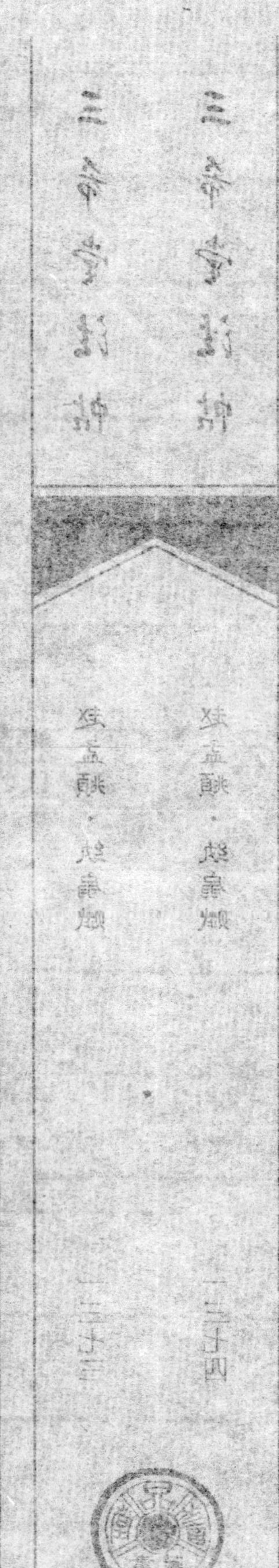

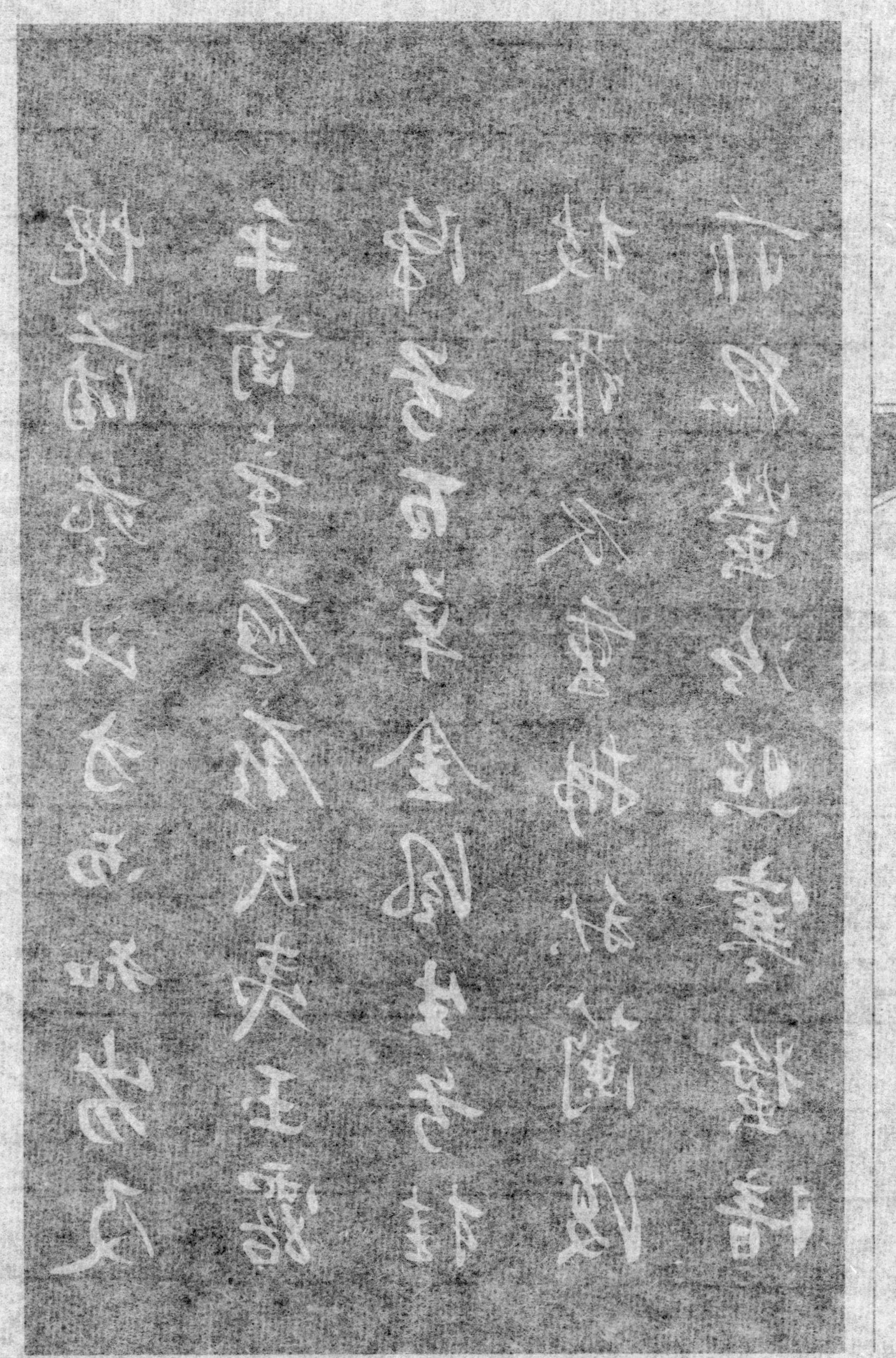

之御冬豈當暑而亦思
苟行藏之任道顧後時
乎安之噫吾與其不可
見兮之二人又何知
大德九年十月十日書與

君璋老弟　孟頫

嵇叔夜與山巨源絕交書
康白足下昔稱吾於潁川吾
嘗謂之知言然經怪此意尚
未熟悉於足下何從便得之

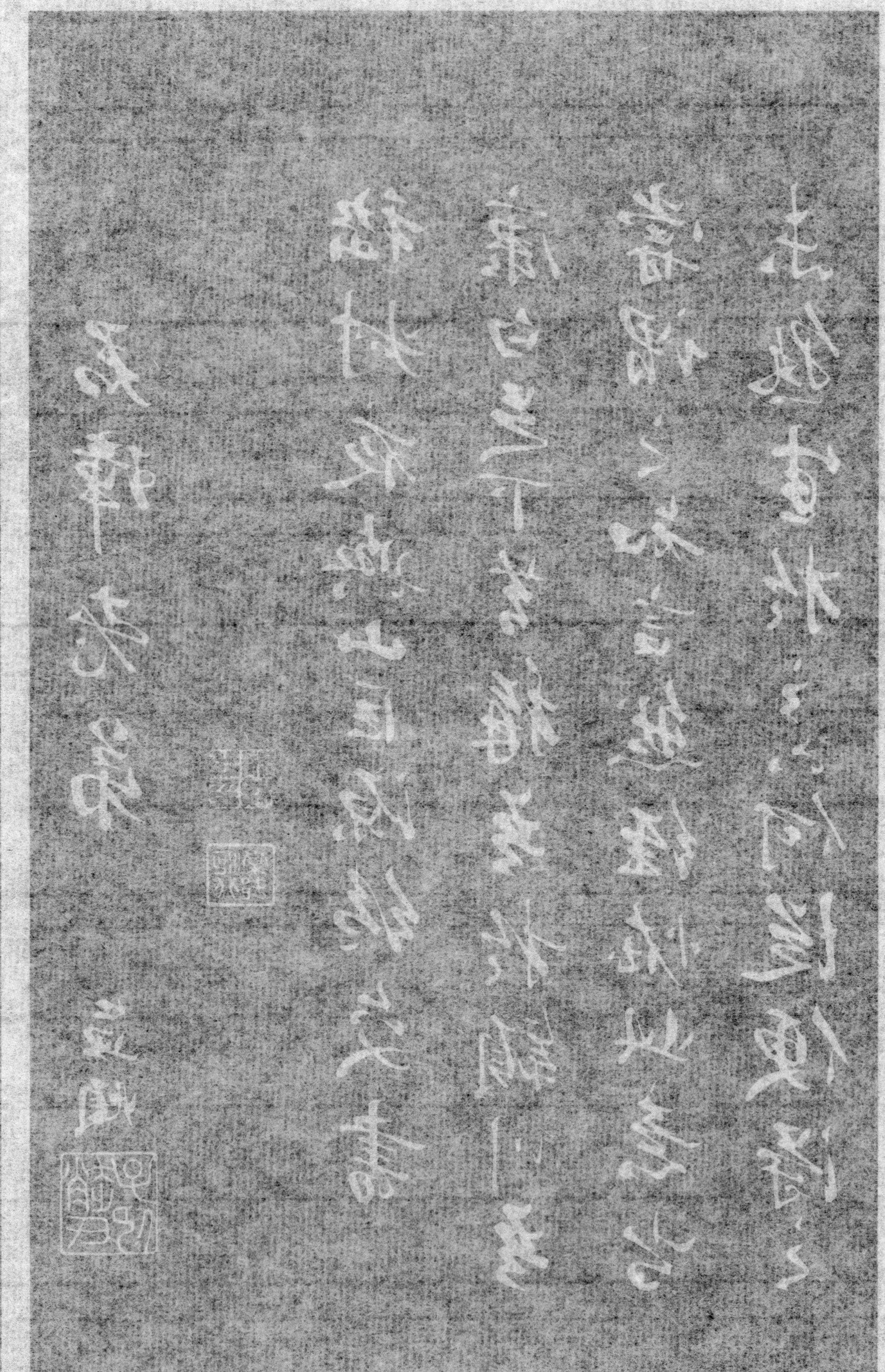

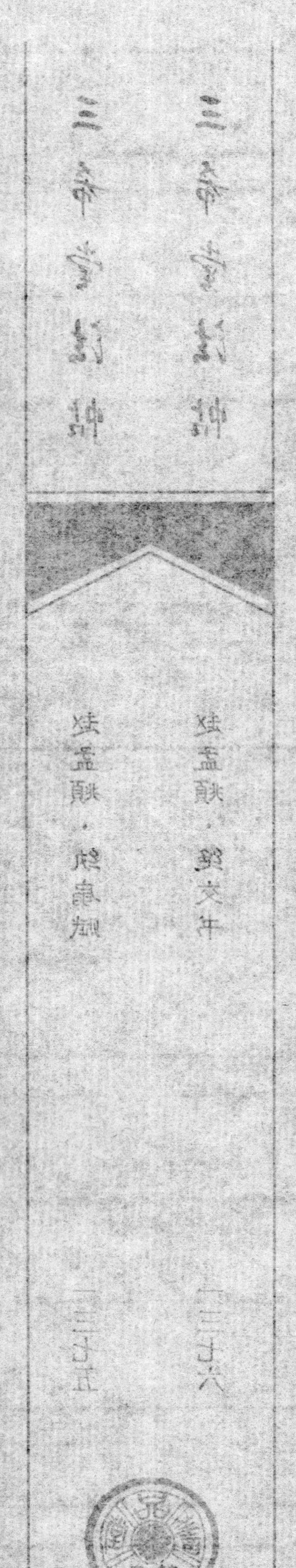
三希堂法帖

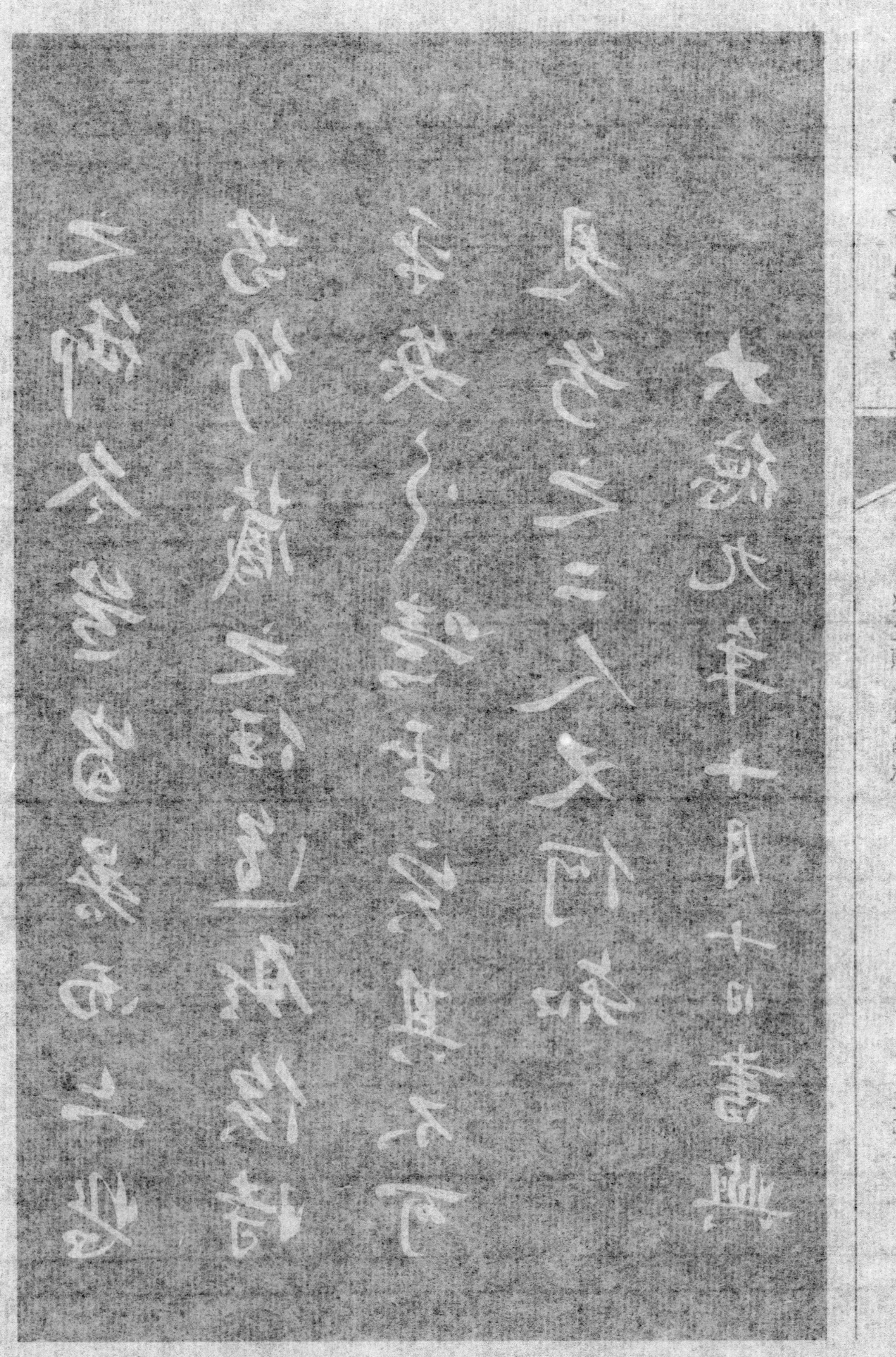

也前年從河東還顯宗
阿都說足下議以吾自代
事雖不行知足下不知足下傍
通多可而少怪吾直性狹中
多所不堪偶與足下相知耳
間聞足下遷惕然不喜恐足

下羞庖人之獨割引尸祝以自
助手薦鸞刀漫之羶腥故具
為足下陳其可否吾昔讀書
得并介之人或謂無之今
乃信其真有耳性有所
不堪真不可強今空語同知

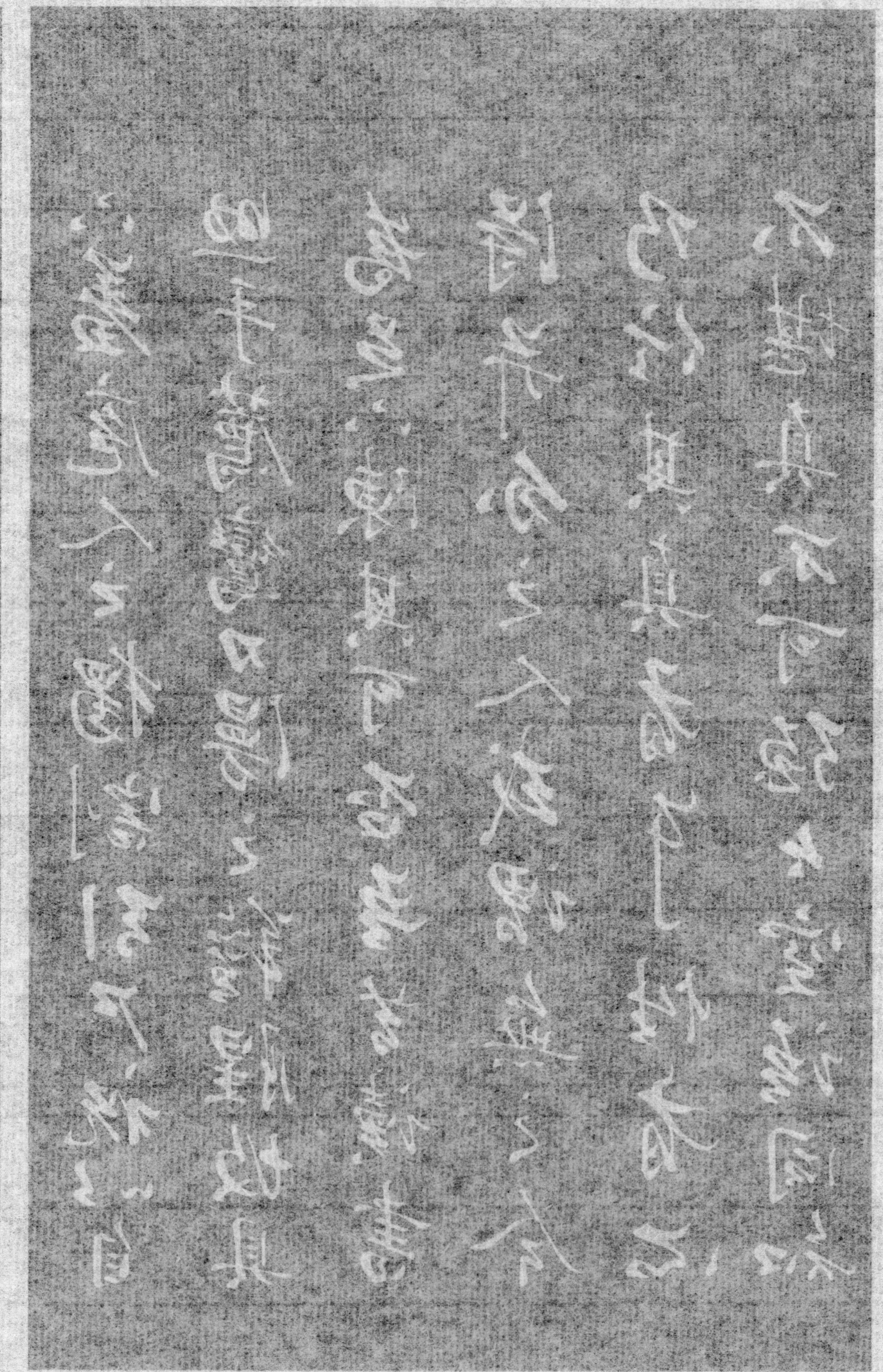

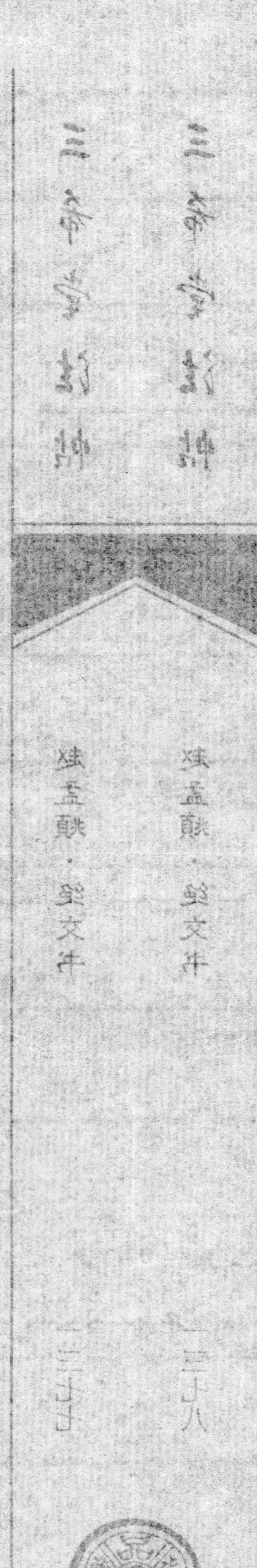

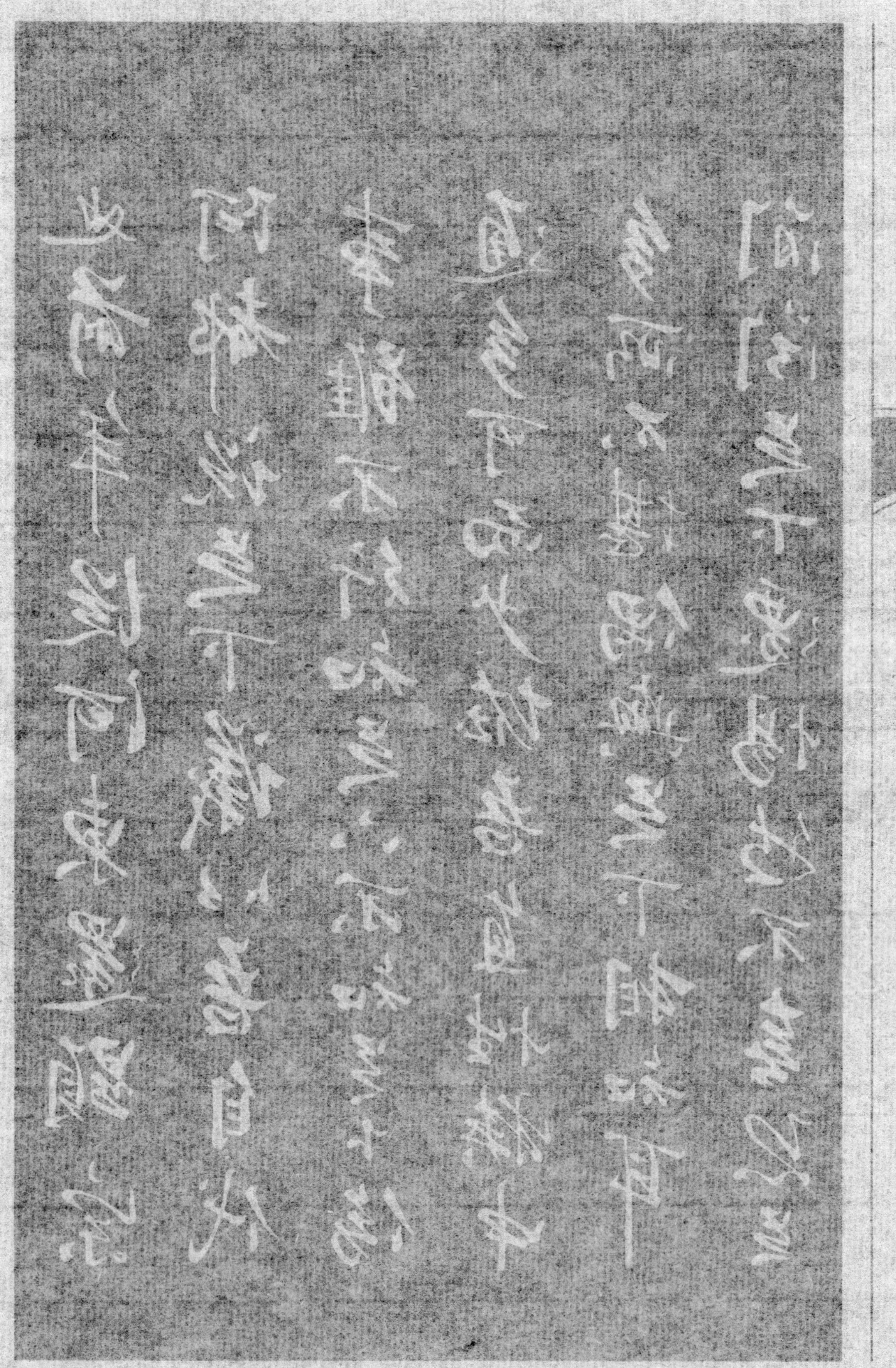

有達人無所不堪外不殊俗而內不失正與一世同其波流而悔吝不生耳老子莊周吾之師也親居賤職柳下惠東方朔達人也安乎卑位吾豈敢短之哉又仲尼兼愛不羞執

三希堂法帖

鞭子文無欲卿相而三登令尹是乃君子思濟物之意也所謂達人能兼善而不渝窮則自得而無悶以此觀之故堯舜之君世許由之巖棲子房之佐漢接輿之行歌其揆一也瞻

數君可謂能遂其志者
故君子百行殊塗而同致循
性而動各附所安故有處朝
廷而不出入山林不反之論且延
陵高子臧之風長卿慕相如
之節志氣所託不可奪也每

讀尚子平臺孝威傳慨然
慕之想其為人少加孤露母
兄見驕不涉經學性復疏懶
筋駑肉緩頭面常一月十五
日不洗不大悶癢不能沐也每
常小便而忍不起令胞中略轉

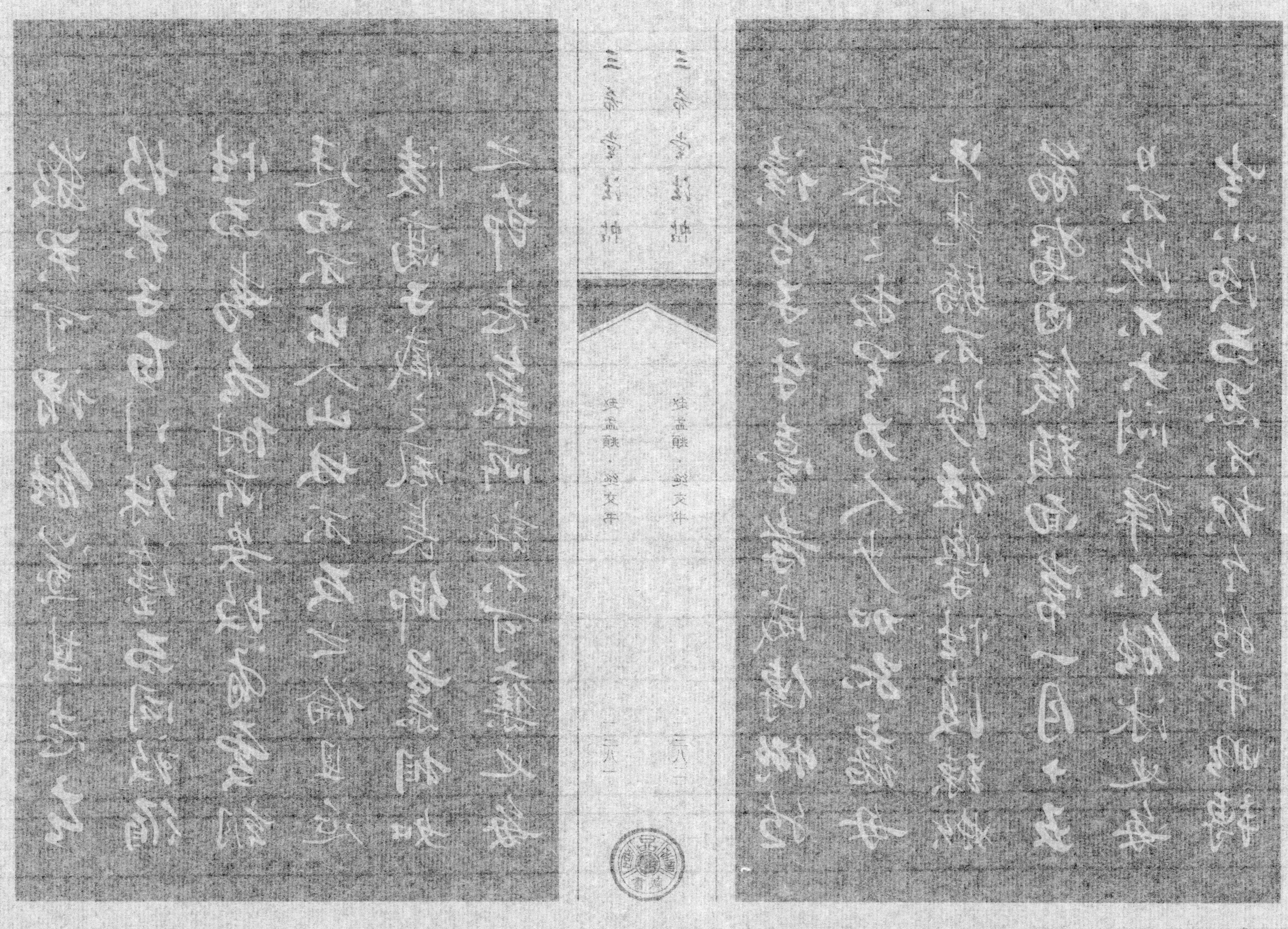

乃起耳。又縱逸來久，情意傲散，簡與禮相背，懶與慢相成，而為儕類見寬，不攻其過。又讀莊老，重增其放，故使榮進之心日頹，任實之情轉篤。此由禽鹿少見馴育，則服從

教制；長而見羈，則狂顧頓纓，赴蹈湯火；雖飾以金鑣，饗以嘉肴，逾思長林而志在豐草也。阮嗣宗口不論人過，吾每師之，而未能及。至性過人，與物無傷，唯飲酒過差耳。

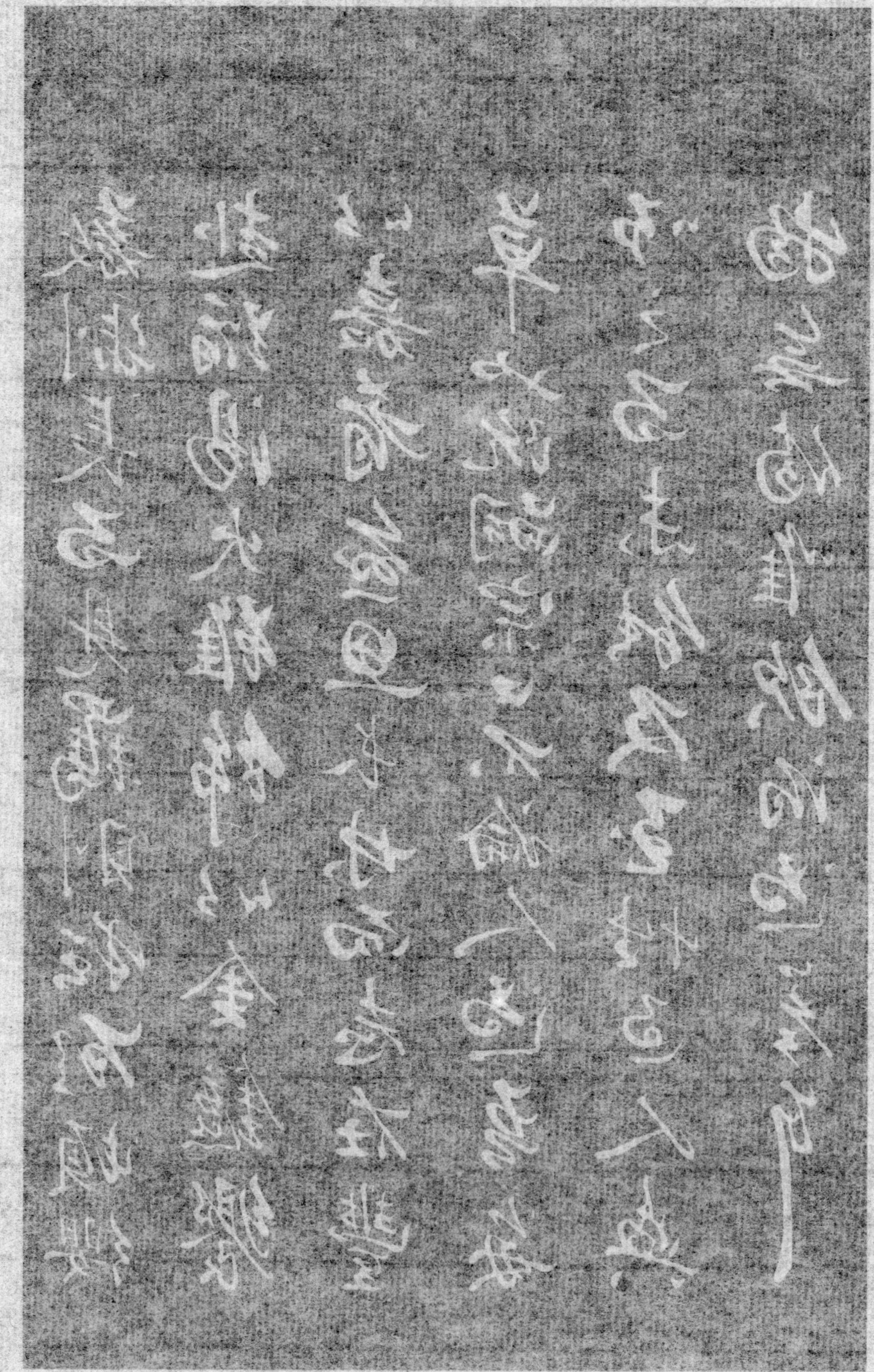

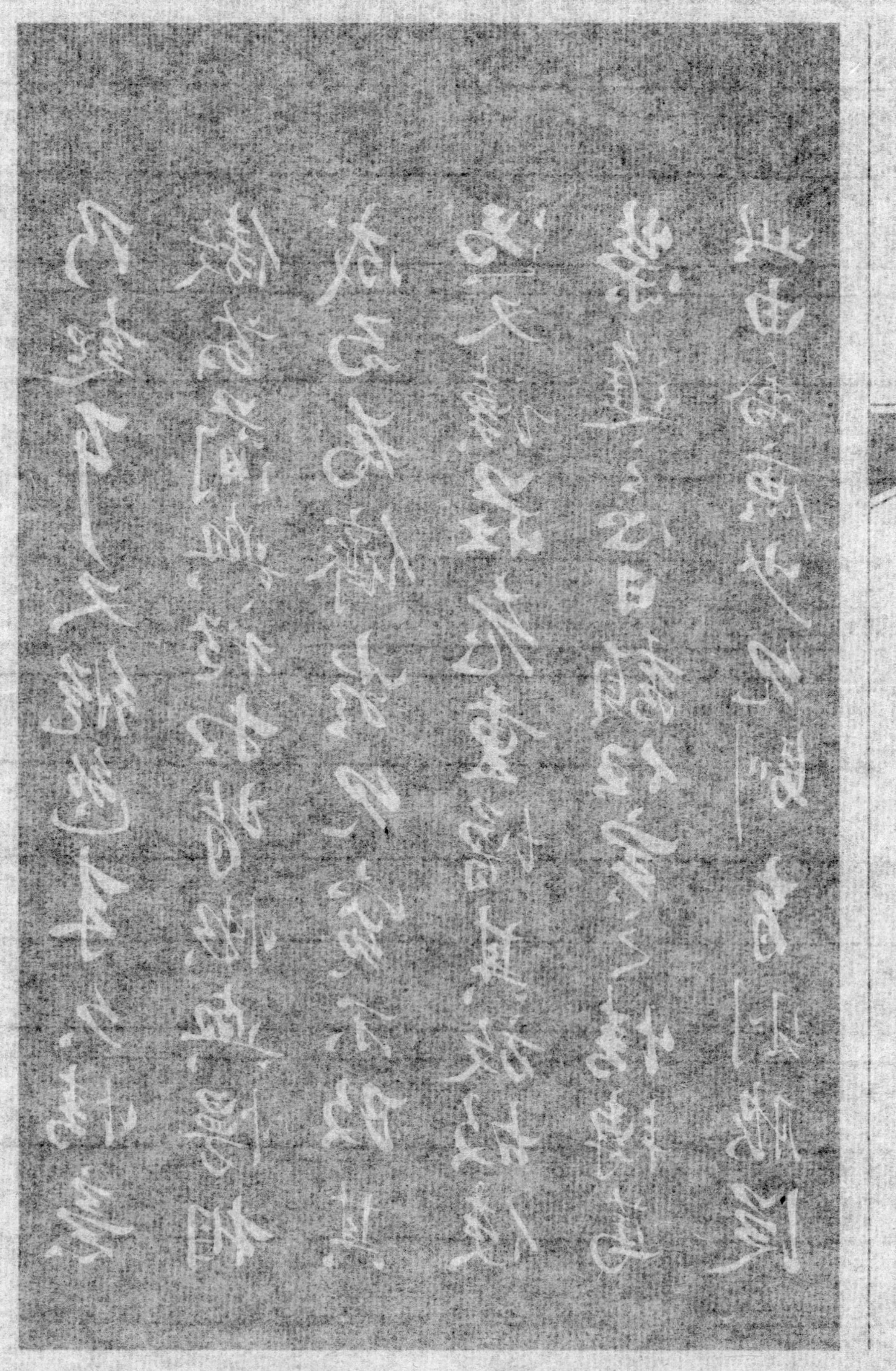

至於禮法之士所繩疾之如讎
幸賴大將軍保持之耳
吾不如嗣宗之賢而有慢弛之
闕又不識人情闇於機宜無
石之慎而有好盡之累久與
事接疵釁日生雖欲無患

其可得乎又人倫有禮朝廷
有法自惟至熟有必不堪者
七甚不可者二臥喜晚起而當
關呼之不置一不堪也抱琴行
吟弋釣草野而吏卒守之
不得妄動二不堪也危坐一

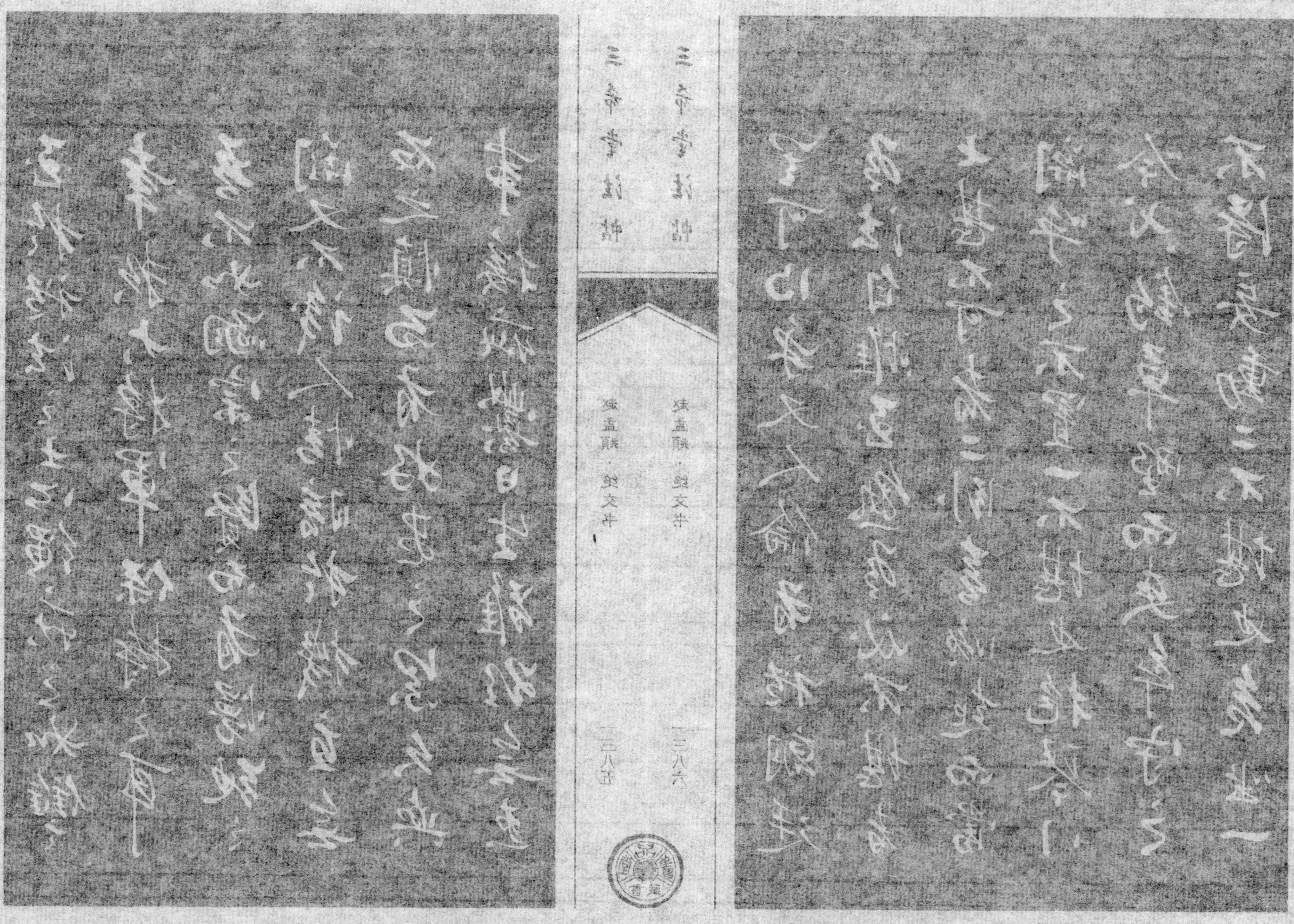
三希堂法帖
趙孟頫·論文帖
二八六
三希堂法帖
趙孟頫·論文帖
二八五

时痒不得摇，性复多虱，搔无已，而当裹以章服，揖拜上官，三不堪也。素不便书，不喜作书，而人间多事，堆案盈几，不相酬答，则犯教伤义，欲自勉强，则不能久，四不堪也。不喜吊丧，而

三希堂法帖

赵孟頫·绝交书

人道以此为重，己为未见恕者所怨，至欲见中伤者，虽瞿然自责，然性不可化，欲降心顺俗，则诡故不情，亦终不能获无咎无誉，如此五不堪也。不喜俗人，而当与之共事，或宾客盈坐，鸣

聲聒耳囂塵臭處千
變百技在人目前六不堪也心
不耐煩而官事鞅掌機務纏
其心世故繁其慮七不堪也又每
非湯武而薄周孔在人間不止此
事會顯世教所不容此甚不可

一也剛腸疾惡輕肆直言遇
事便發此甚不可二也以促中小
心之性統此九患不有外難當有
內病寧可久處人間邪
又聞道士遺言餌朮黃精令人
久壽意甚信之遊山澤觀

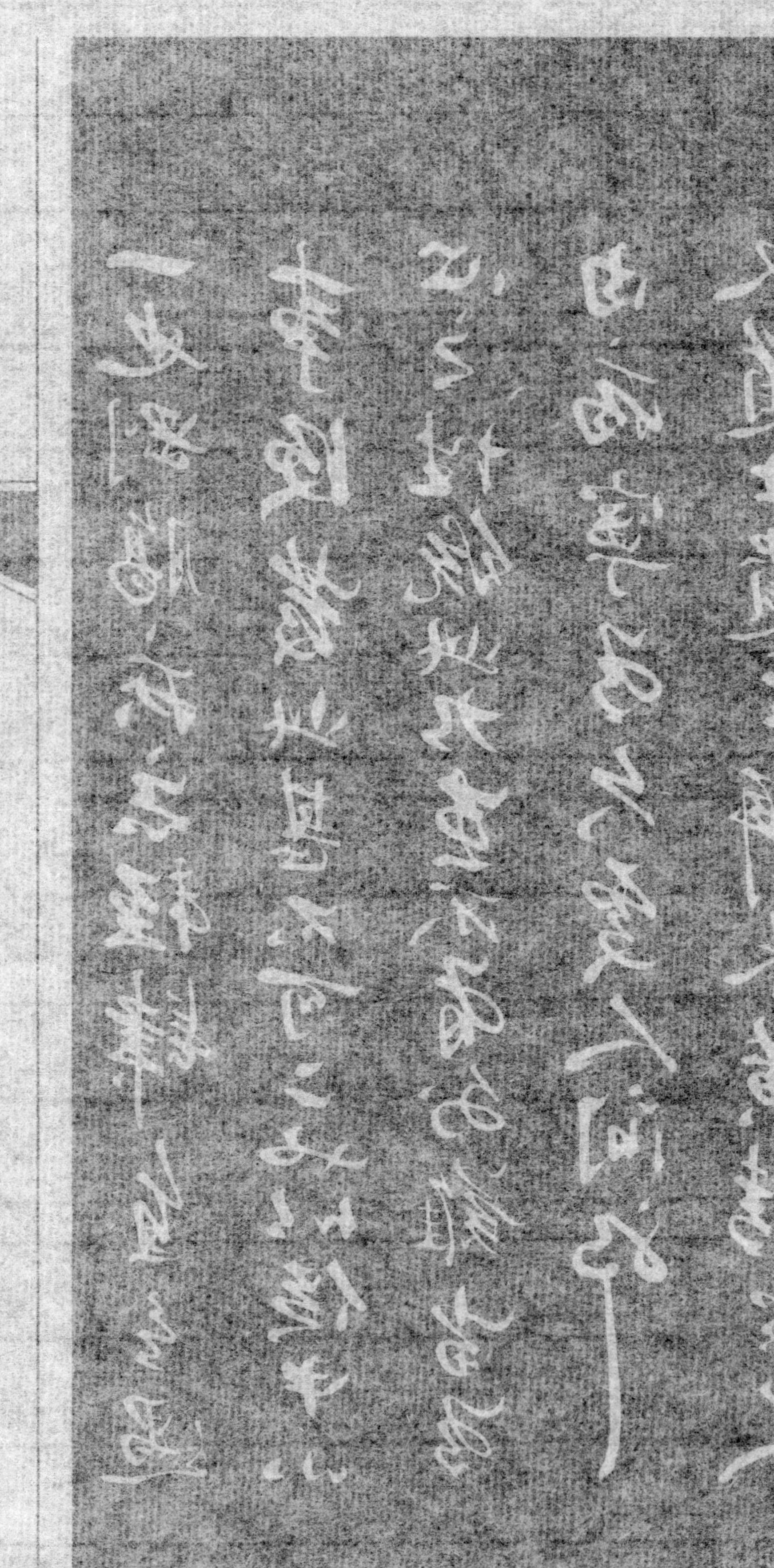

魚鳥心甚樂之一行作吏此事
便廢安能捨其所樂而從其所
懼哉夫人之相知貴識其天性因
而濟之禹不偪伯成子高全其
節也仲尼不假蓋於子夏護
其短也近諸葛孔明不偪元直

以入蜀華子魚不強幼安以卿
相此可謂能相終始真相知者也
足下見直木必不可以為輪曲者
必不可以為桷蓋不欲以枉其
天才令得其所也故四民有業
各以得志為樂唯達者為

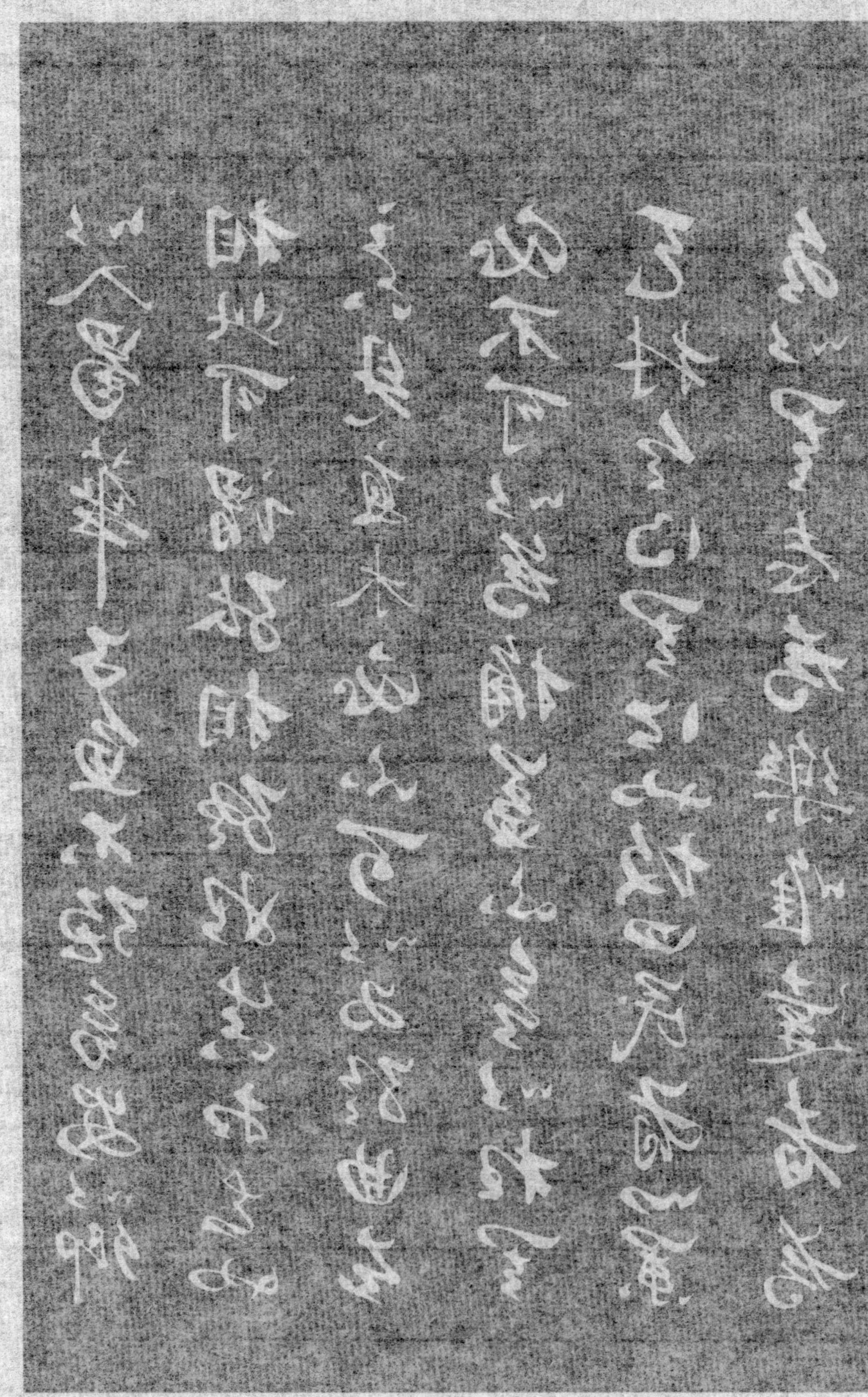

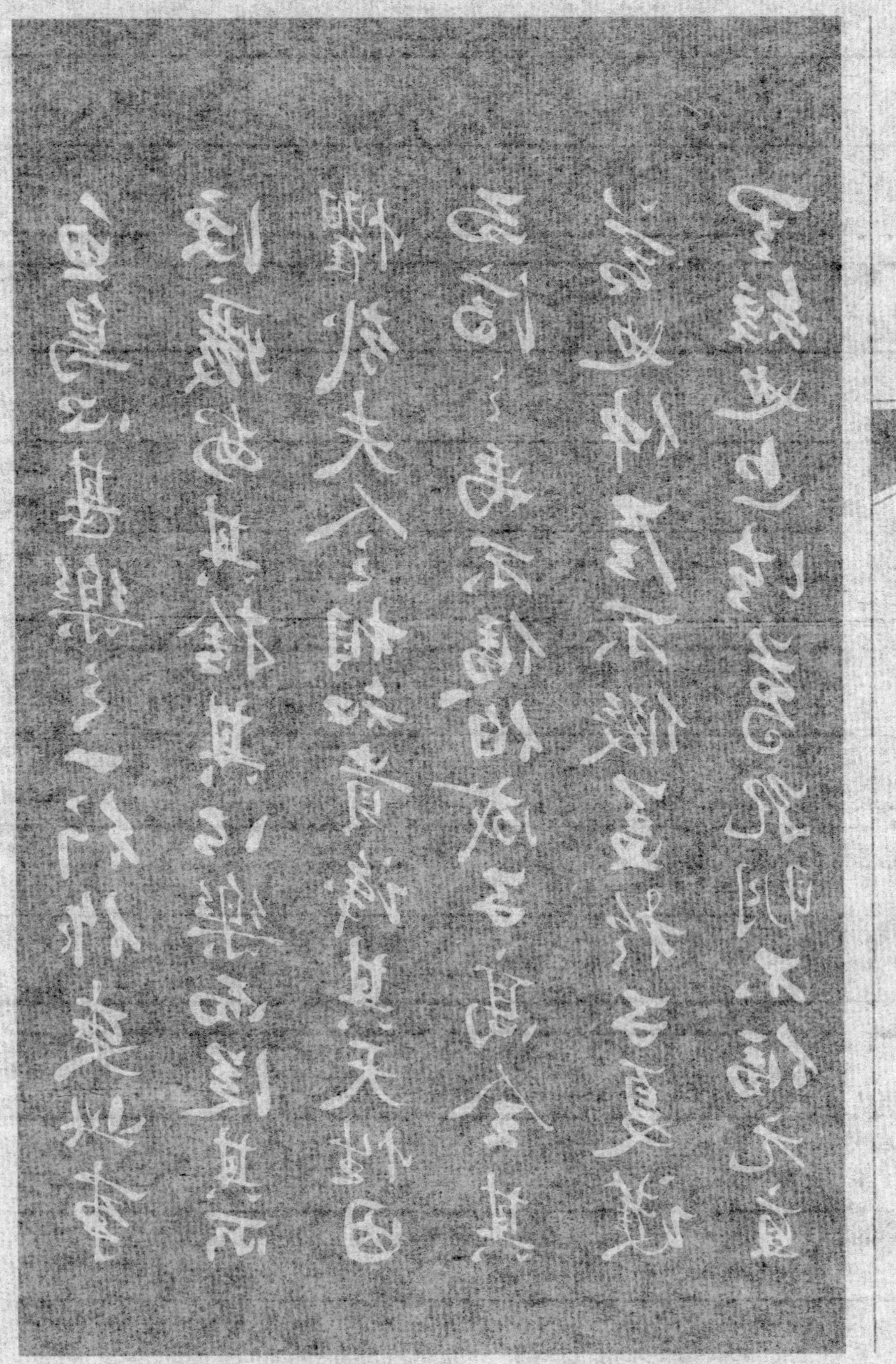

能通之此以足下度內耳不
可自見好章甫越人以文冕也
自以嗜臭腐養鵷雛以死鼠
也吾頃學養生之術方外榮
華去滋味游心於寂寞以無
為為貴縱無九患尚不顧足下所

三希堂法帖

好者又有心悶疾頃轉增篤私
意自試不能堪其所不樂
自卜已審若道盡塗窮則
已耳足下無事冤之令轉
於溝壑也吾新失母兄之歡意
常悽切女年十三男年八歲未

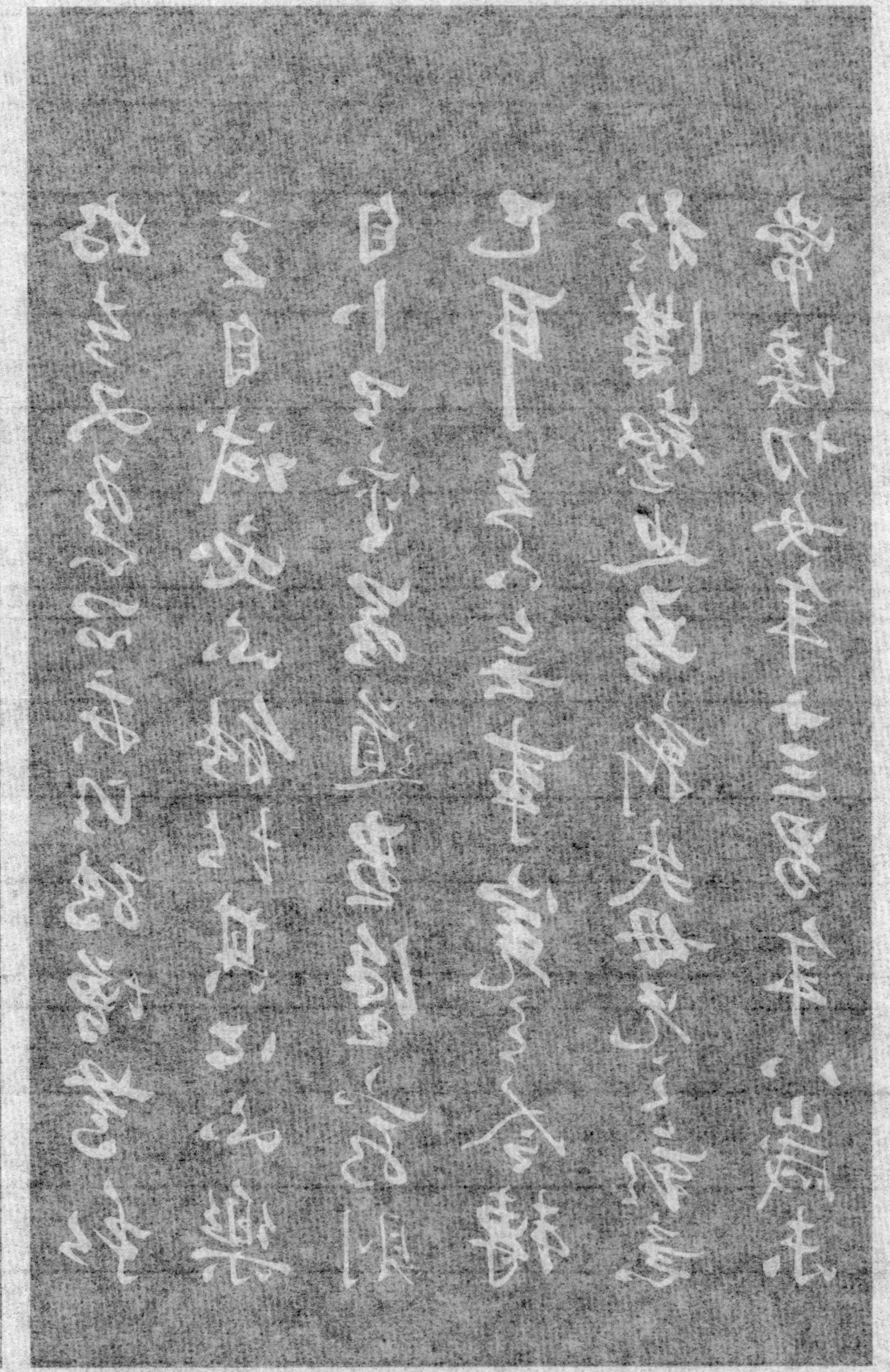

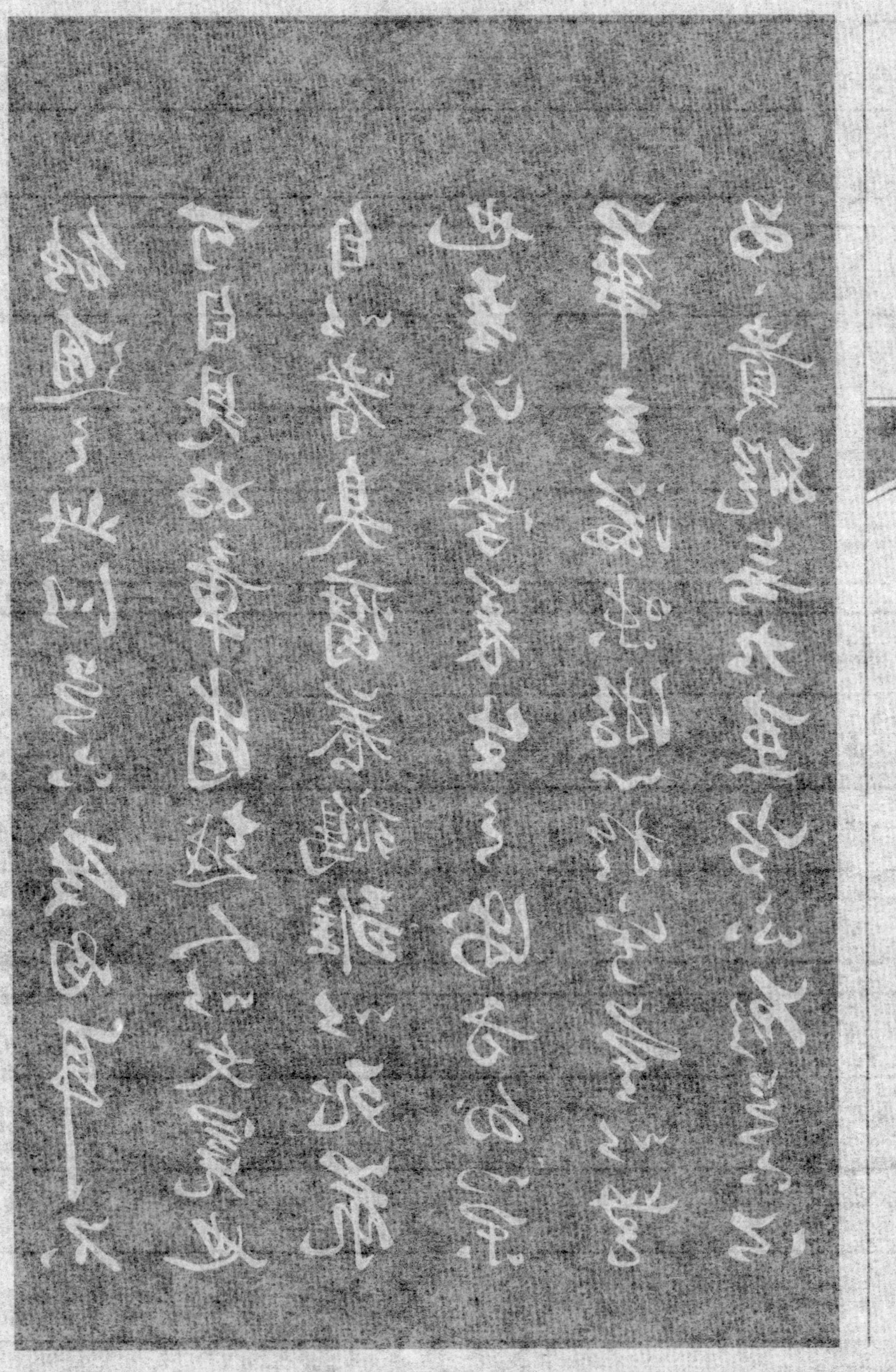

及宋人況復多病顧此悢悢如何可言今但願守陋巷喜榮華獨能離之以此為快此最近之可得言耳然使長才廣度無所不淹而能營乃可貴耳若吾多病困欲離事自全以

三希堂法帖

保餘年此真所乏耳豈可見黃門而稱貞哉若趣欲共登王途期於相致時為歡益一旦迫之必發其狂疾自非重怨不至於此也野人有快炙背而美芹子者欲獻之至尊

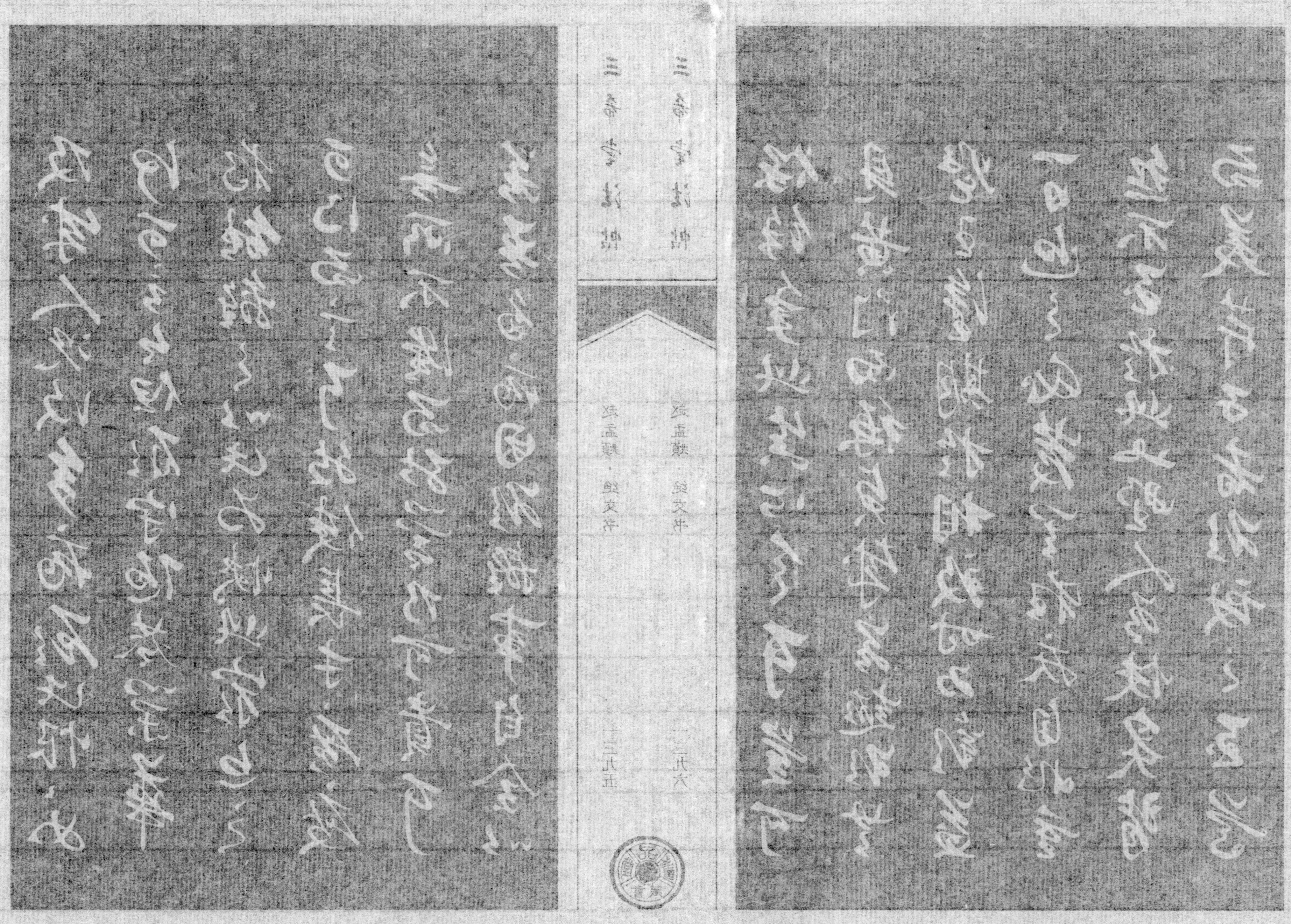

雖有臣之意亦已詠矣顧
是亦句似之至意如此既以解
是亦每以為别離康白
子昂

永和九年歲在癸丑暮春之初
于會稽山陰之蘭亭脩稧事

三希堂法帖

赵孟頫·兰亭序并跋文十则

也羣賢畢至少長咸集此地
有崇山峻領茂林脩竹又有清流激
湍暎帶左右引以為流觴曲水
列坐其次雖無絲竹管弦之
盛一觴一詠亦足以暢敘幽情

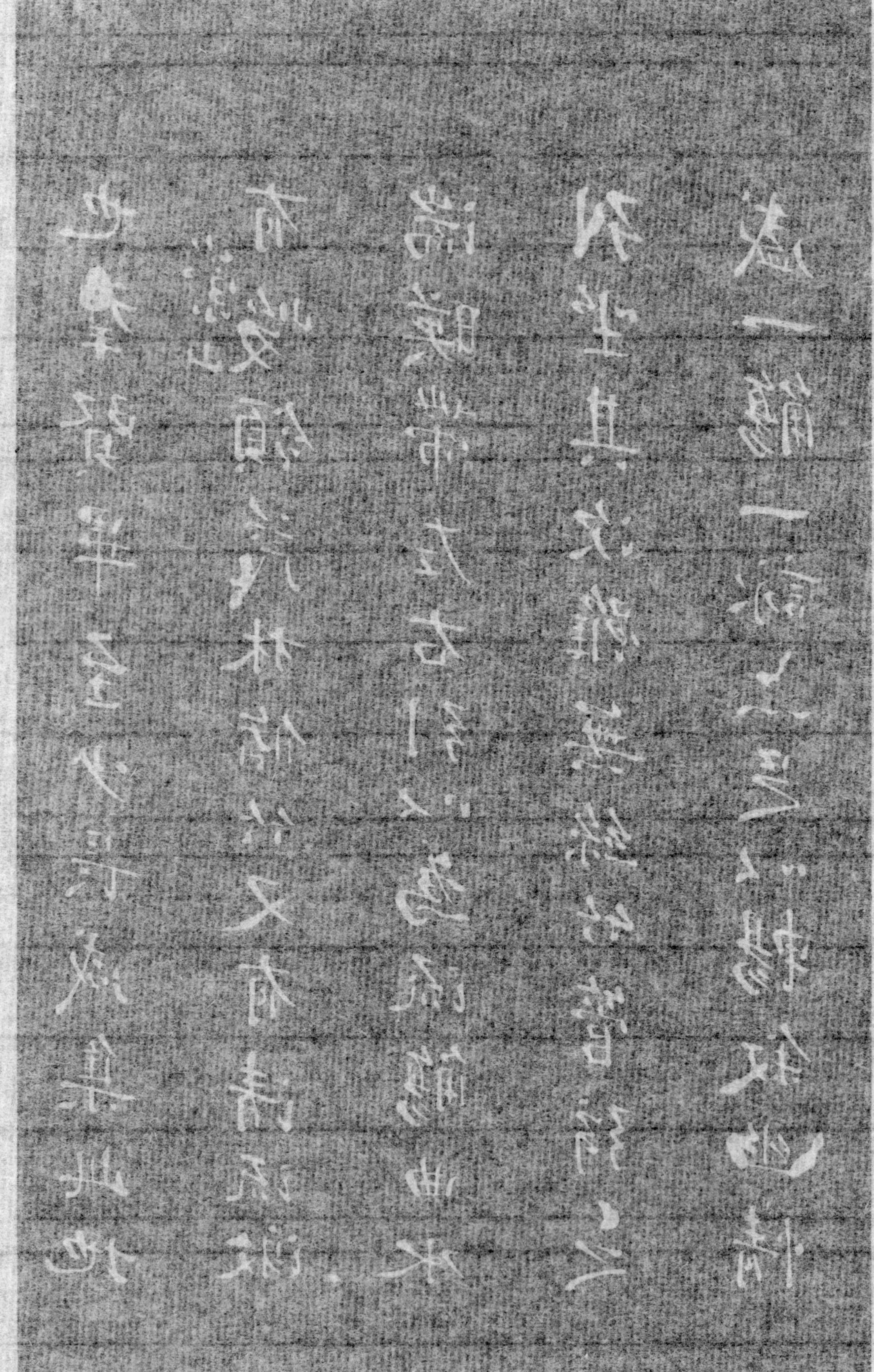

三希堂法帖
趙孟頫·三希堂序并跋文十四
一三九八
三希堂法帖
趙孟頫·三希堂序并跋文十四
一三九七

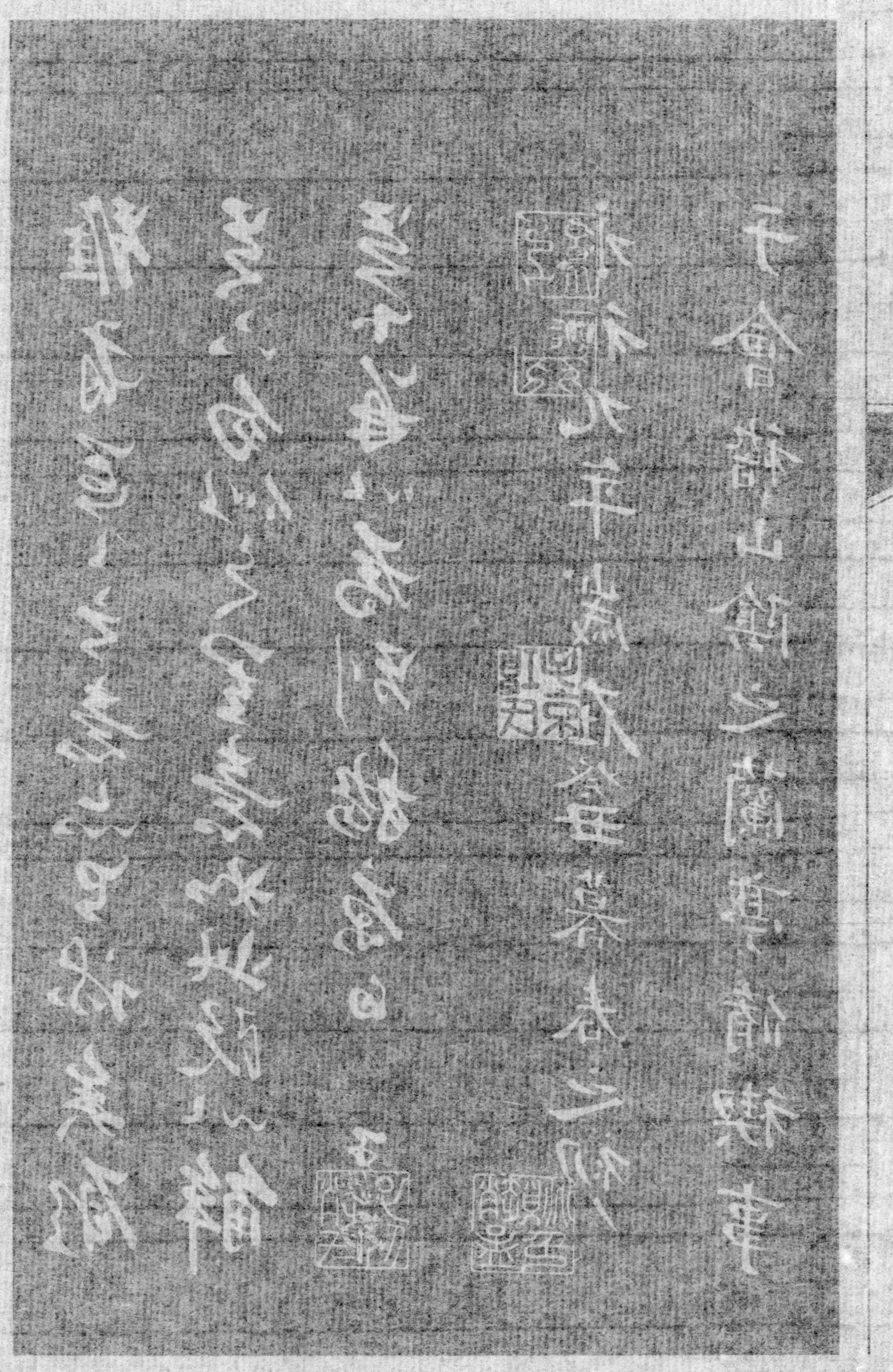

是日也天朗氣清惠風和暢仰
觀宇宙之大俯察品類之盛
所以遊目騁懷足以極視聽之
娛信可樂也夫人之相與俯仰
一世或取諸懷抱悟言一室之內

三希堂法帖

或因寄所託放浪形骸之外雖
趣舍萬殊靜躁不同當其欣
於所遇暫得於己快然自足曾不
知老之將至及其所之既惓情
隨事遷感慨係之矣向之所

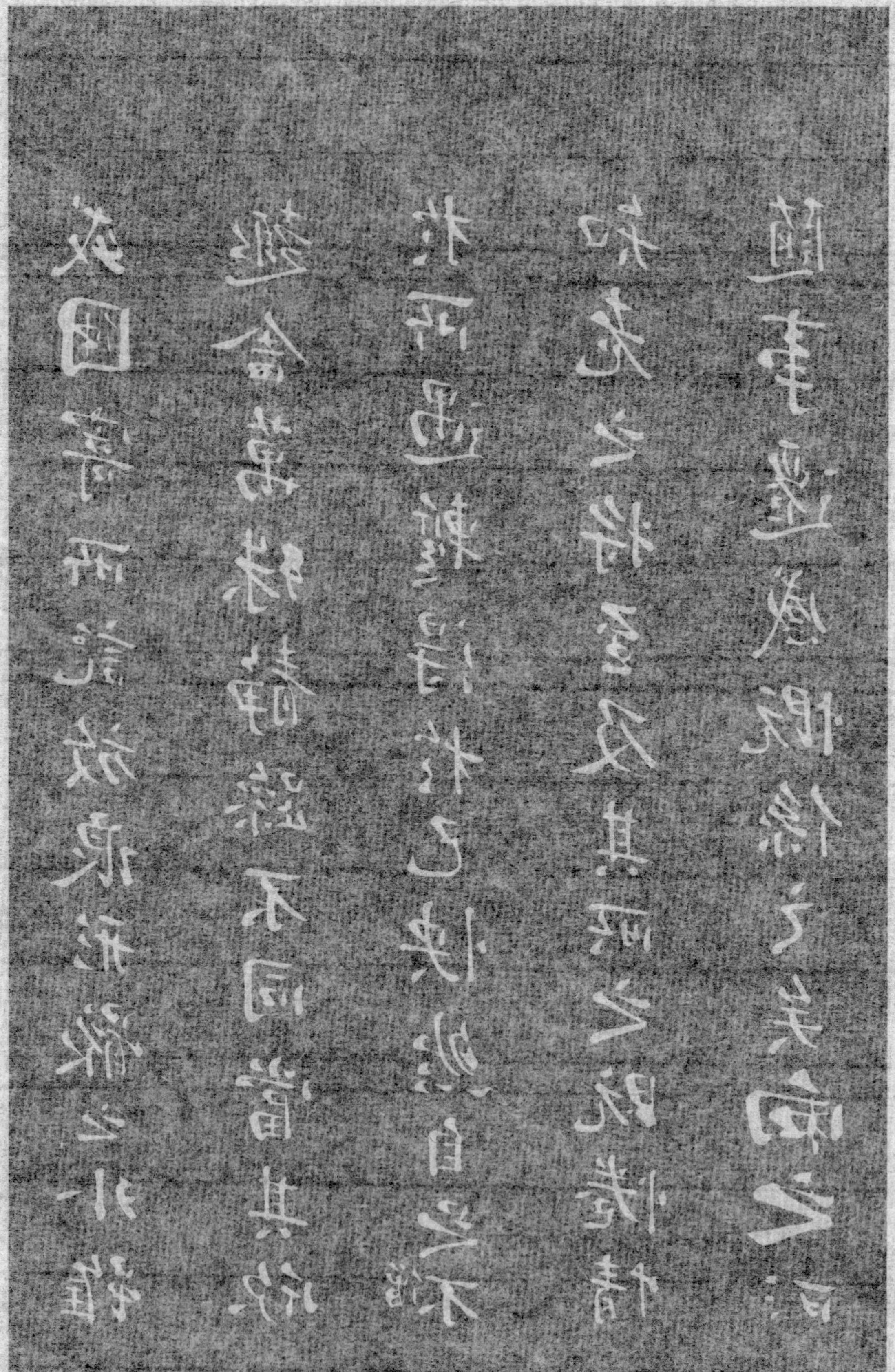

欣俛仰之間以為陳迹猶不能不以之興懷况脩短隨化終期於盡古人云死生亦大矣豈不痛哉每攬昔人興感之由若合一契未嘗不臨文嗟悼不

三希堂法帖

能喻之於懷固知一死生為虛誕齊彭殤為妄作後之視今亦由今之視昔悲夫故列叙時人錄其所述雖世殊事異所以興懷其致一也後之攬

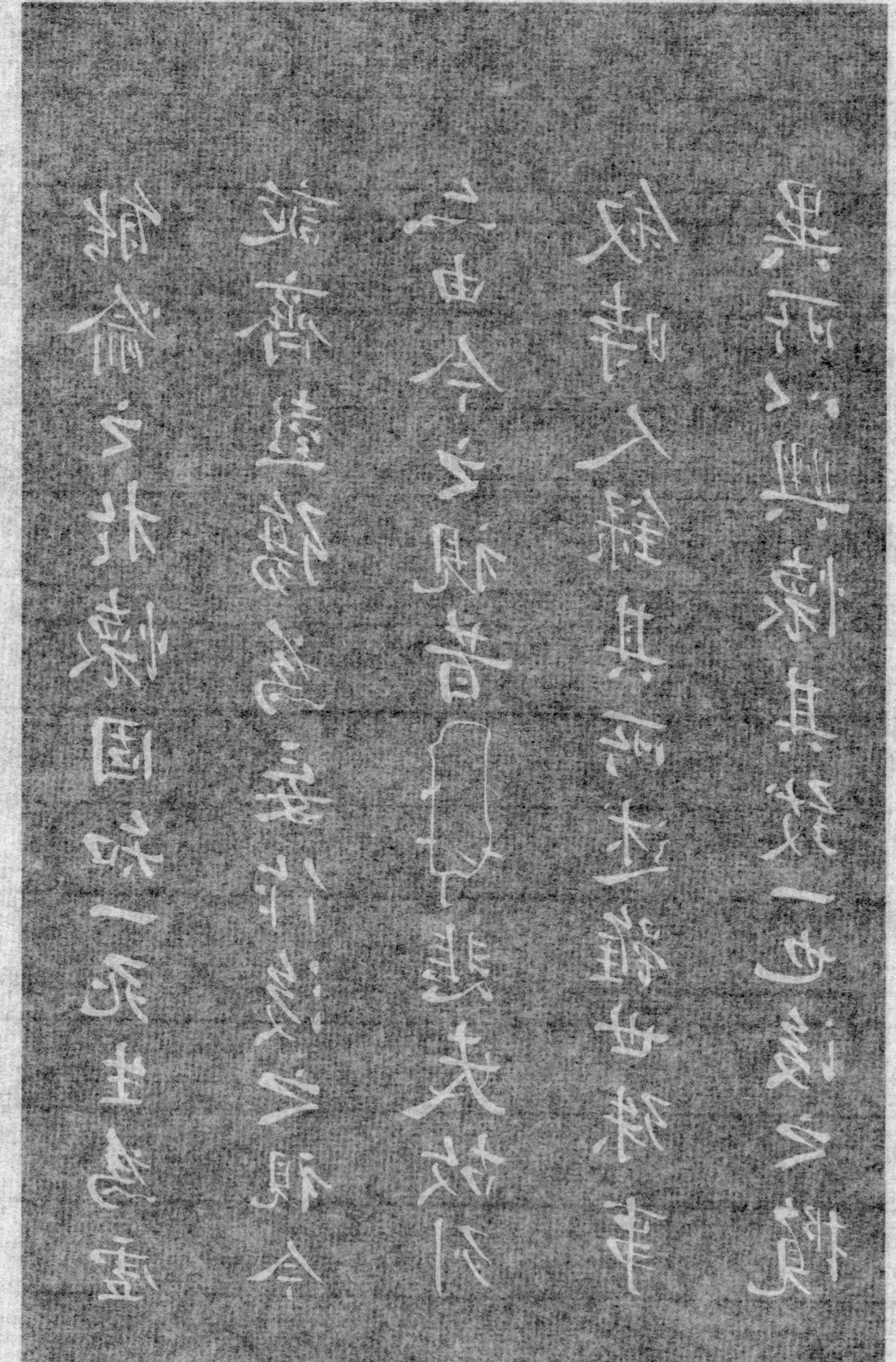

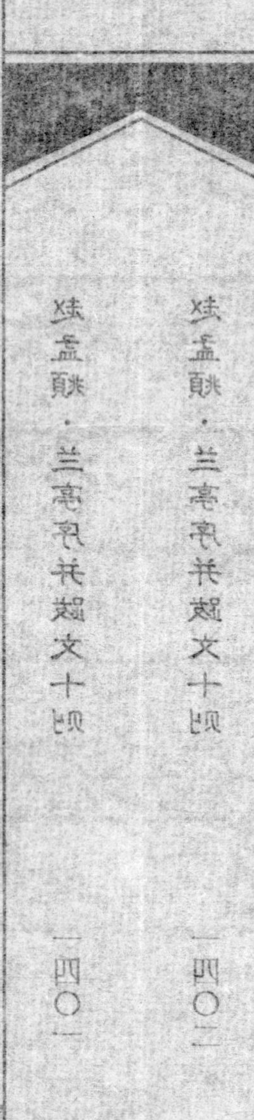

三希堂法帖

趙孟頫·蘭亭序并跋文十則

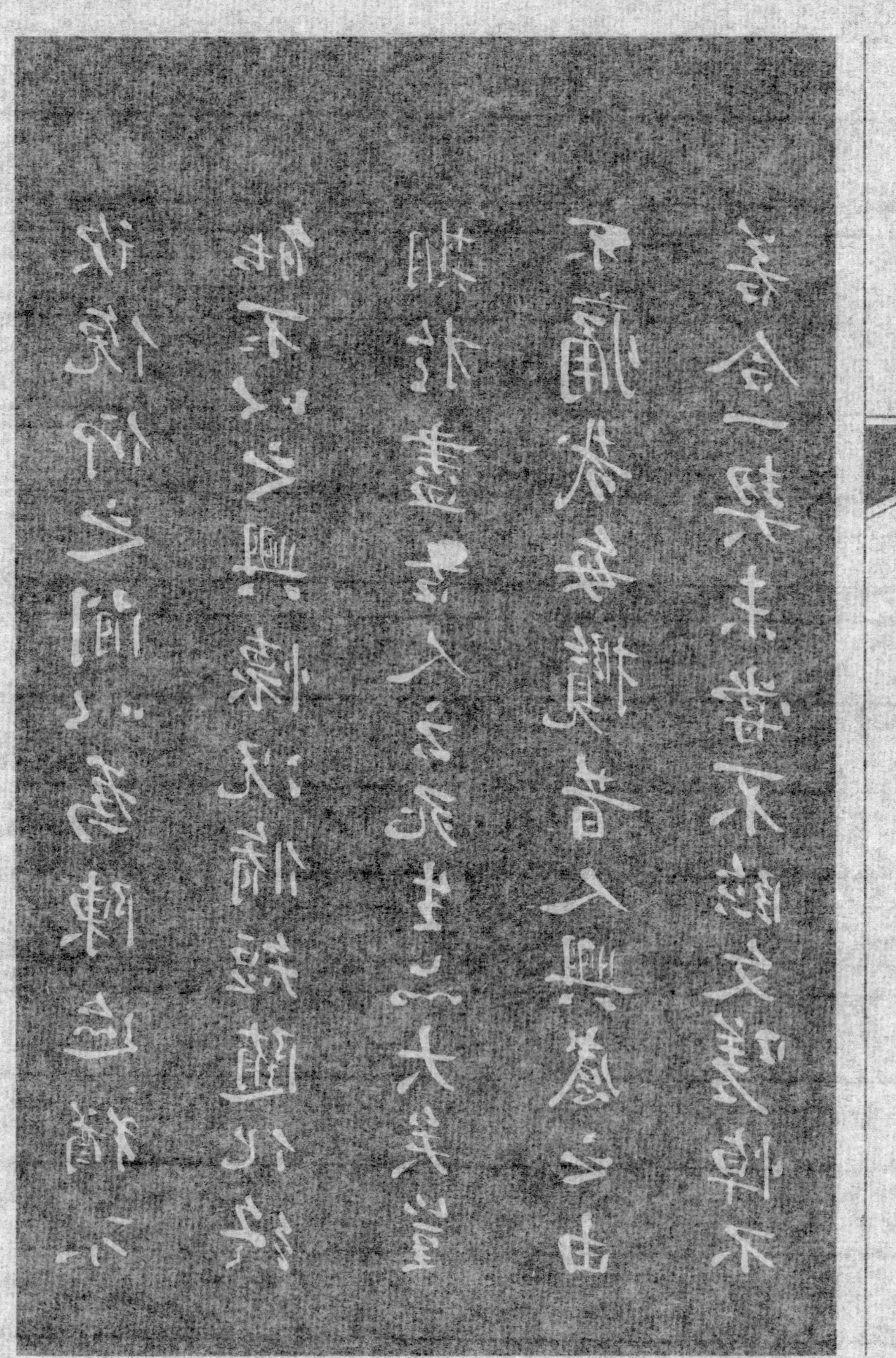

者亦將有感於斯文

蘭亭帖當宋未度南時士大夫人人有之石刻既亡江左好事者

三希堂法帖

赵孟頫·兰亭序并跋文十则

往往家刻一石無慮數十百本而真贗始難別矣王順伯尤延之諸公其精識之尤者於墨色紙色肥瘦穠纖之間分毫不爽故朱晦翁跋蘭亭謂不獨議禮如

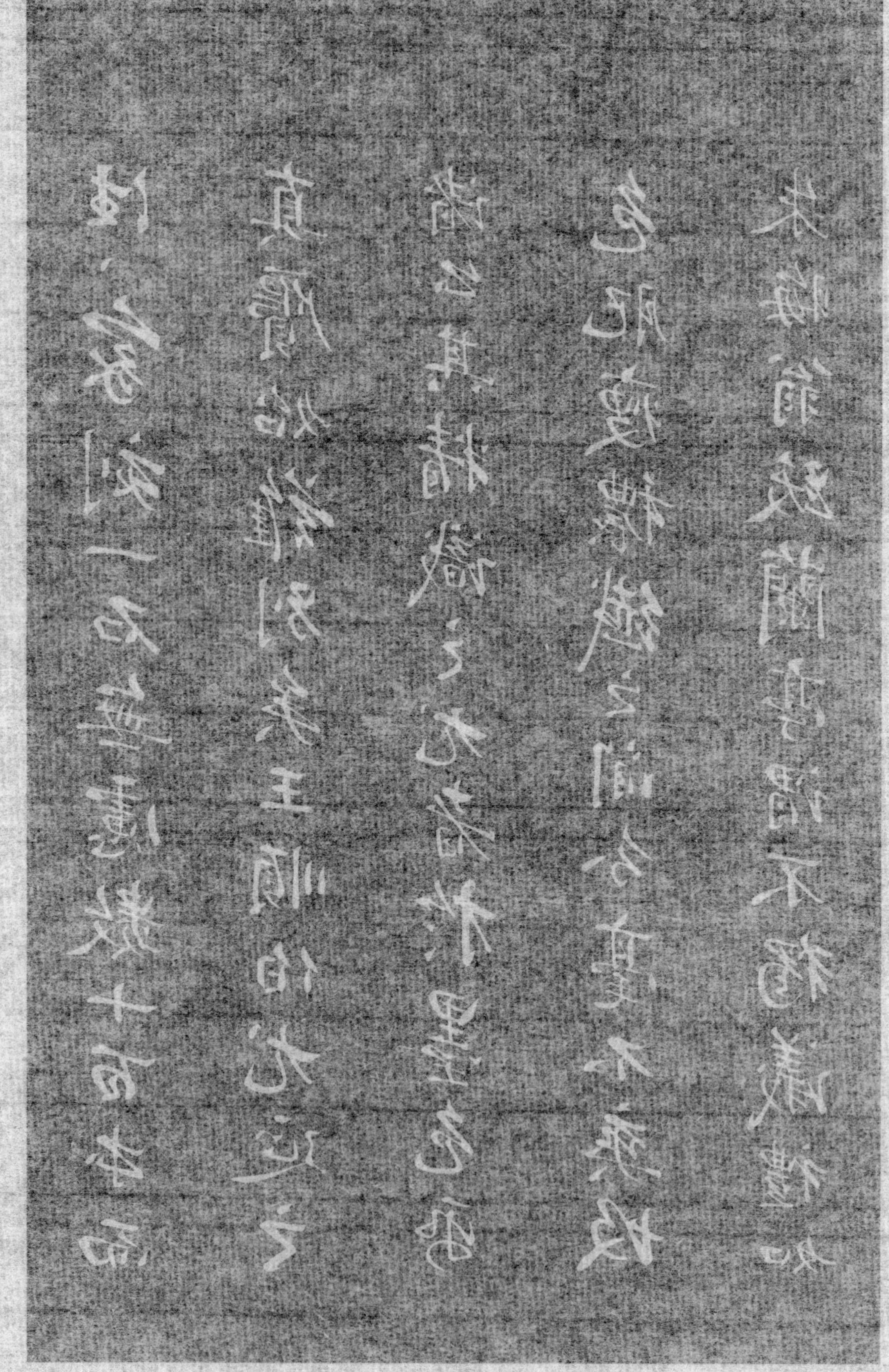

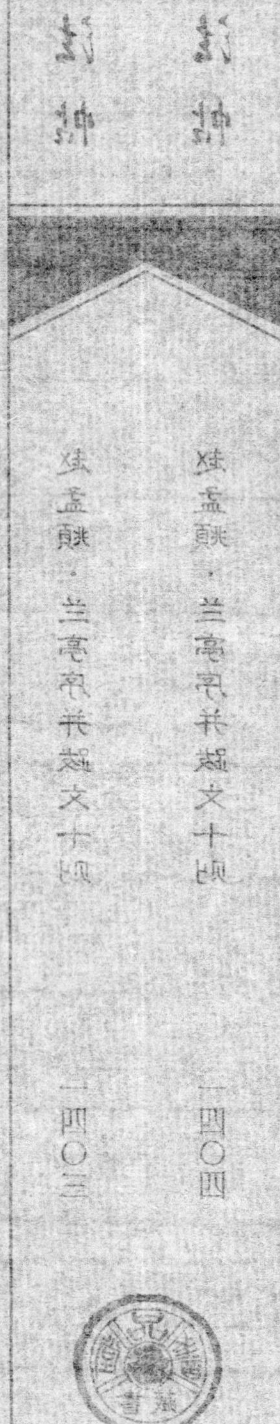

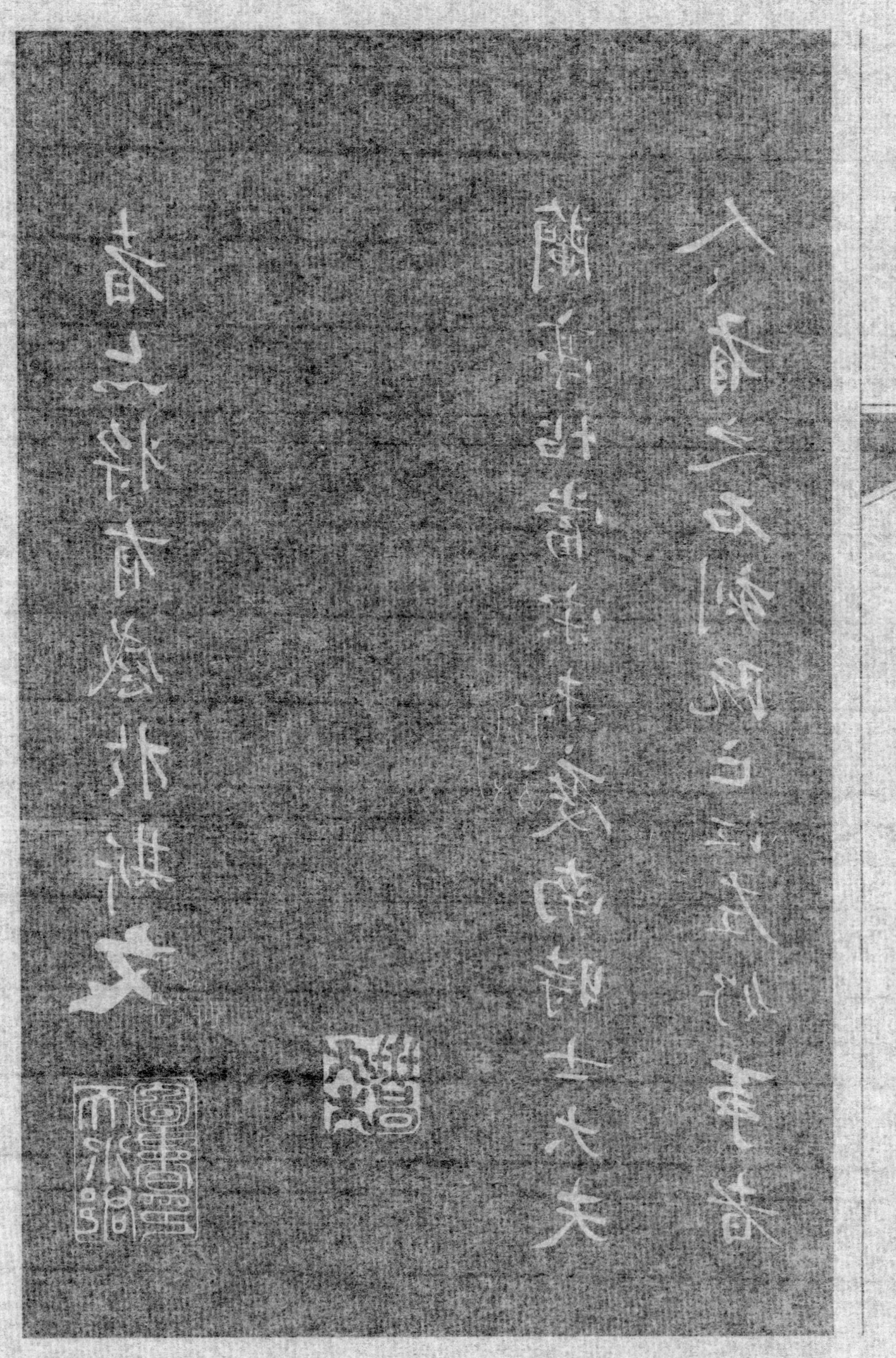

聚訟蓋笑之也右傳刻既多實亡未易定其甲乙此卷乃致佳本五字既損肥瘦得中與王子慶所藏趙子固本無異石本中至寶也至大三年九月十六日舟次寶應重題 子昂

蘭亭誠不可忽世間墨本日亡日少而識真者蓋難其人既識而藏之可不寶諸十八日清河舟中河聲如吼終日屏息非得此卷時時展玩何以解日蓋日數十舒卷所得為不少矣廿三日邳州北題

昔人得古刻數行專心而學之便

三希堂法帖

赵孟頫·兰亭序并跋文十则

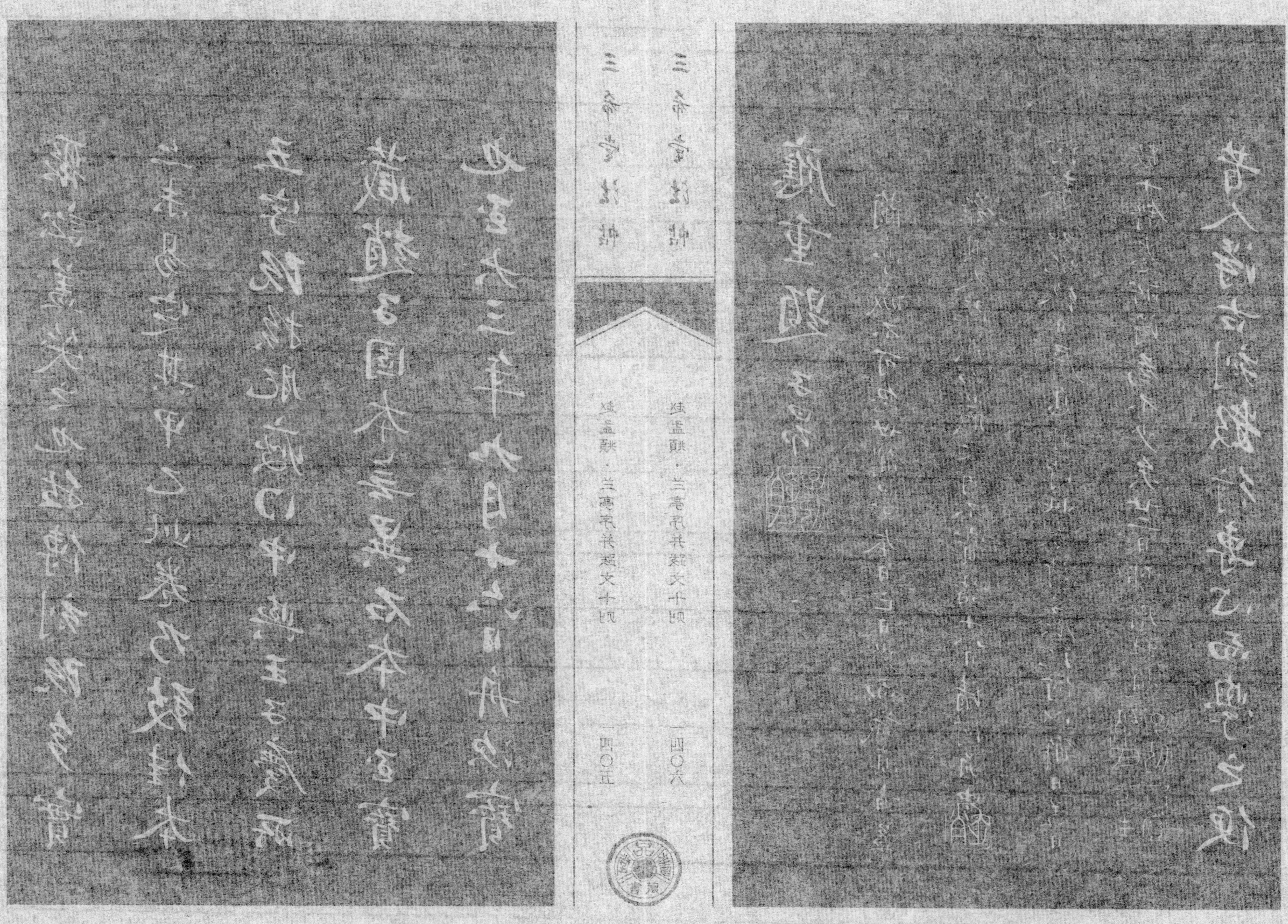

可名世況蘭亭是右軍得意書學之不已何患不過人耶

頃聞吳中北禪主僧有定武蘭亭是其師晦巖照法師所藏從其借觀不可一旦得此喜不自勝獨

三希堂法帖

孤之與東屏賢不肖何如也廿三日將過呂梁泊舟題

書法以用筆為上而結字亦須用工蓋結字因時相傳用筆千古不易右軍字勢古法一變其雄秀之氣出

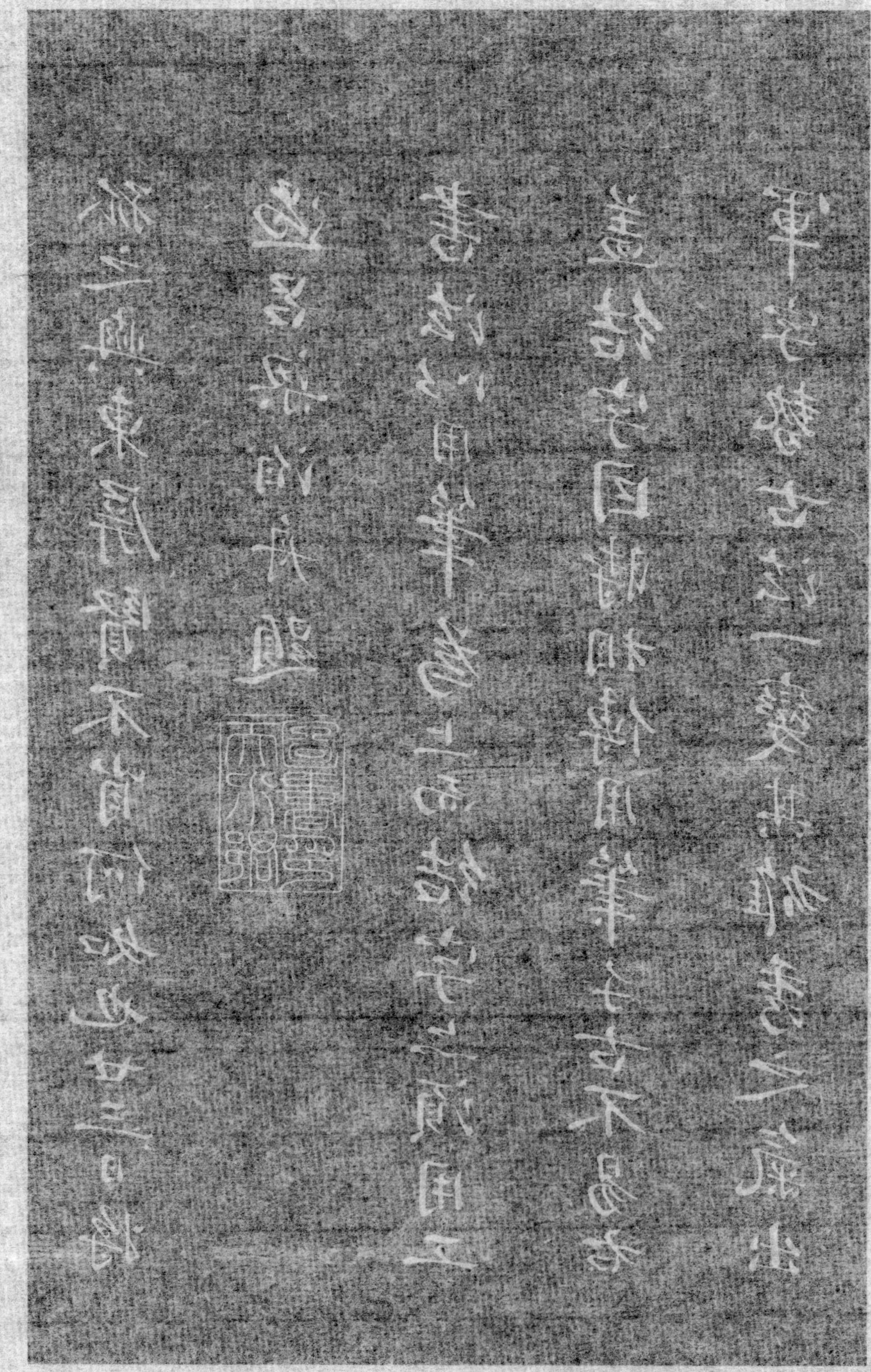

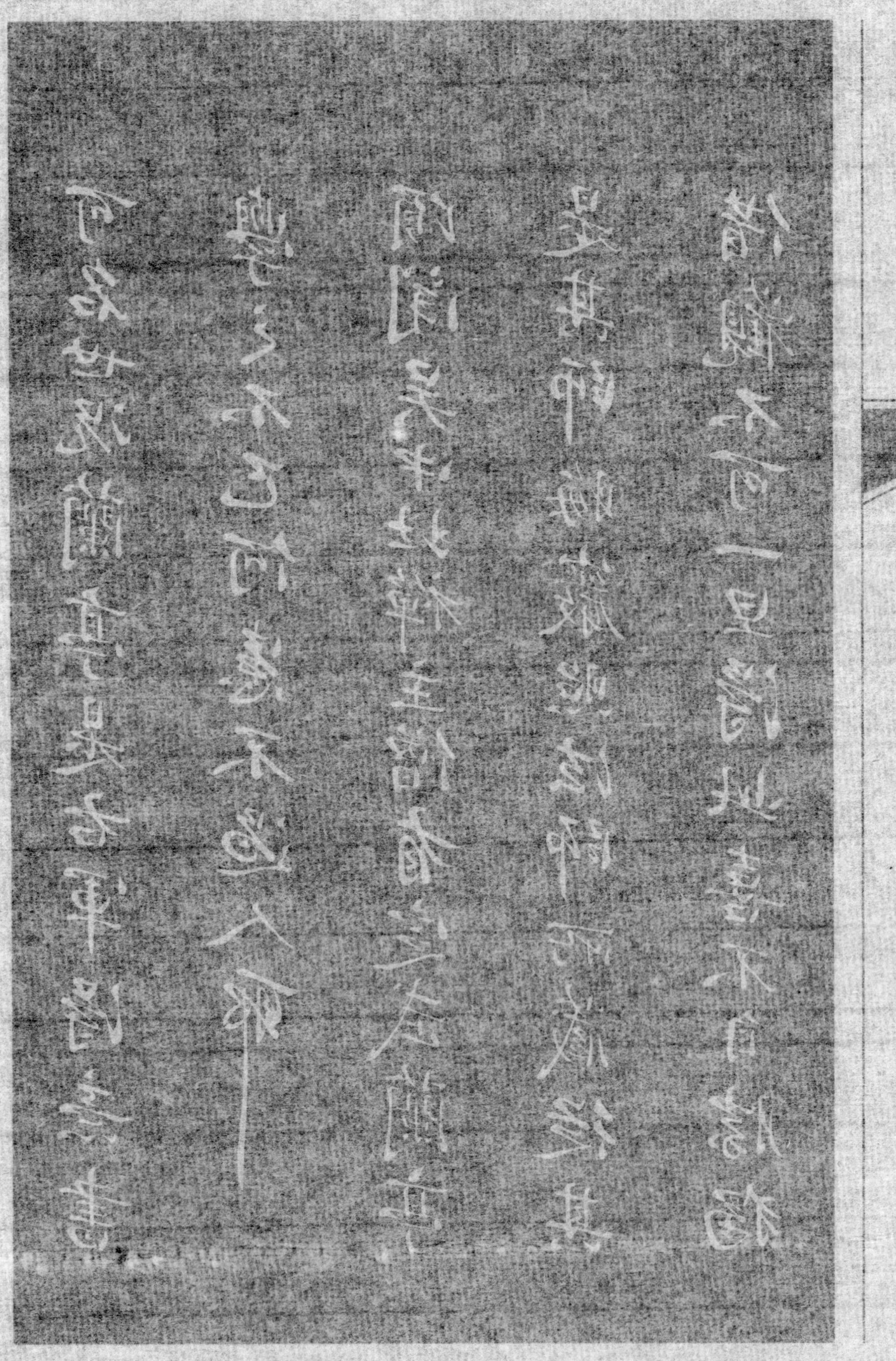

於天然故古今以為師法齊梁間
人結字非不古而乏俊氣此又存乎其
人然古法終不可失也廿八日濟州南待
閘題

趙氏

廿九日至濟州遇周景遠新除紹臺

監察御史自都下來酌酒于驛亭人
以帋素求書于景遠者甚衆而乏余
書者至集殊不可當急登舟解纜
乃得休是晚至濟州北三十里重展
此卷因題

趙氏

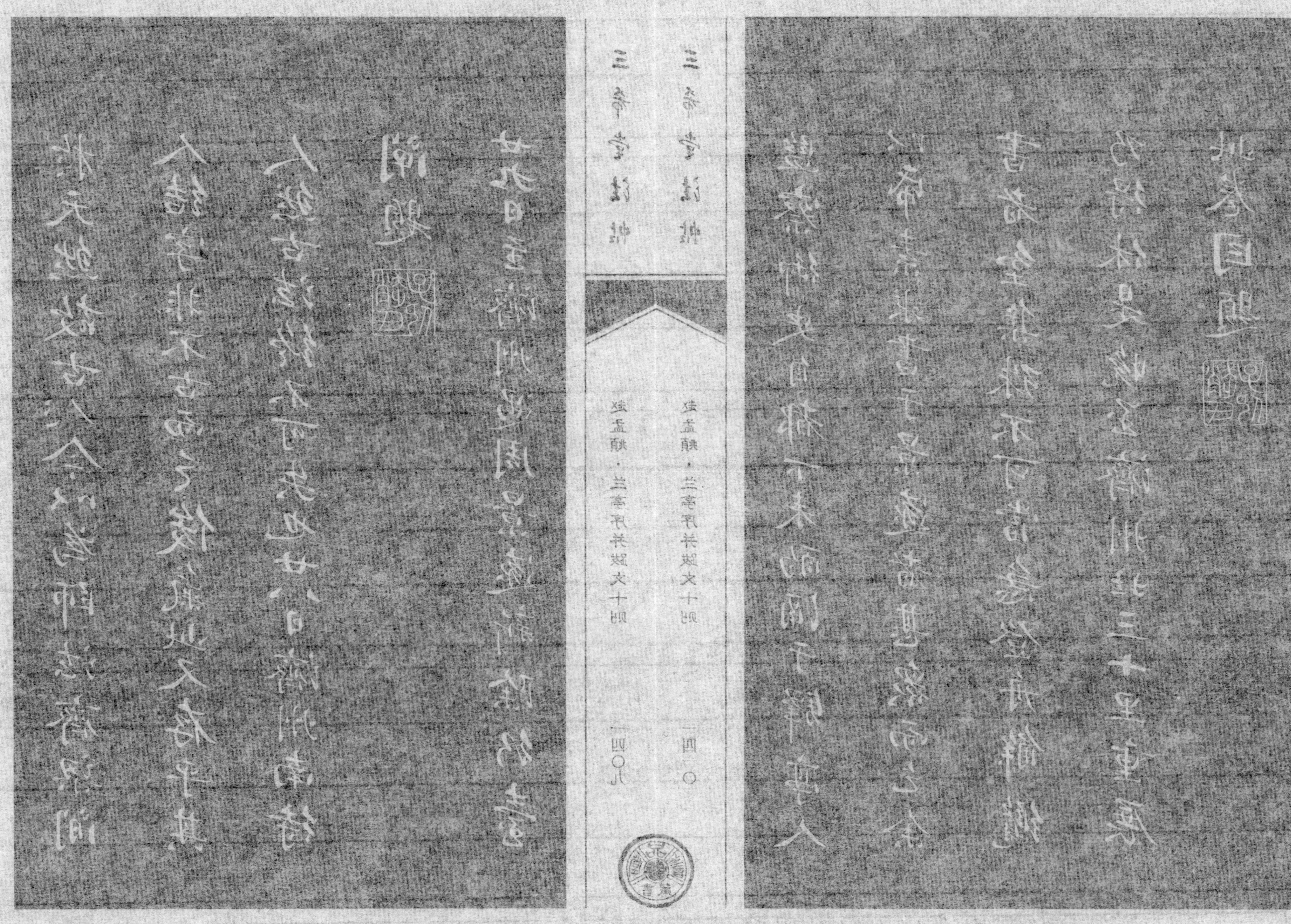

東坡詩云天下幾人學杜甫誰
得其皮與其骨學蘭亭者亦
然黄太史亦云世人但学蘭亭
面欲換凡骨無金丹此意非學
書者不知也
十月一日
趙

大凡石刻雖一石而墨本輒不同蓋紙有厚薄
麤細燥濕墨有濃淡用墨有輕重而刻之肥瘦
明暗隨之故蘭亭難辨然真知書法者一見便
當了然政不在肥瘦明暗之間也十月二日過安
山北壽張書
趙氏書印

右軍人品甚高故書入神品奴隸

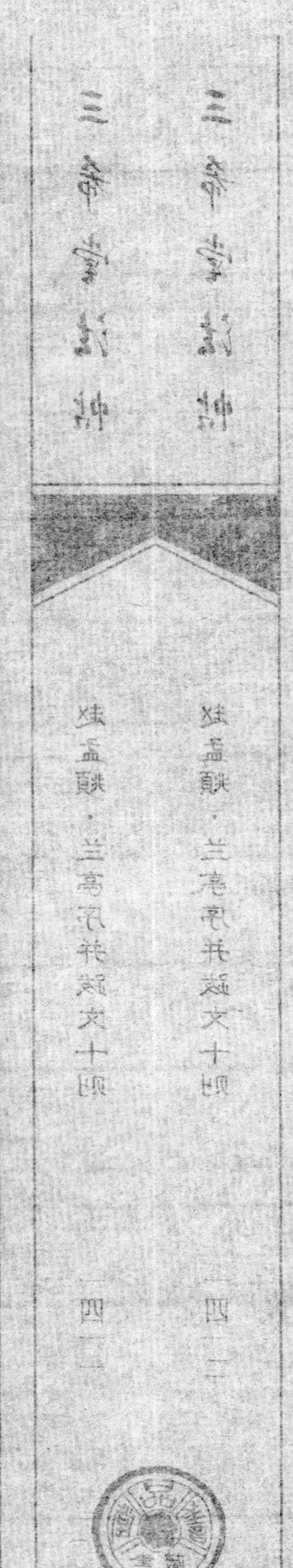

題跋類·三帝序并跋文十則

題跋類·三帝序并跋文十則

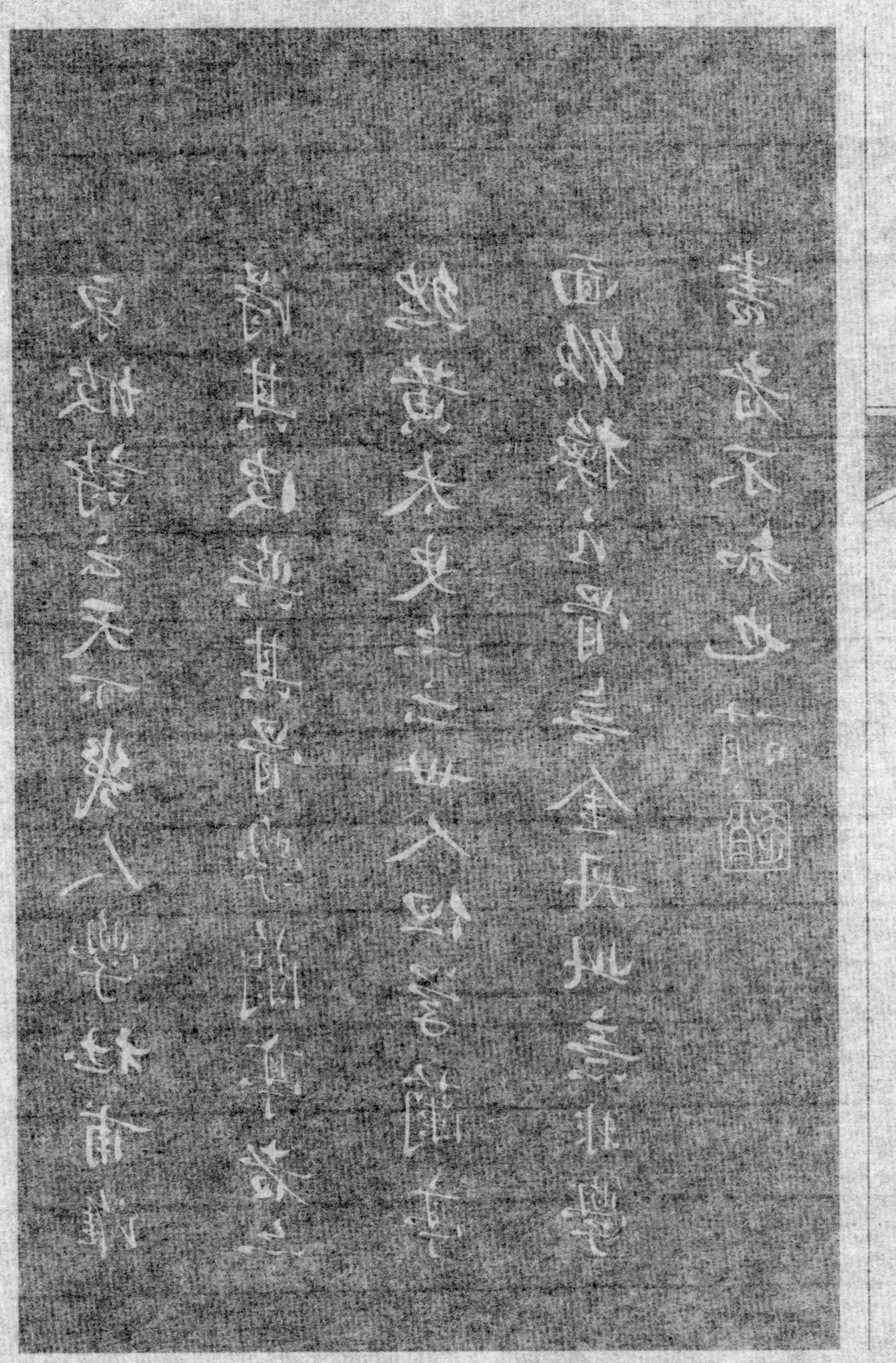

小夫兒臭之子朝學執筆暮已自
詡其能薄俗可、鄙、三日泊舟甯
陂待放閘書
余北行三十四、二日秋冬之間而多南
風船窗晴暖時對蘭亭信可樂

也七日書
蘭亭與丙舍帖絕相似、
万金難購蒸多帖定武
刻本妙過真歷、摸擬
何云姑稱貞觀回

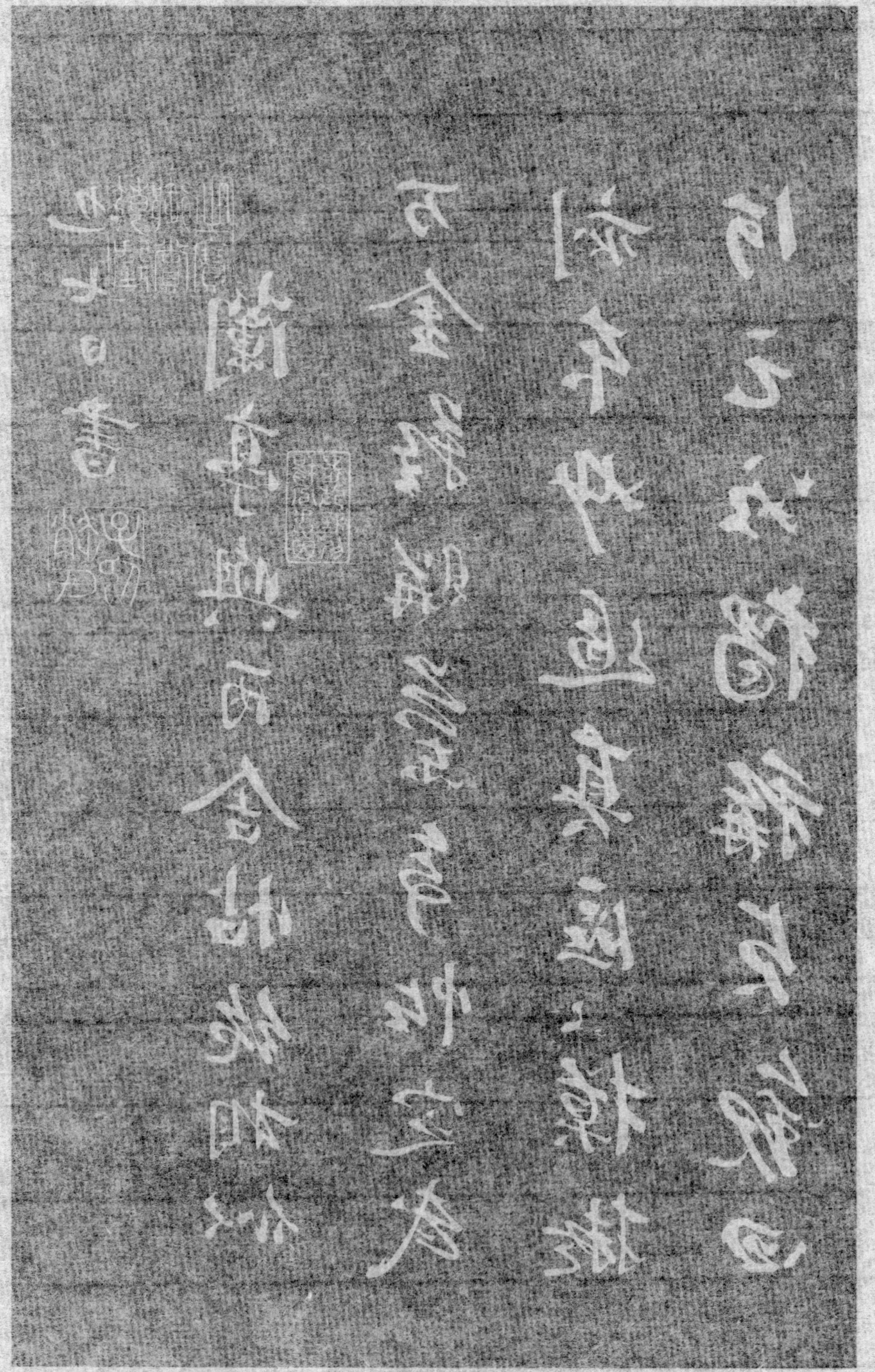

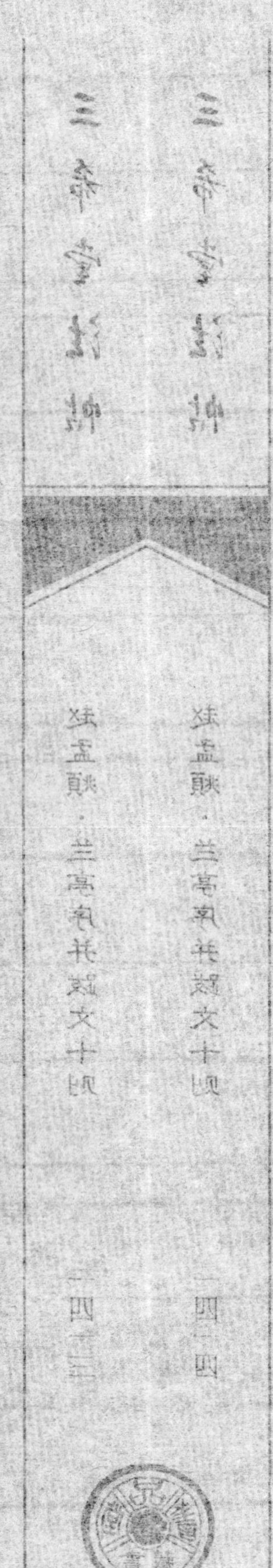

三希堂法帖
赵孟頫·兰亭序并跋文十则
一四四
三希堂法帖
赵孟頫·兰亭序并跋文十则
一四三

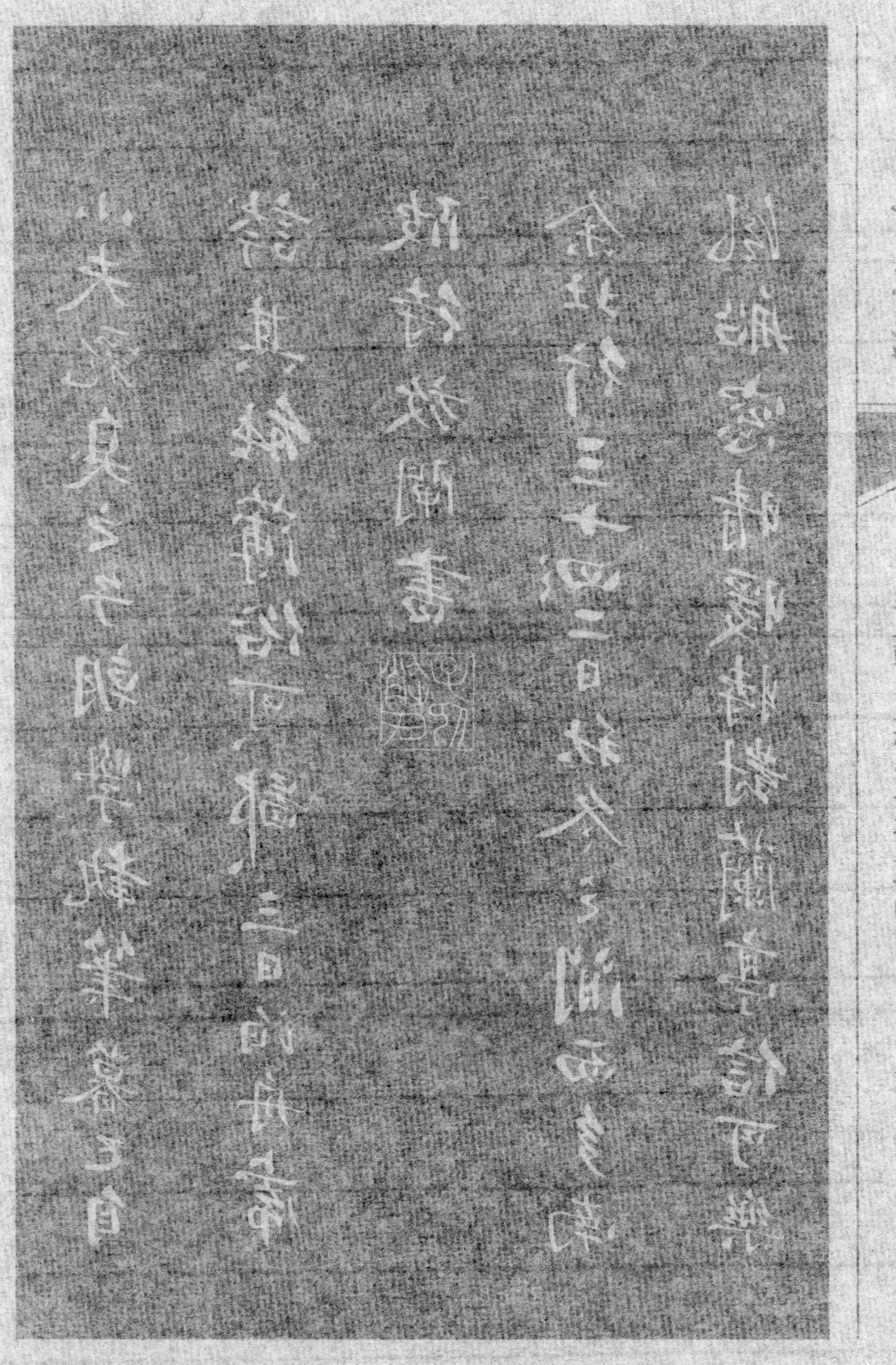

名臣惟笔垂题

三希堂法帖

赵孟頫·兰亭序并跋文十则

三希堂法帖

赵孟頫·兰亭序并跋文十则

一四一六

三希堂法帖

赵孟頫·兰亭序并跋文十则

一四一五

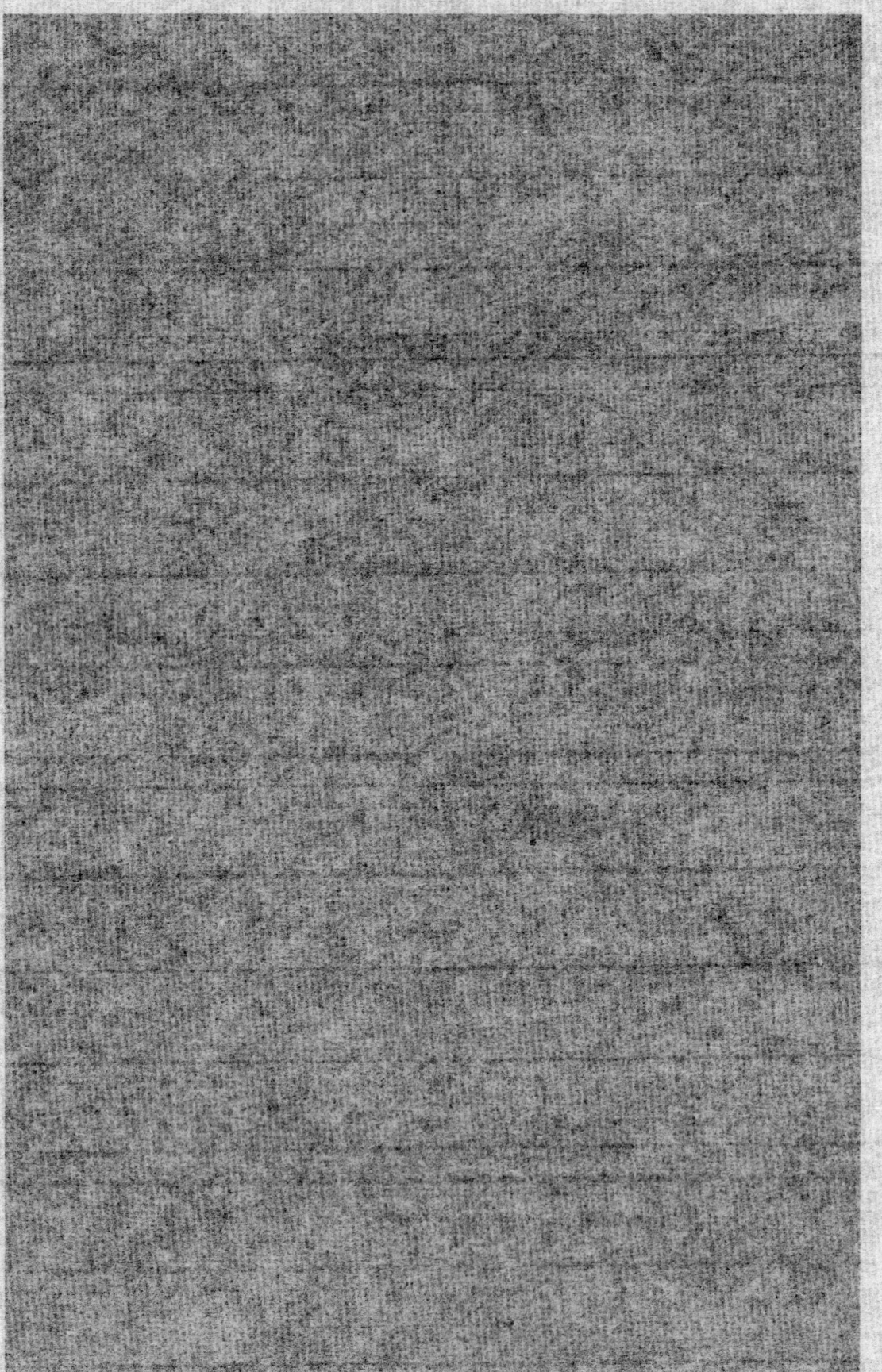

御刻三希堂石渠寶笈法帖第二十册

元趙孟頫書

落日欲沒峴山西倒著接
䍦花下迷襄陽小兒齊拍

手攔街爭唱白銅鞮傍人
借問笑何事笑殺山翁醉
以泥鸕鶿杓鸚鵡杯百年
三萬六千日一日須傾三百杯
遙看漢水鴨頭綠恰以

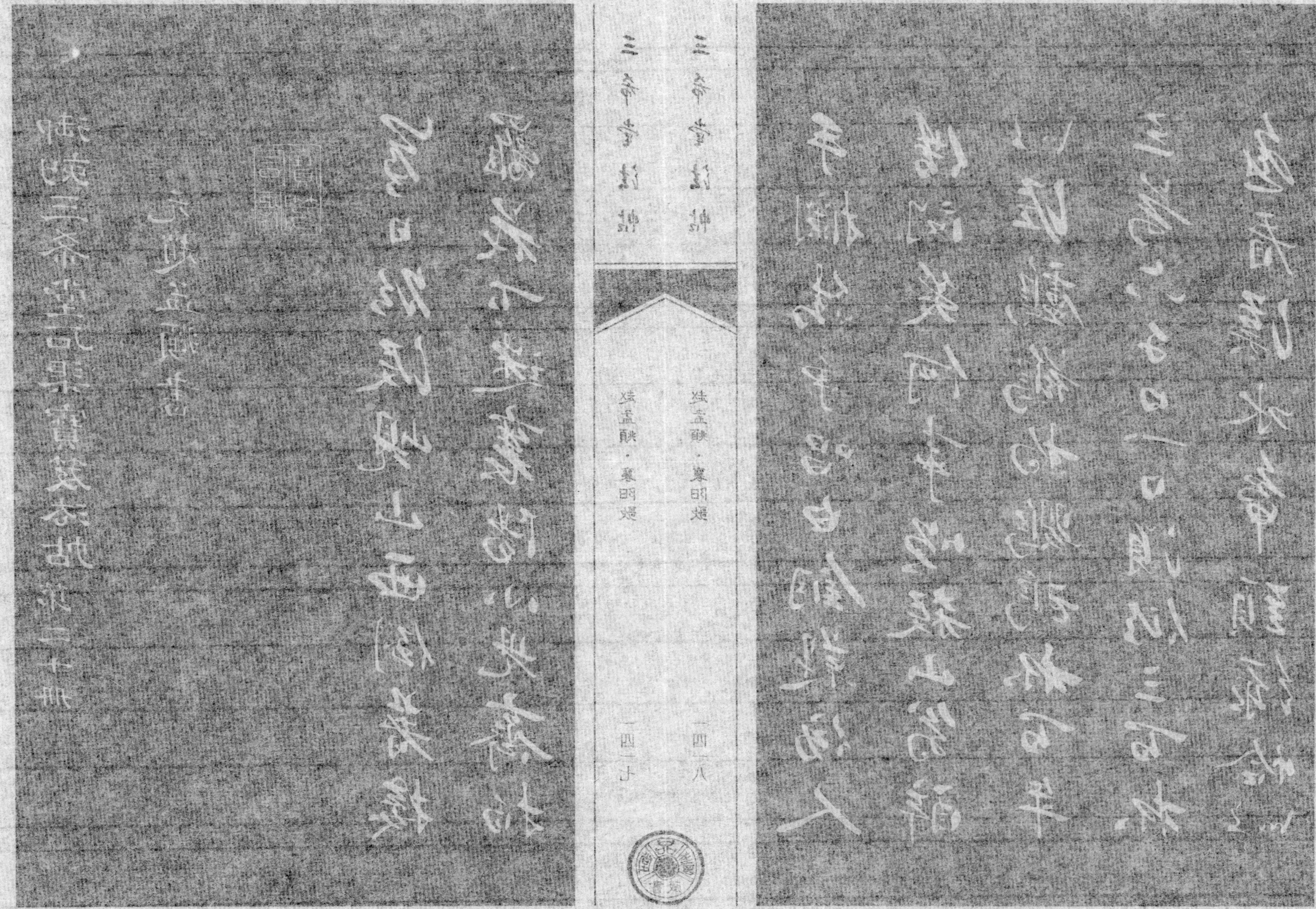

蒲桃初醱醅此江若變
作春酒壘麴便築糟丘臺
千金駿馬換少妾醉坐雕
鞍歌落梅車傍側挂一
壺酒鳳笙龍管行相催

咸陽市上歎黃犬何如月下
傾金罍君不見晉朝羊公
一片石龜龍剝落生莓苔
淚亦不能爲之墮心亦不
能爲之哀誰能憂彼身

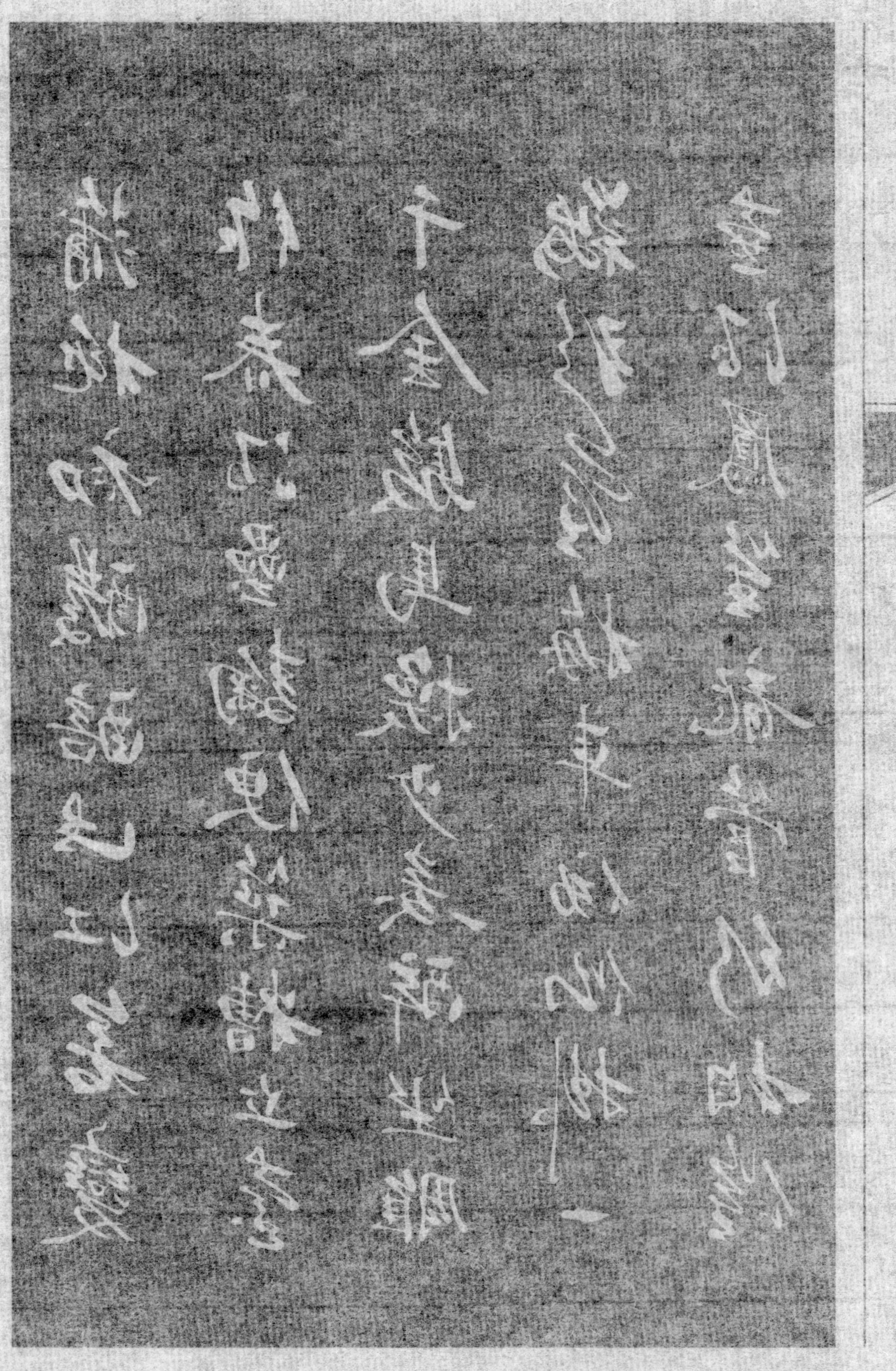

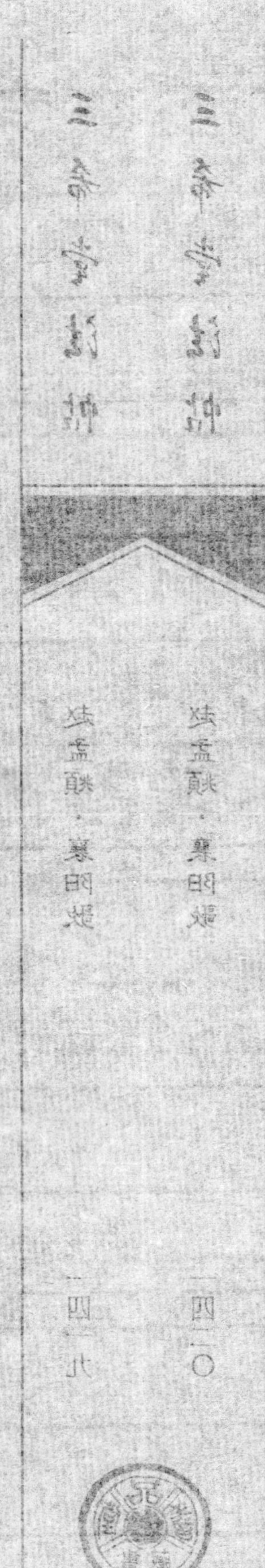

後事金鳧銀鴨葬死灰
清風明月不用一錢買玉
山自倒非人推舒州杓力士
鐺李白與爾同死生襄
王雲雨今安在江水東流

猿夜聲

子昂

趙氏子昂

道人胸中水鏡清
萬象起滅無逃形

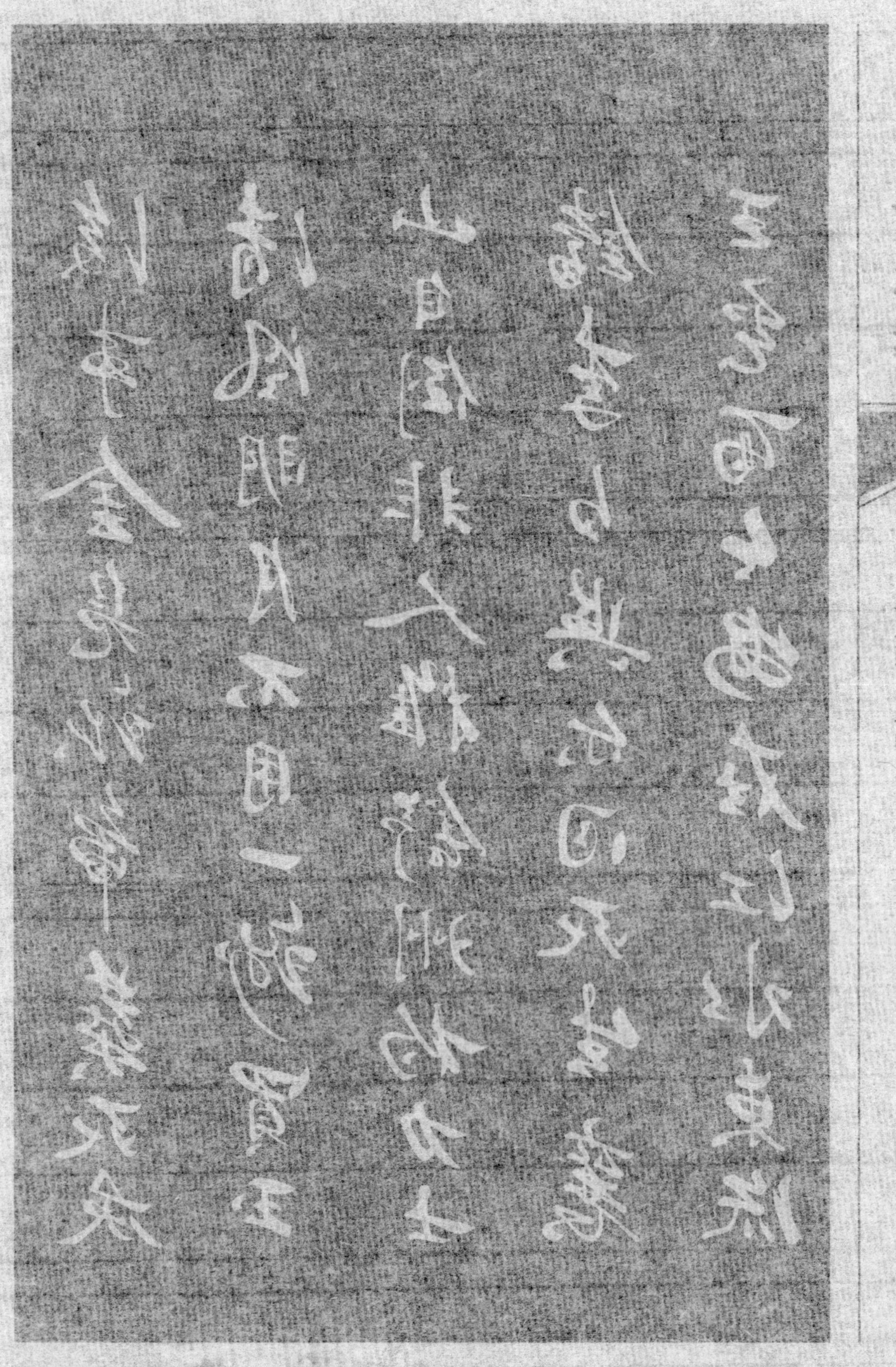

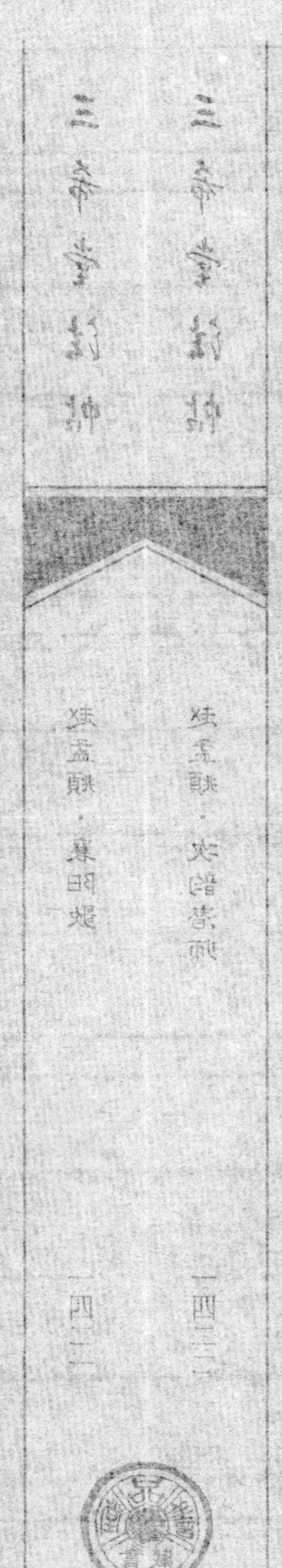

獨依古寺種秋菊
要伴騷人餐落英
人間底處有南北
紛紛鴻鴈何曾寧

三希堂法帖

赵孟頫·次韵潜师

閉門坐穴一禪榻
頭上歲月空崢嶸
今年偶生為形役
法欲與慧劍加礱

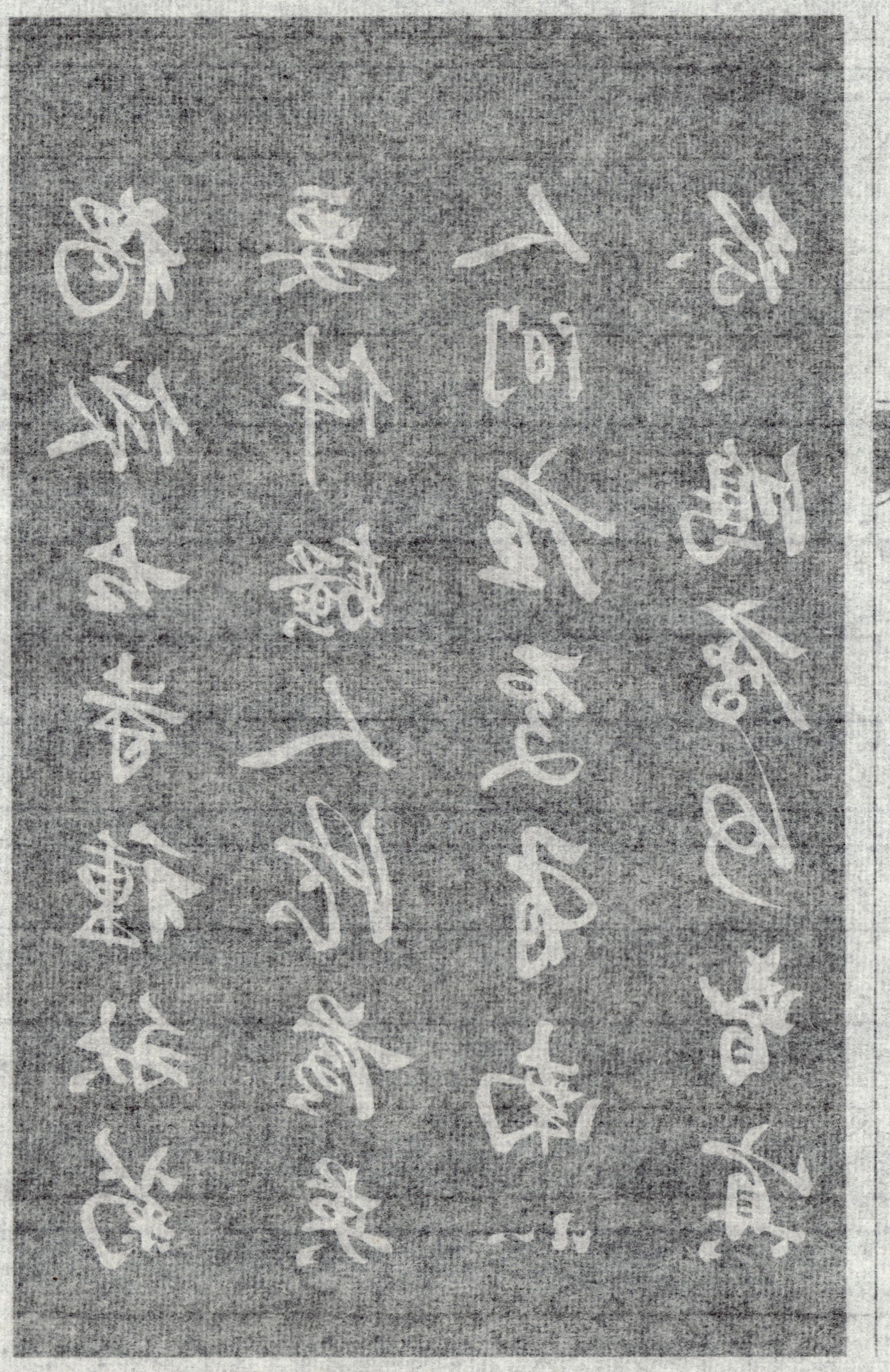

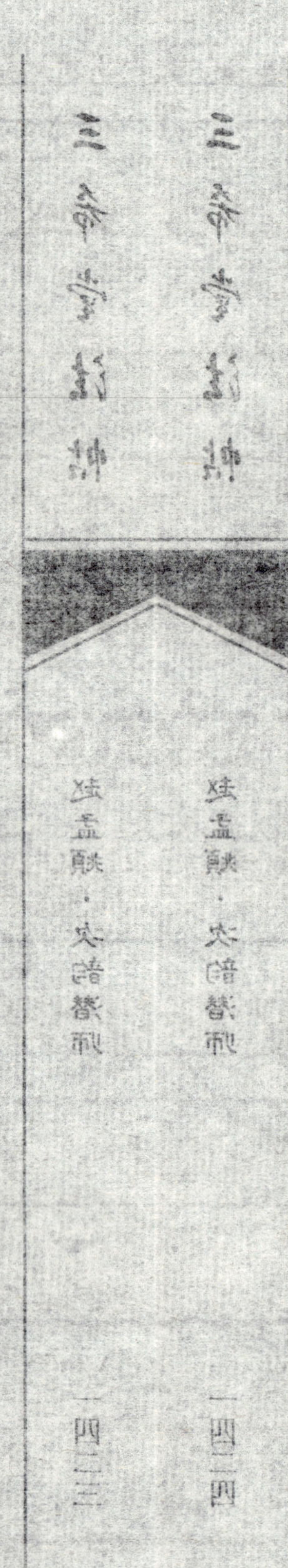

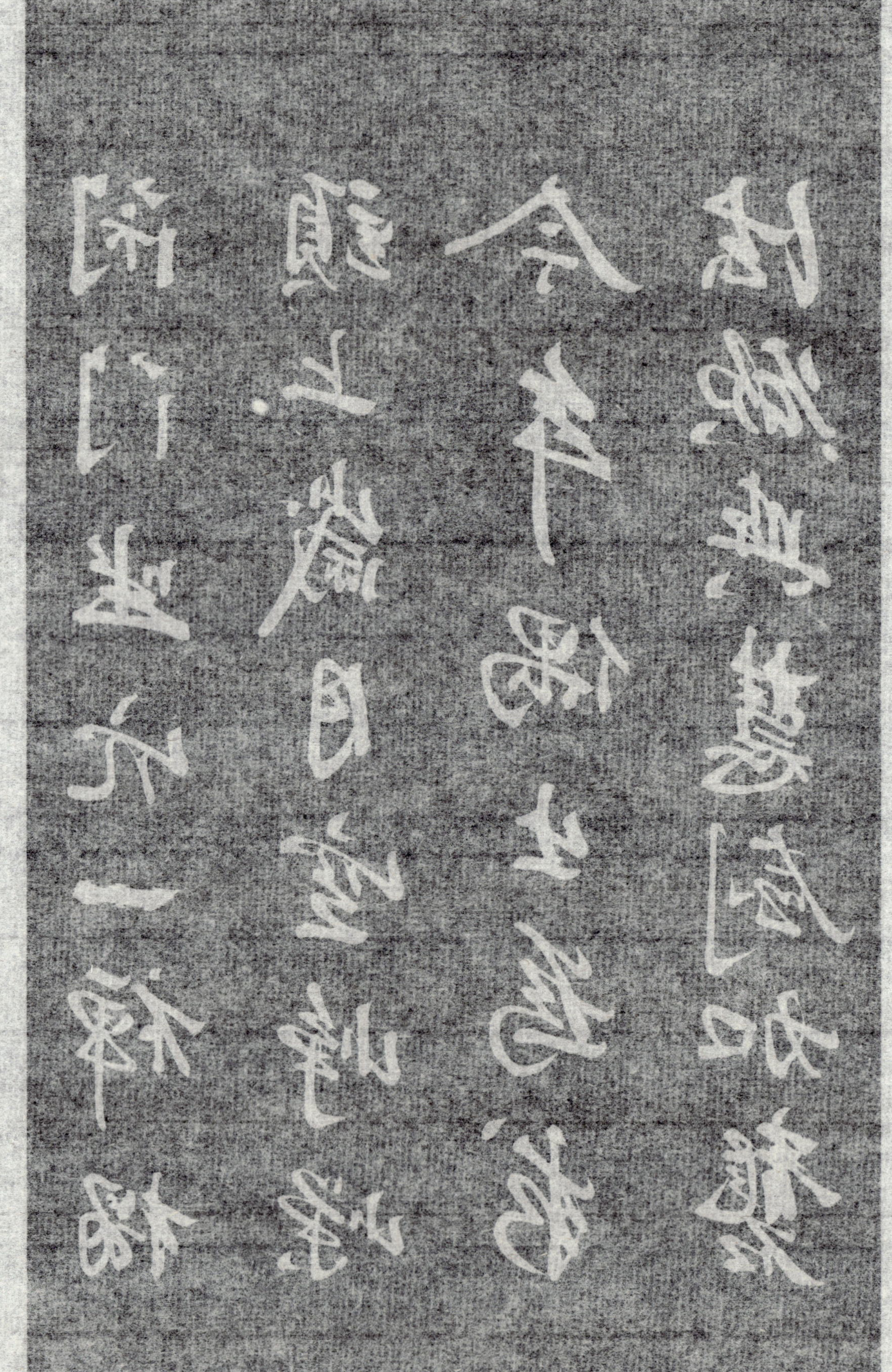

砑雲衲新磨山水
生霜鬚不翦兒童
驚公久別識不可
得故知信市無傾

城秋風吹夢過淮
水也見橘柚垂黄
庭故人各在天一
角相望落々如晨

三希堂法帖
一四三六
三希堂法帖
一四三五

彭城老守月是
既棄林泉陞相
邀迎千山不憚荒
店遠西郊欲趁飛

三希堂法帖

猶輕多生綺語
磨不盡尚有詭轉
詩人情懷吟鶴唳
本無意不知下有

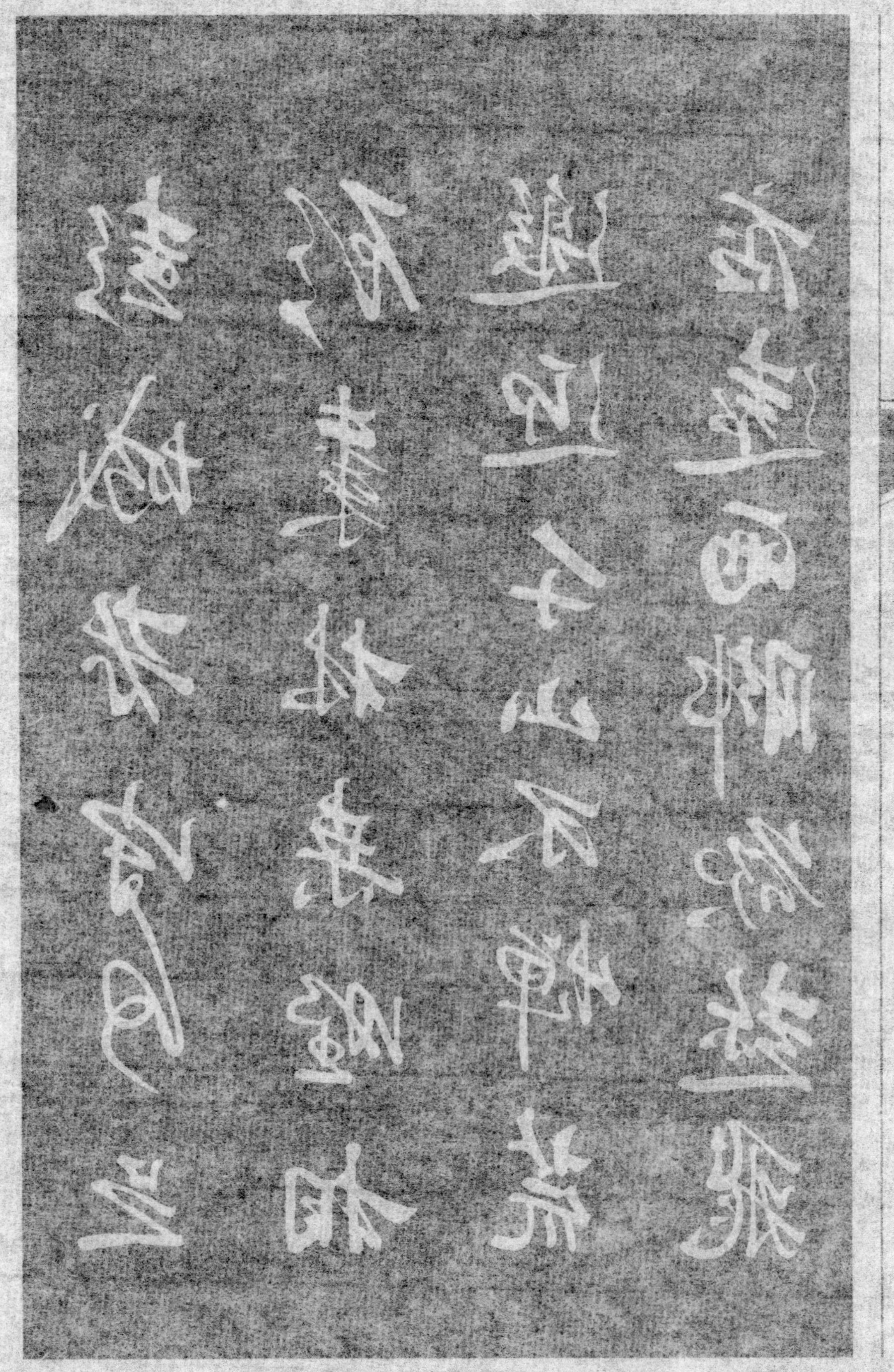

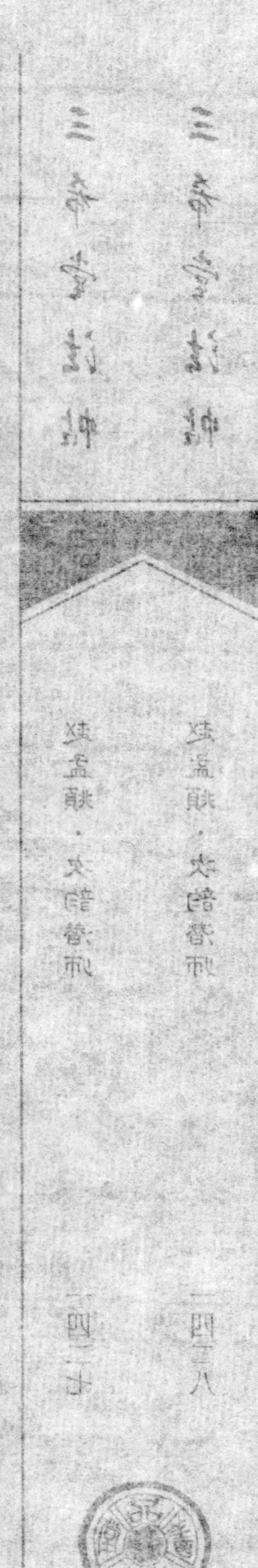

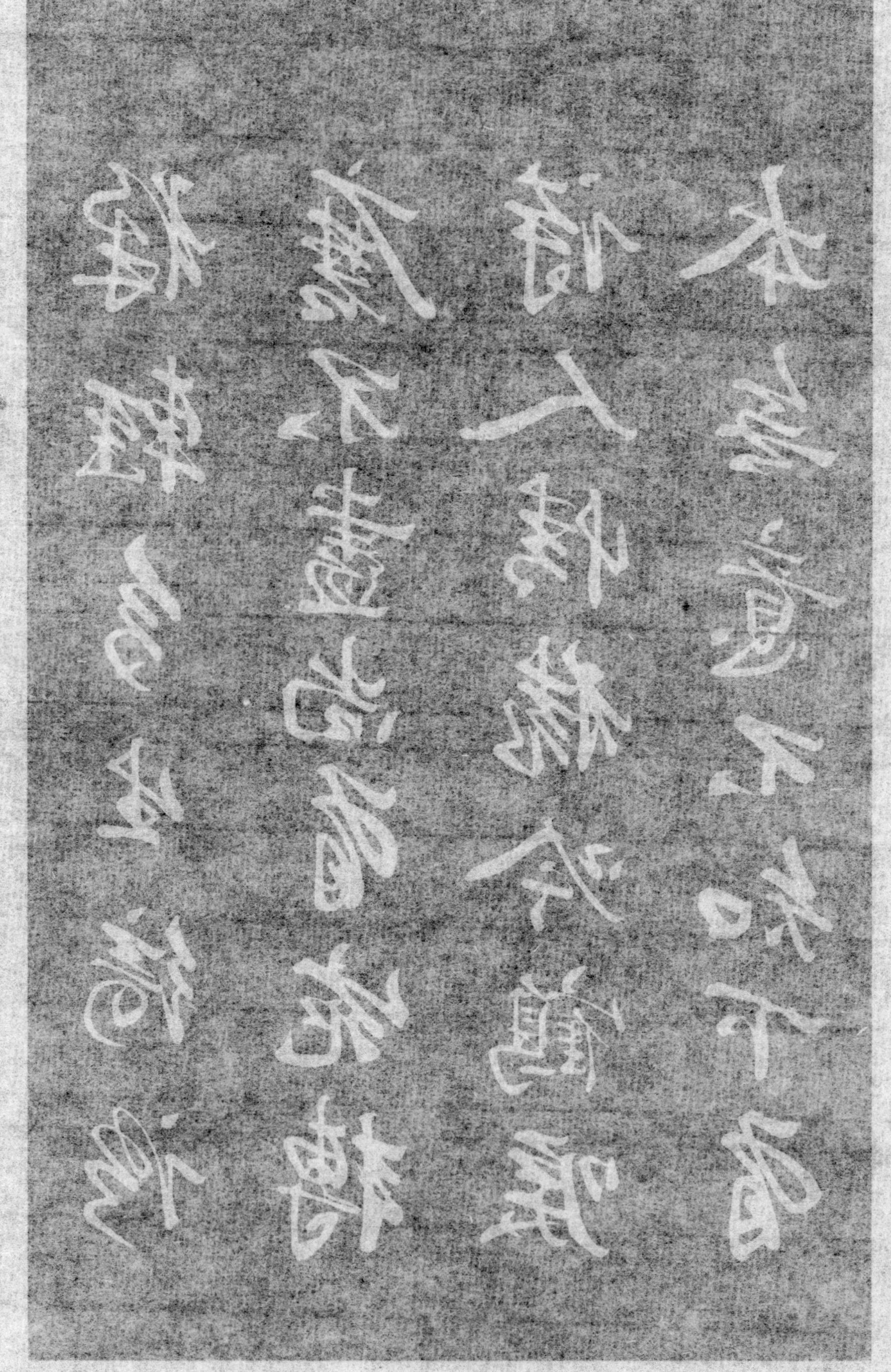

行人行空階庭
雨自清絕誰使掩
抑啼紅悍象欹
仙山搔瑤草傾筐

坐歎何時已簿
書難撲書填委
煮茗燒栗宜宵
征乞取摩尼照

三希堂法帖

赵孟頫·次韵潜师

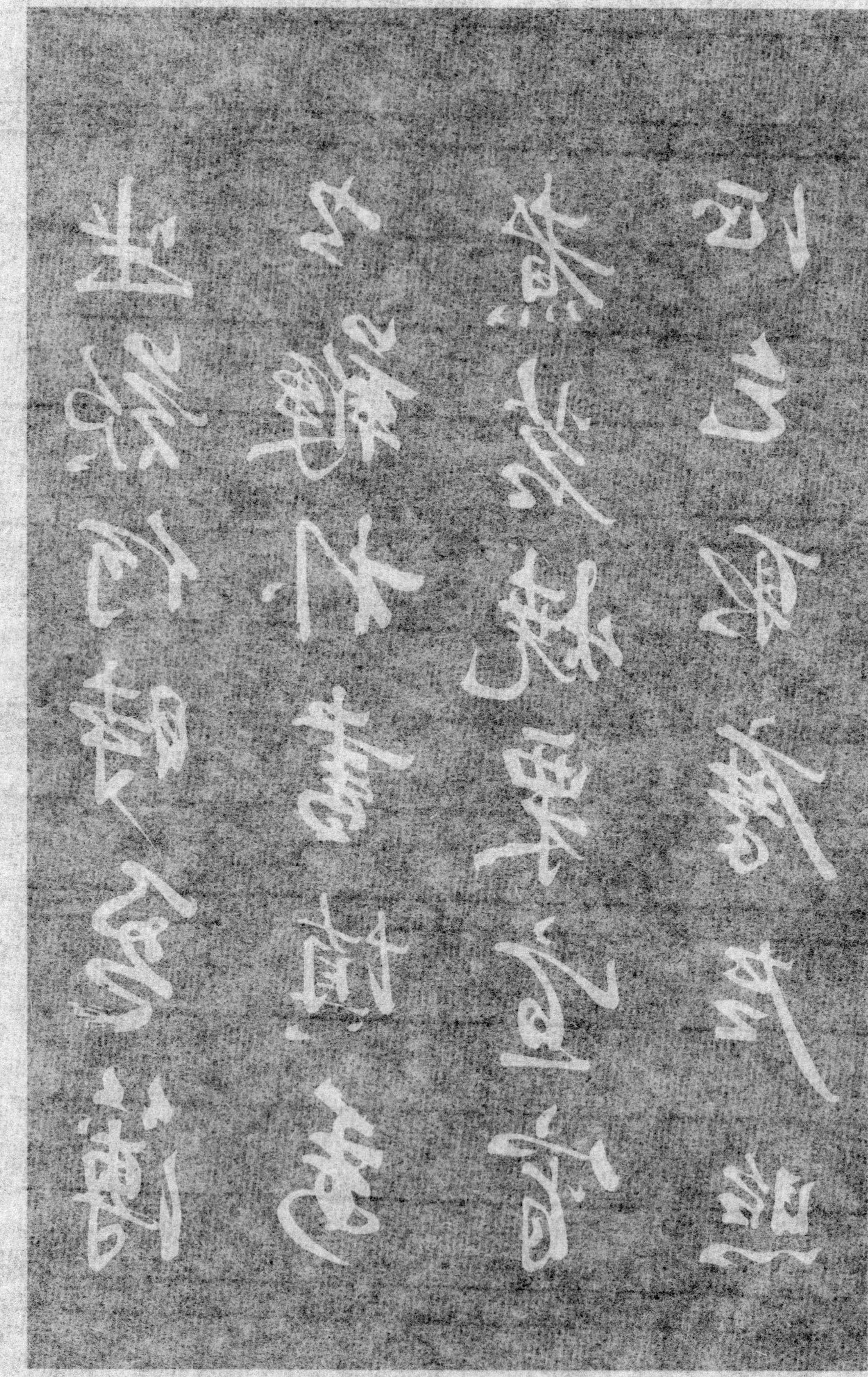

三希堂法帖
三希堂法帖
趙孟頫·次韻潛師
趙孟頫·次韻潛師
一四三〇
一四二九

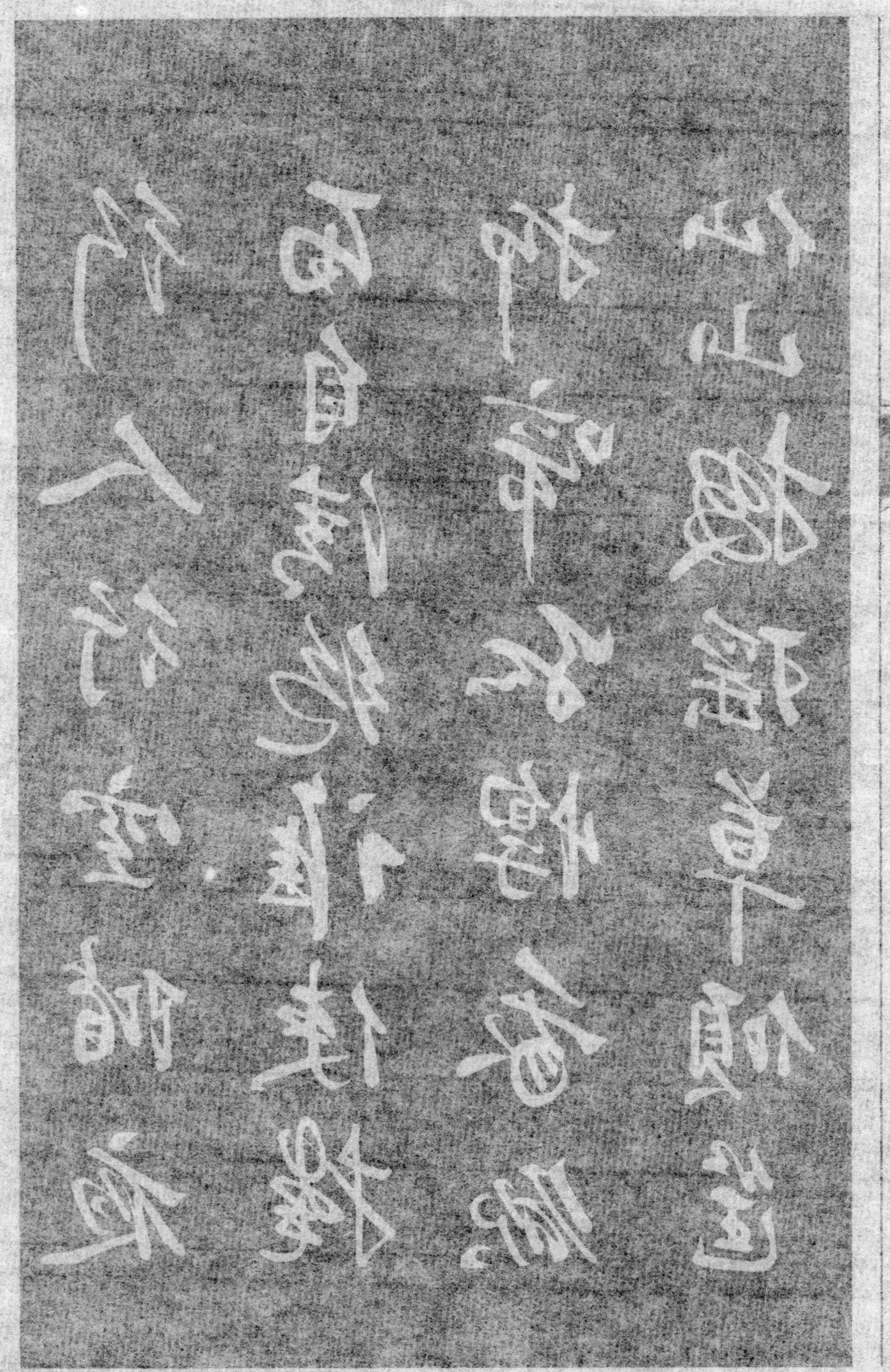

渴水共看落月
金盆傾
大德十年十月初
余謁中峯老師

適他生與我月林
上人話及東坡次
韻潛師之語生承
墨索之一通以爲

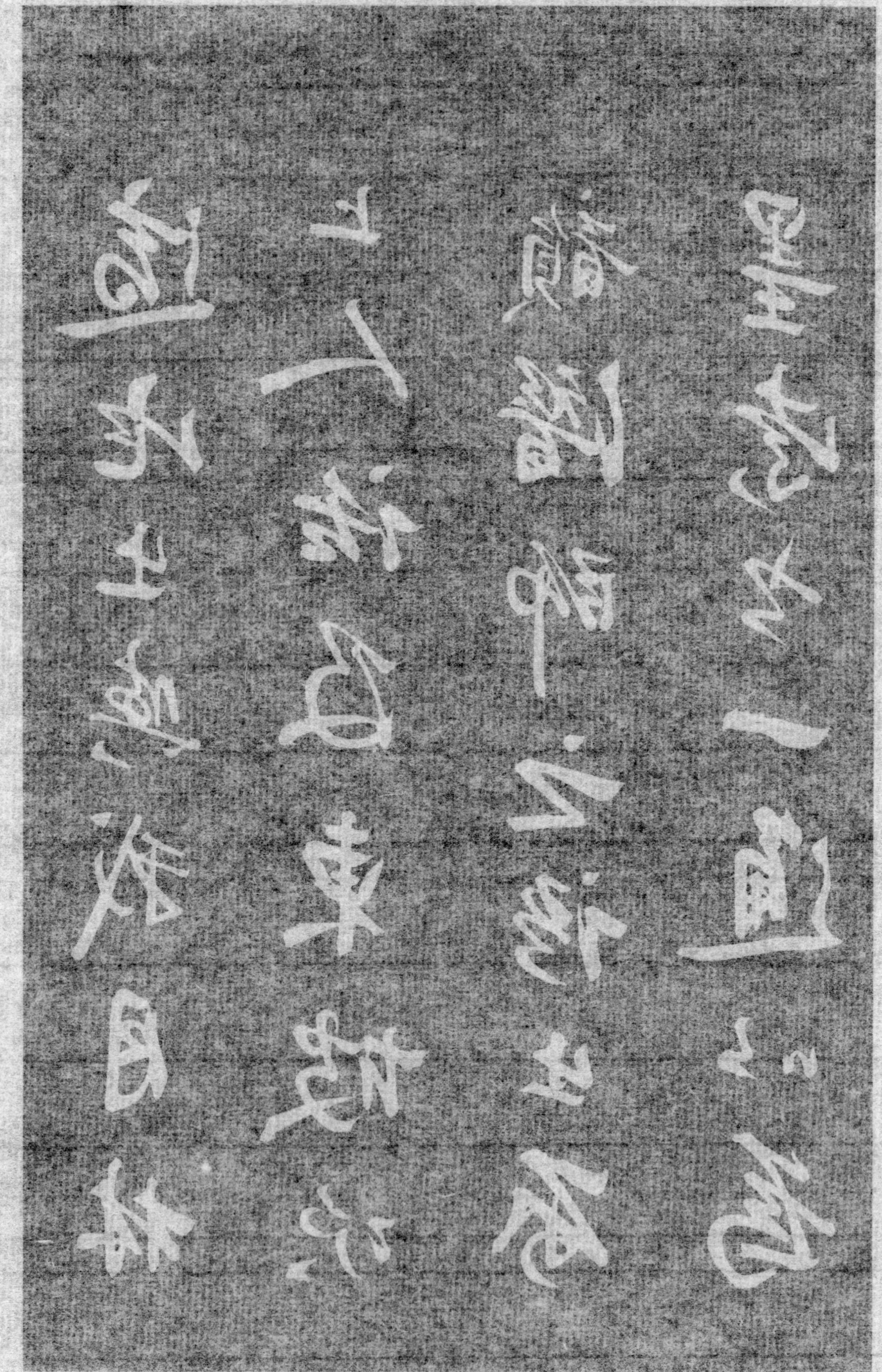

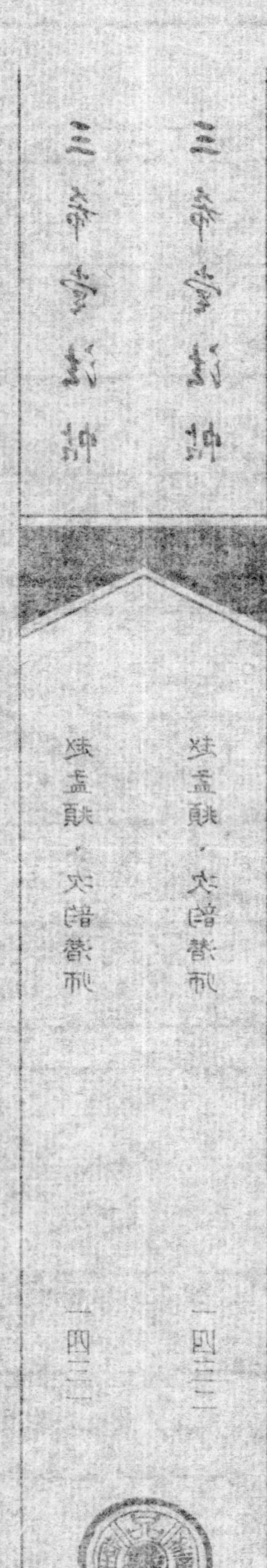

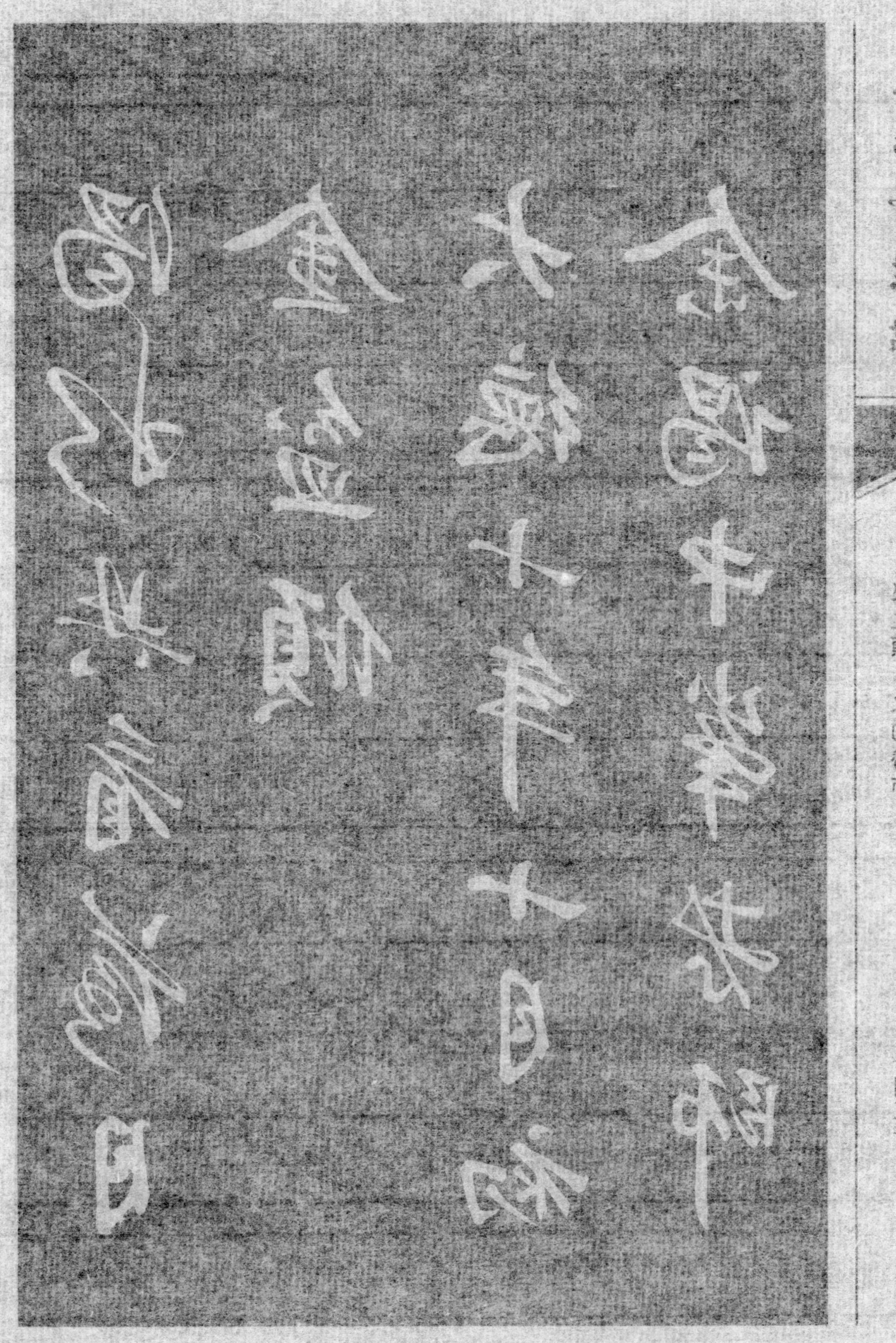

禪房清供呵呵三
教弟子趙孟頫記
趙吳興為中峰書此卷
全類李北海家稱合作

三希堂法帖
赵孟頫·次韵潜师

其詩亦學韓昌黎石鼓
歌後有鷗波小印並鷗
波亭亦家臨池處獨此
卷見之　董其昌題
予曾得祖搨淳化四卷
李北海數日帖多藏

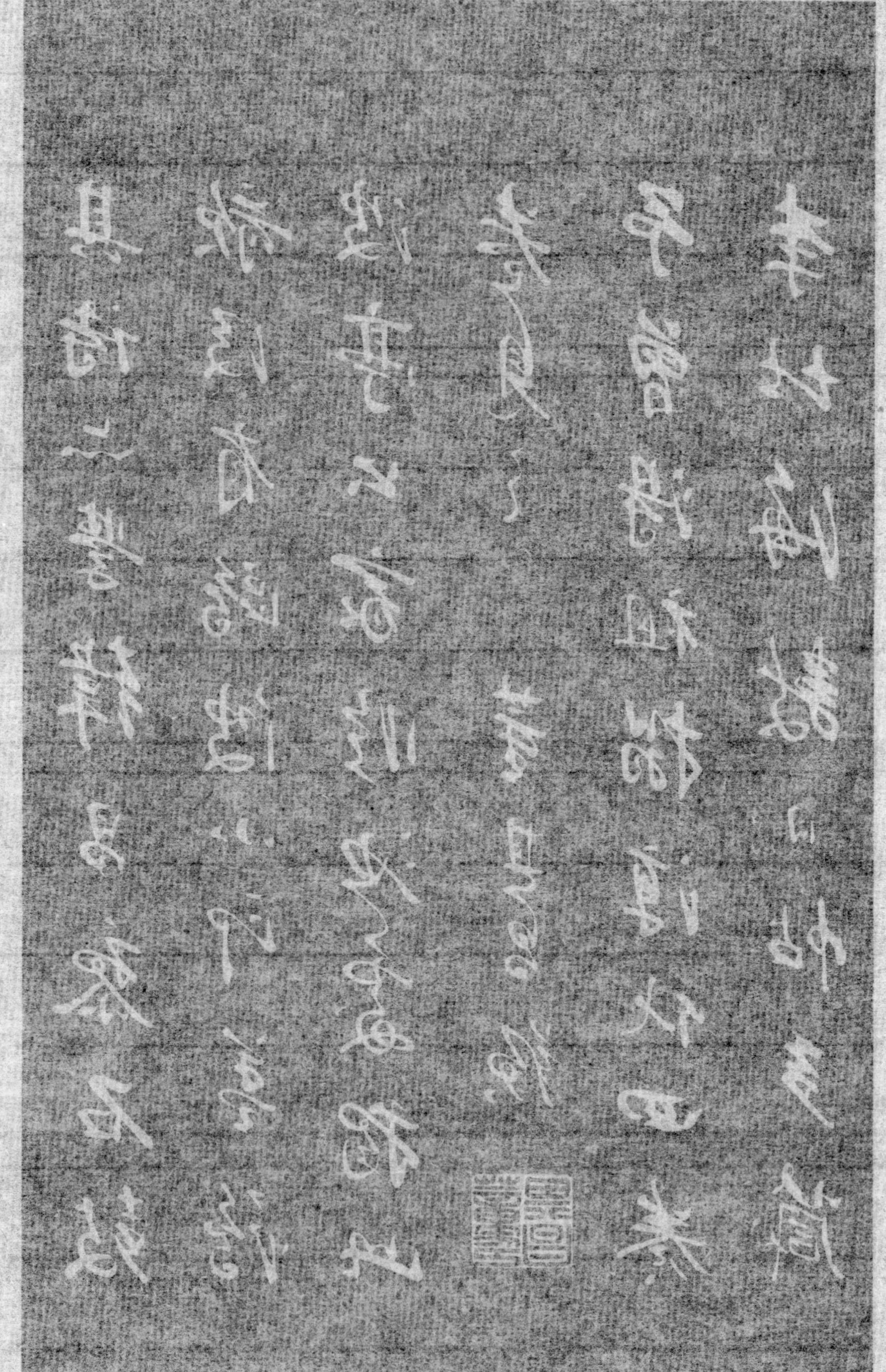

三希堂法帖

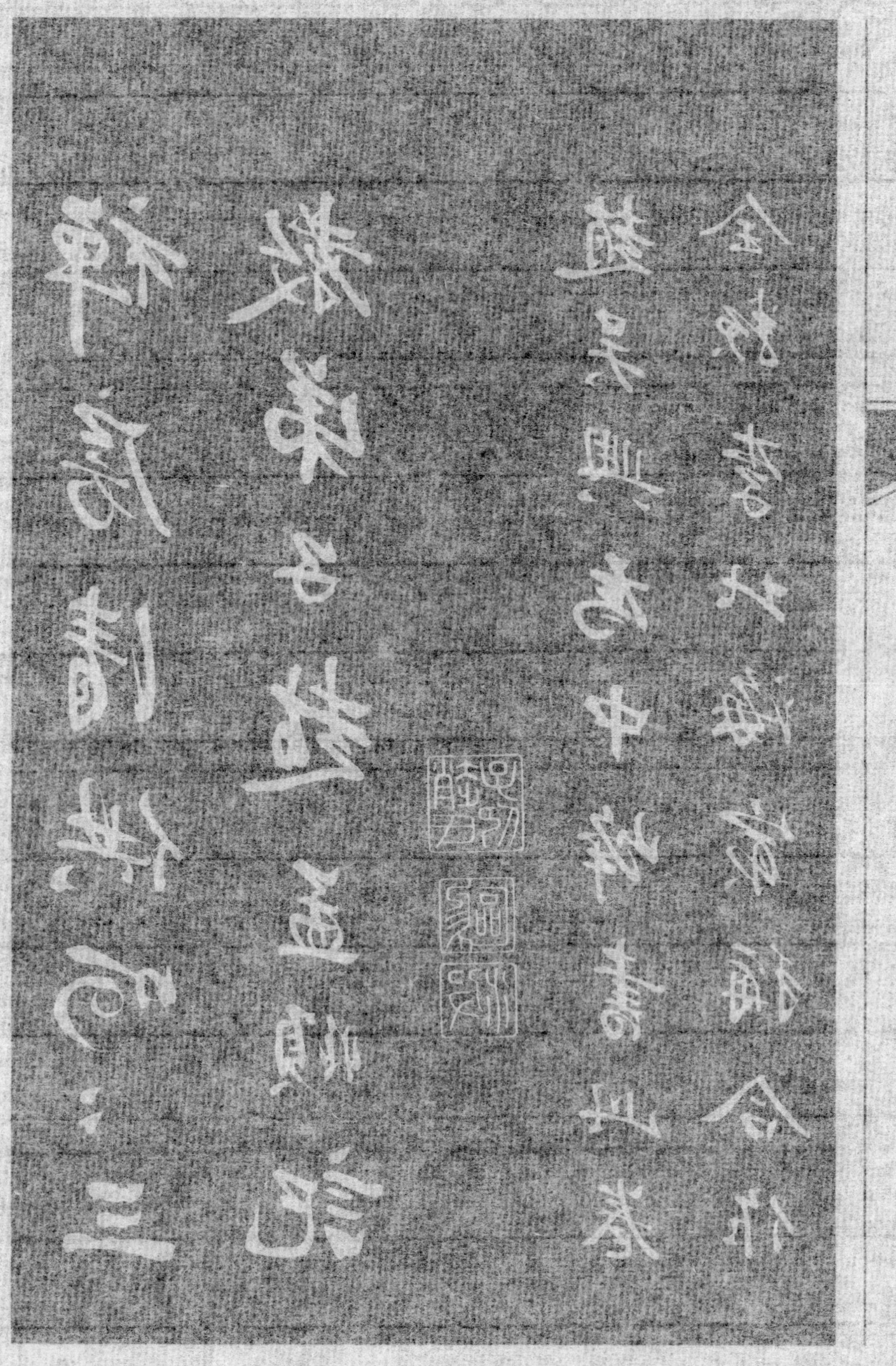

鋒拙筆無所刺尖露者不類知文敏得之神髓非僅為優孟衣冠也 程正揆

道場山頂何山麓上徹

三希堂法帖

赵孟頫・道场山诗

雲峯下幽谷我從山水窟中來尚愛此山看不足陂湖行盡白漫漫青山忽作龍蛇盤山高無風松自響誤認石齒號

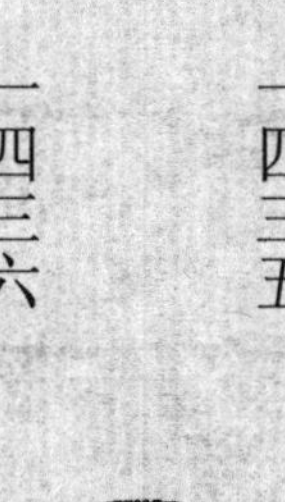

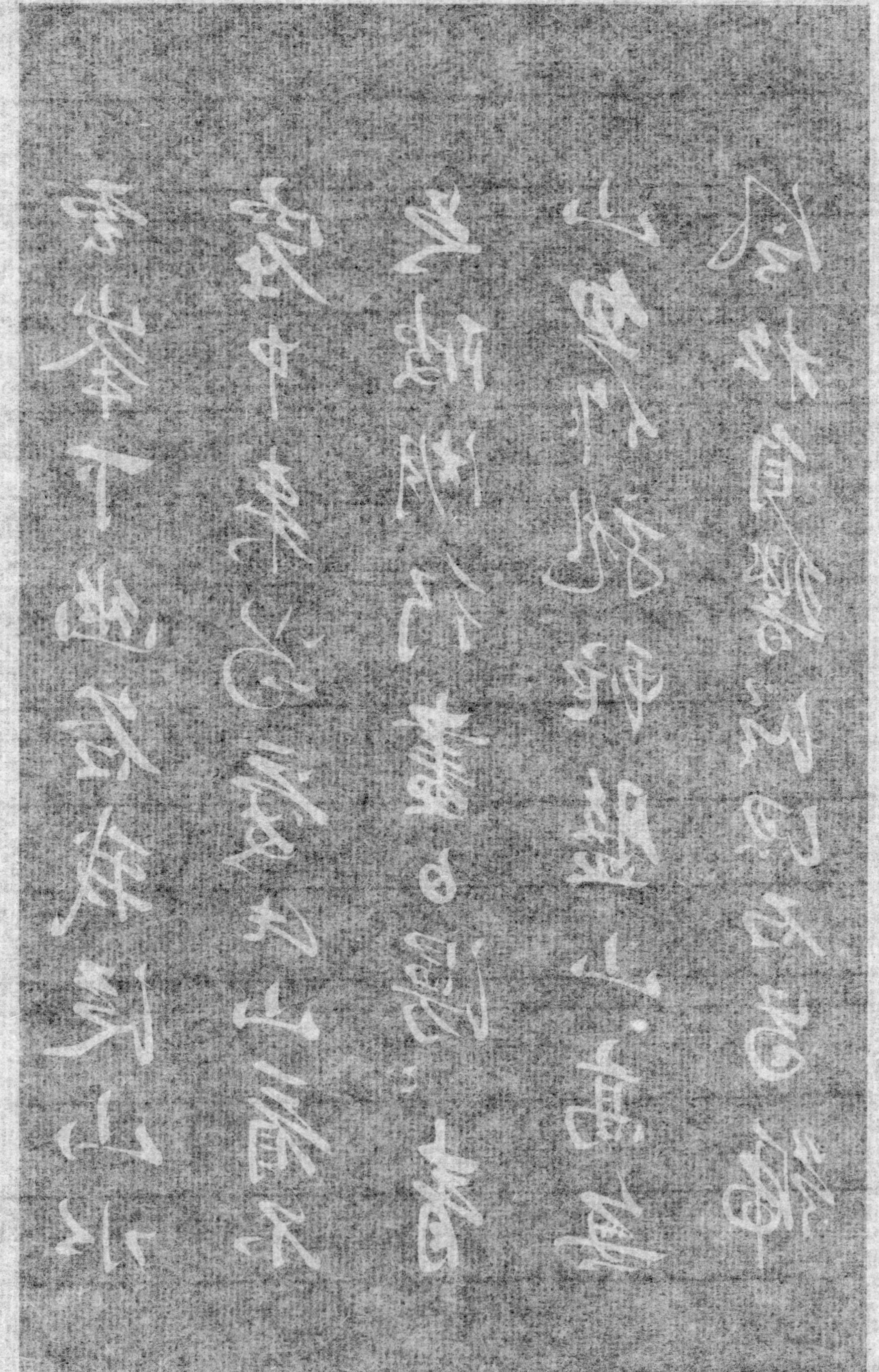

三希堂法帖
蘇軾·道場山詩
一四三六
三希堂法帖
蘇軾·道場山詩
一四三五

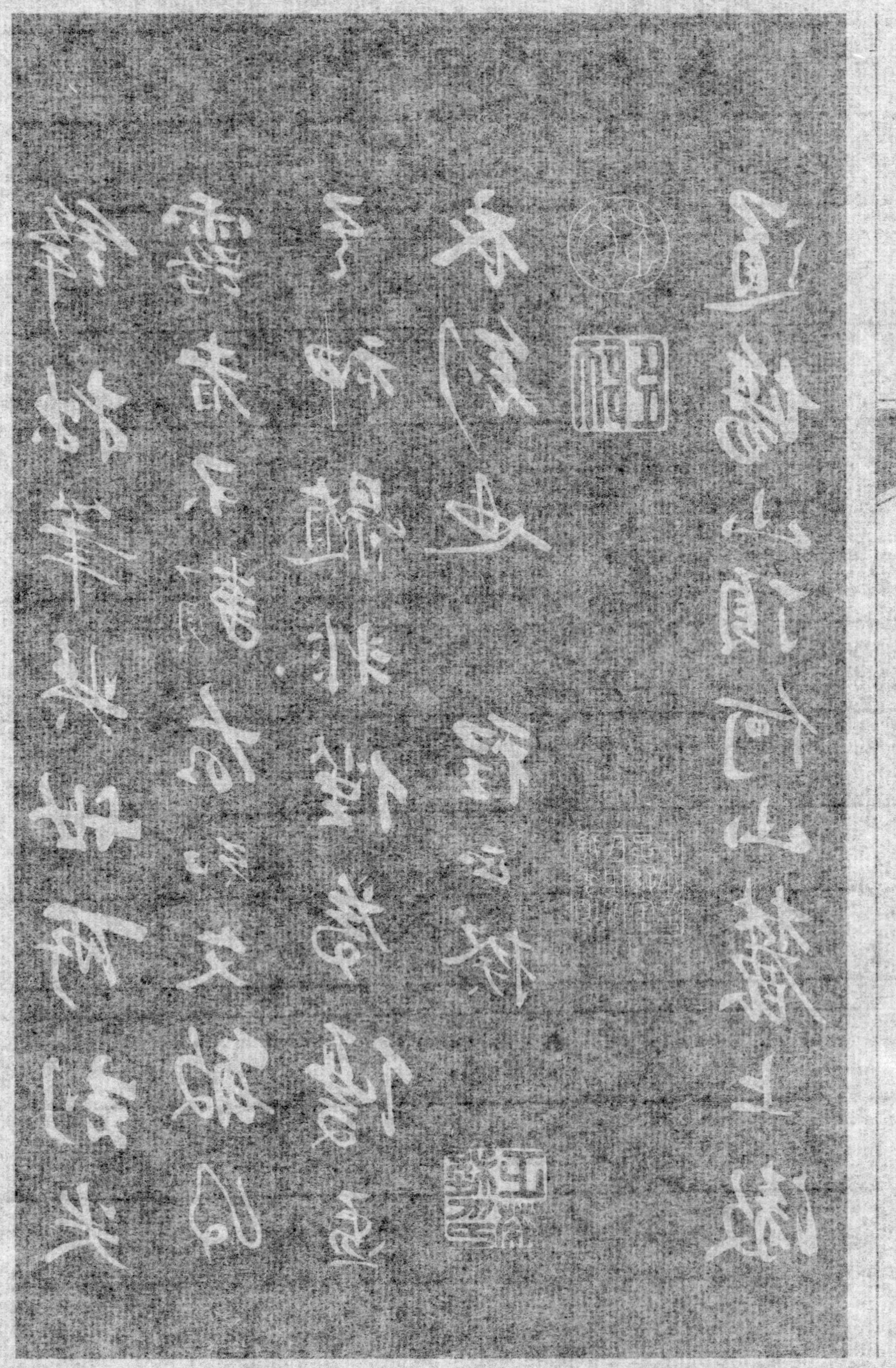

鳥語山僧不放山泉出
屋底清池照瑤席階
前合抱香入雲月裏
僊人親手植出山回望
翠雲鬟碧瓦朱闌縹

緲間白水田頭問行
路小溪深處是何山〻
人讀書夜達旦至今
山鶴鳴夜半我今廢
學不歸山〻中對酒

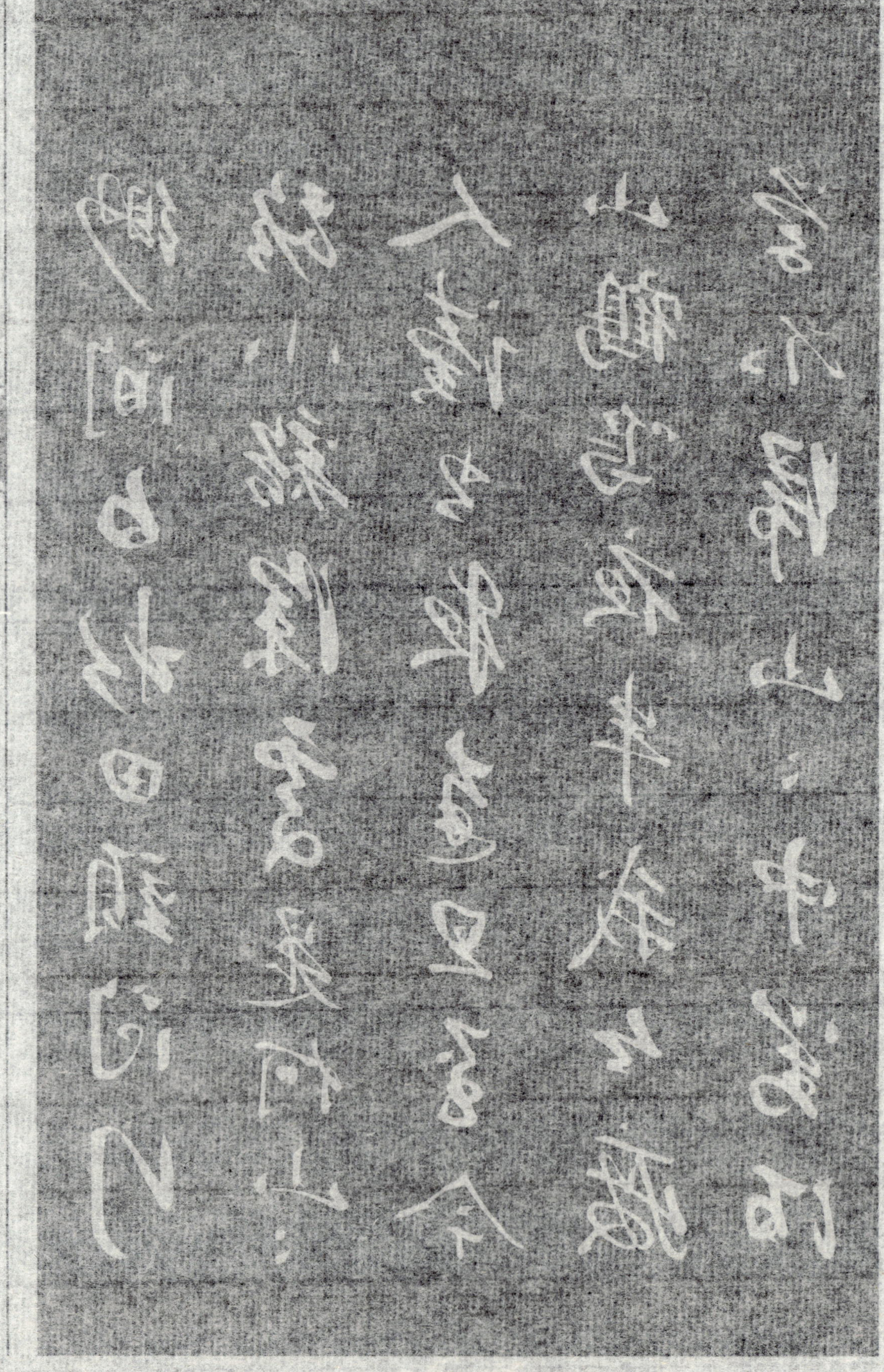

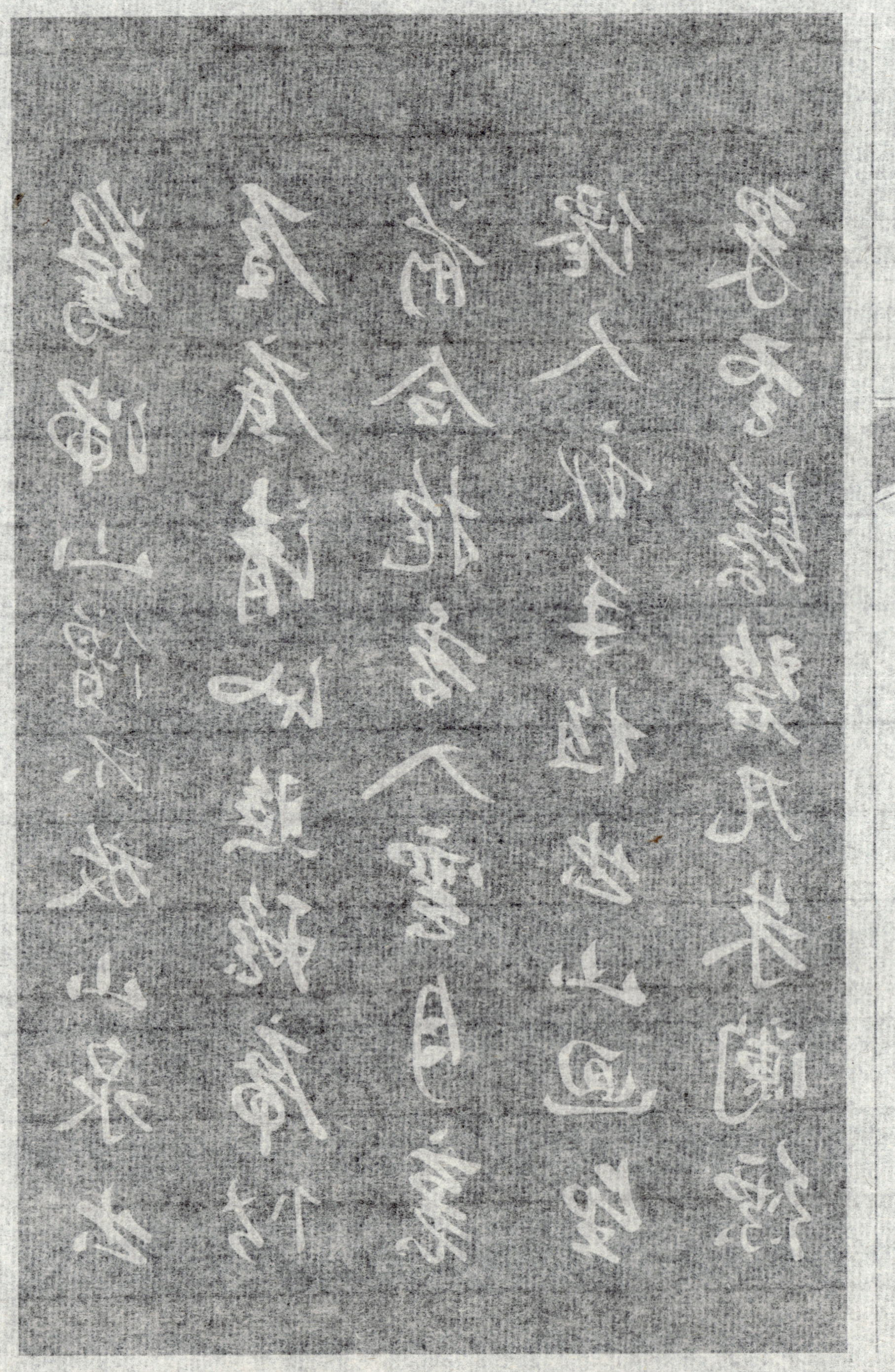

空三教
吾長兄之孫熙好
學性之制謹時時來
從吾求書意甚
勤之因寫此卷
為道書與之
子昂

瓣香二王神明規矩

感興詩 并序

余讀陳子昂感遇詩愛其詞
旨幽邃音節豪宕非當世詞

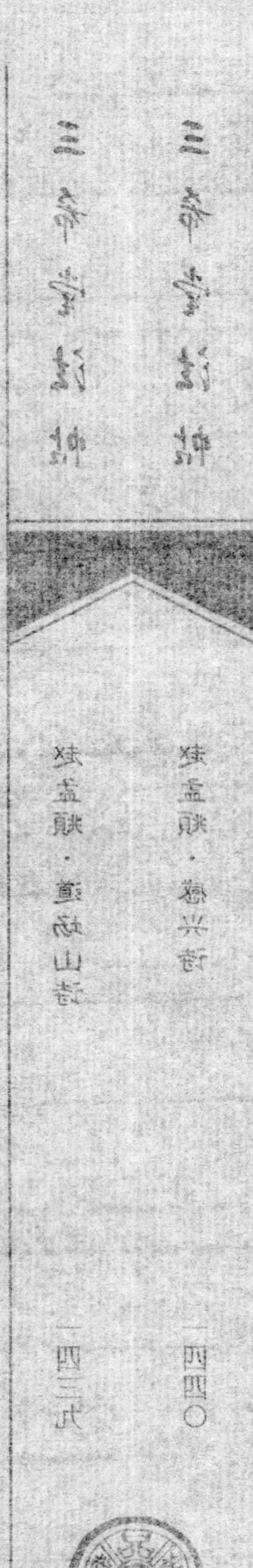
三希堂法帖
三希堂法帖
一四四〇
一四三九

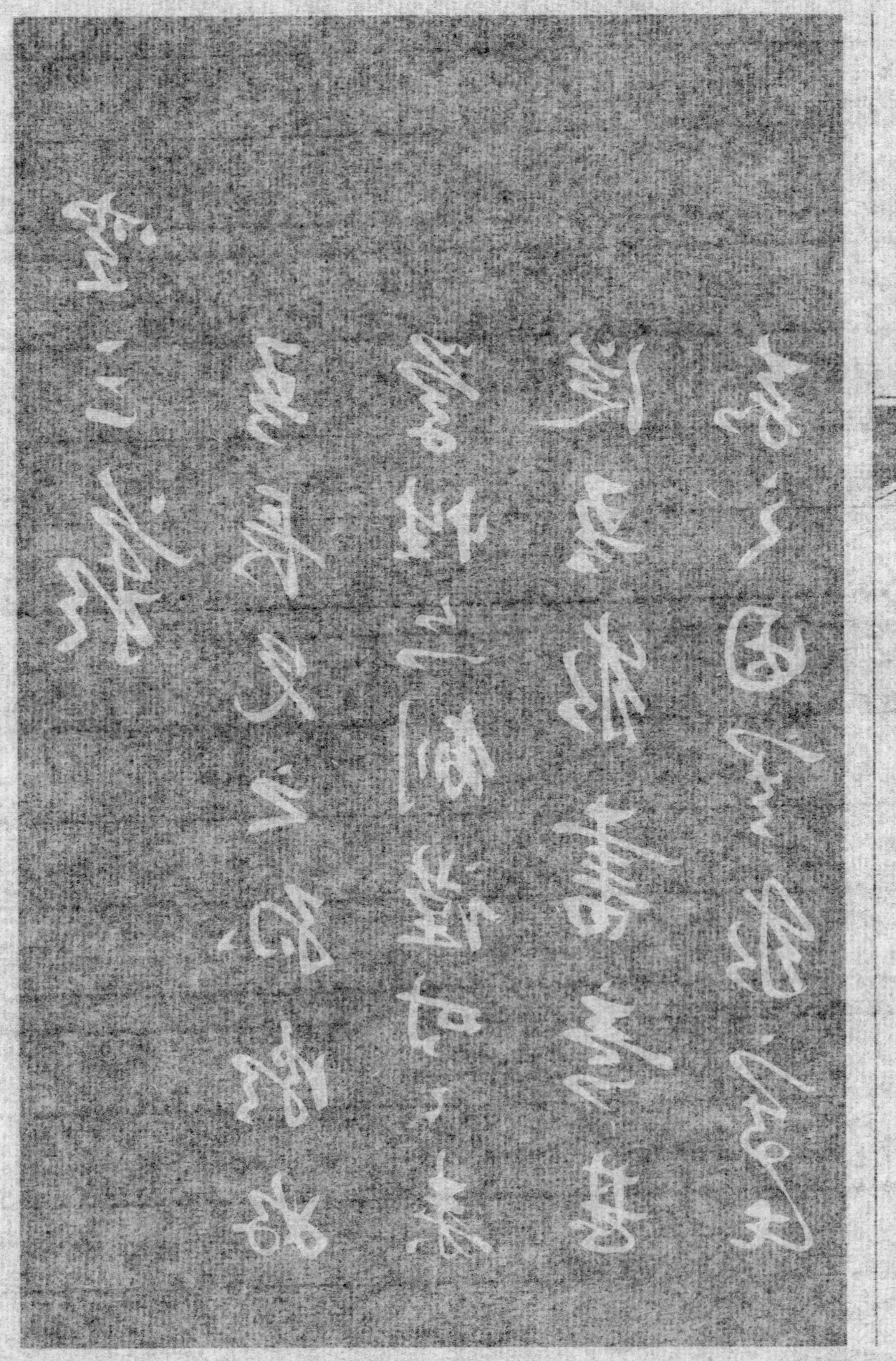

人所及如丹砂空青金膏水
碧雖近乏世用而實物外難得
自然之奇寶欲效其體作十
數篇顧以思致平凡筆力萎
弱竟不能就然亦恨其不精
於理而自託於仙佛之間以

三希堂法帖

赵孟頫·感兴诗

為高也齋居無事偶書所
見得廿篇雖不能探索微
眇追迹前言然皆切於日用
之實故言亦近而易知既以自
警且以貽同志云
昆侖大無外旁礴下深廣

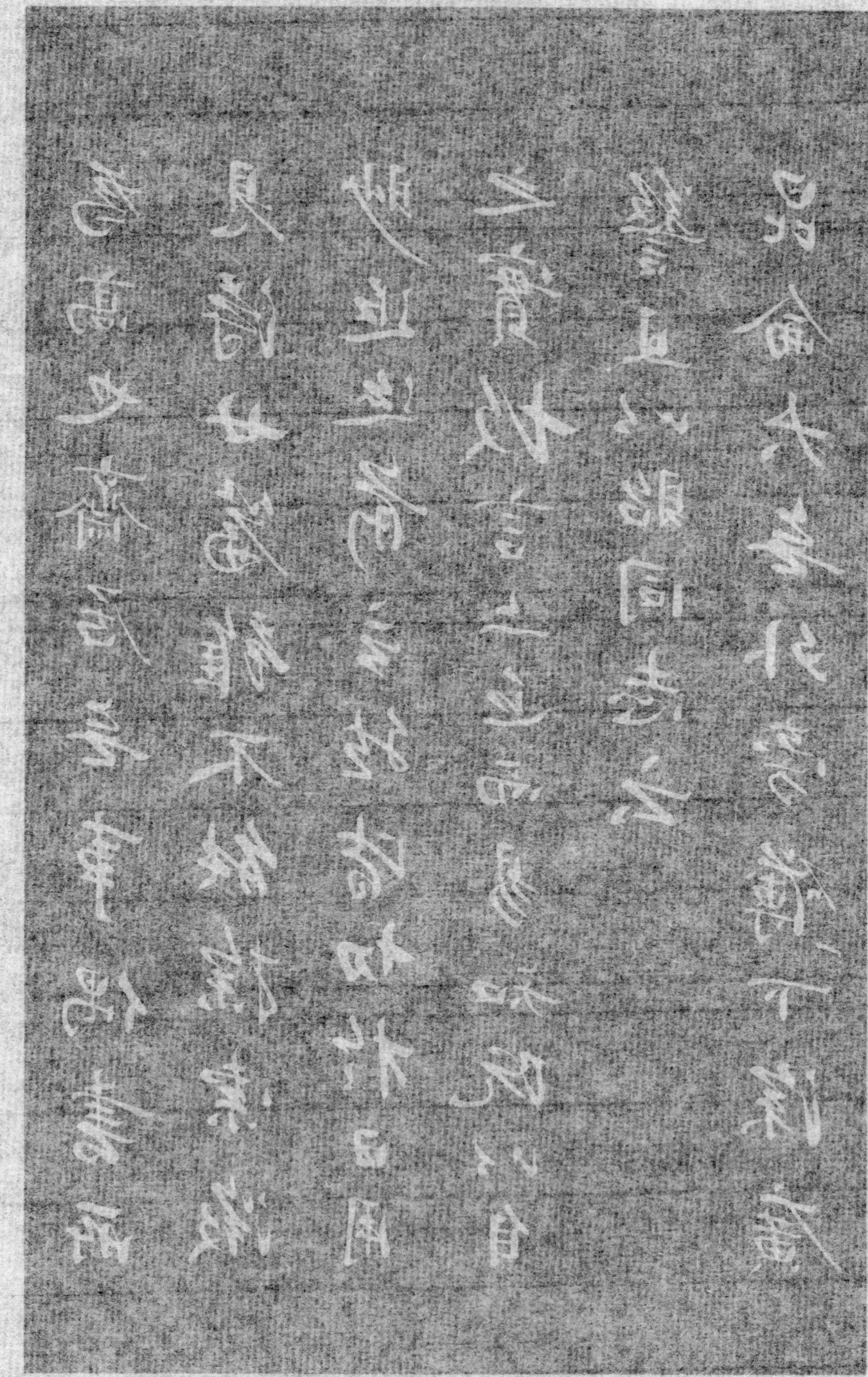

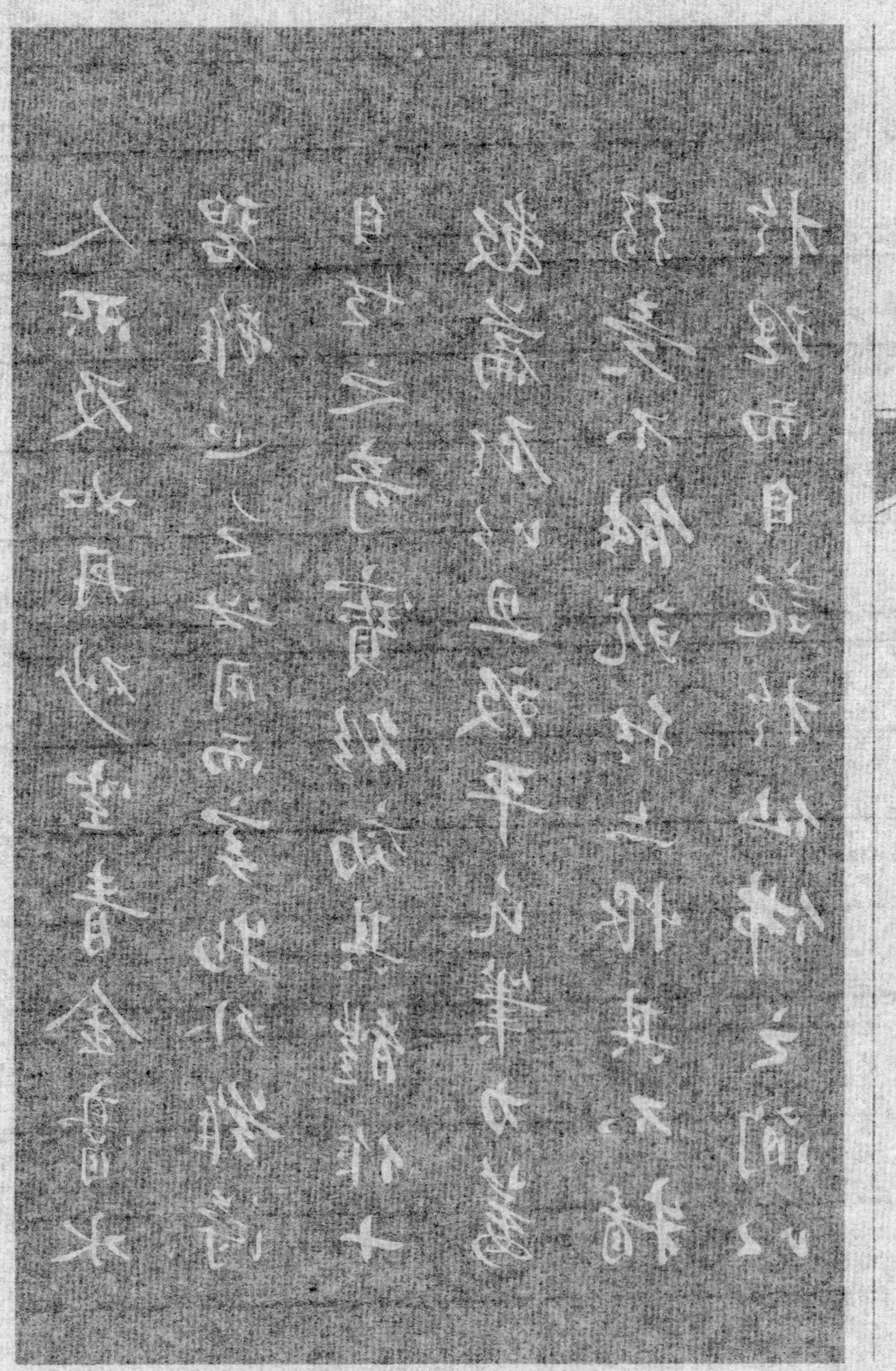

陰陽無停機寒暑互來往
羲皇古神聖妙契一俯仰
不待窺馬圖人文已宣朗渾
然一理貫昭晰非象罔珍
重無極翁為我重指掌
吾觀陰陽化升降八紘中

前瞻既無始後際那有終
至理諒斯存萬古與今同
誰言混沌死幻語驚盲
聾
人心妙不測出入乘氣機凝
冰亦焦火淵淪復天飛至人

秉元化動静體無違珠藏
澤自媚玉韞山含暉神光
燭九垓玄思徹萬微塵編
今寂寞歲晚將安歸
静觀靈臺妙萬化從此
出云胡自蕪穢反受衆形

役厚味紛朵頤妍姿坐傾
國崩奔不自悟馳騖靡終
畢君看穆天子萬里窮轍迹
不有祈招詩徐方御宸極
涇舟膠楚澤周綱已陵夷
況復王風降故宫黍離：

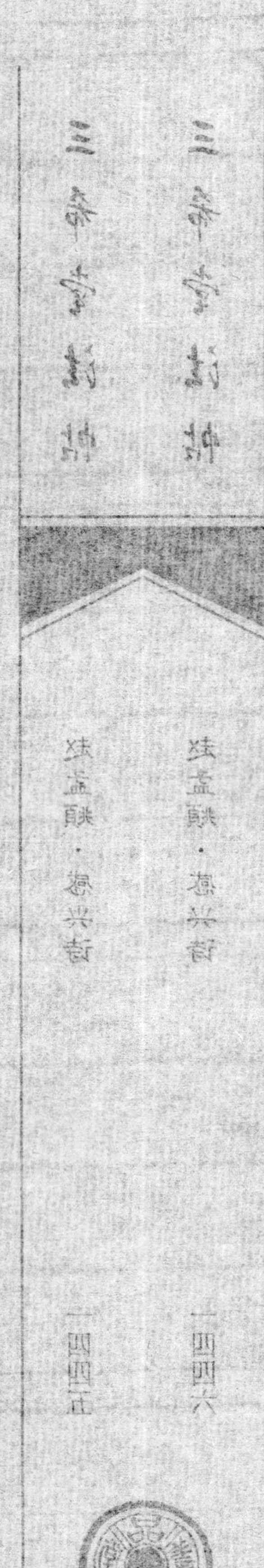

玄聖作春秋哀傷實在茲
祥麟一以踣反袂空漣洏漂
淪又百年僭侯為等踐王
章久已喪何復嗟歎為馬
公述孔業託始有餘悲拳拳
信忠厚無乃迷先幾

東京失其御刑臣弄天經西
園植姦穢五族沈忠良青青
千里草乘時起陸梁當塗
搏凶悖炎精遂無光桓桓左
將軍仗鉞西南疆伏龍一奮
躍鳳雛亦飛翔祀漢配彼

三希堂法帖
赵孟頫·感兴诗
一四四八
三希堂法帖
赵孟頫·感兴诗
一四四七

天出師鷙四方天意竟莫回
王圖不偶昌晉史自帝魏後
賢合更張世無魯連子千載
徒悲傷
晉陽啟唐祚王明紹巢封垂
統已如此繼體宜昏風麀聚

三希堂法帖

赵孟頫·感兴诗

瀆天倫牝晨司禍凶乾綱一以
隊天樞遂崇崇淫毒穢宸極
虐焰燔蒼穹向非狄張徒
誰辨取日功云何歐陽子秉
筆迷至公唐經亂周紀凡
例孰此容侃侃范太史受說

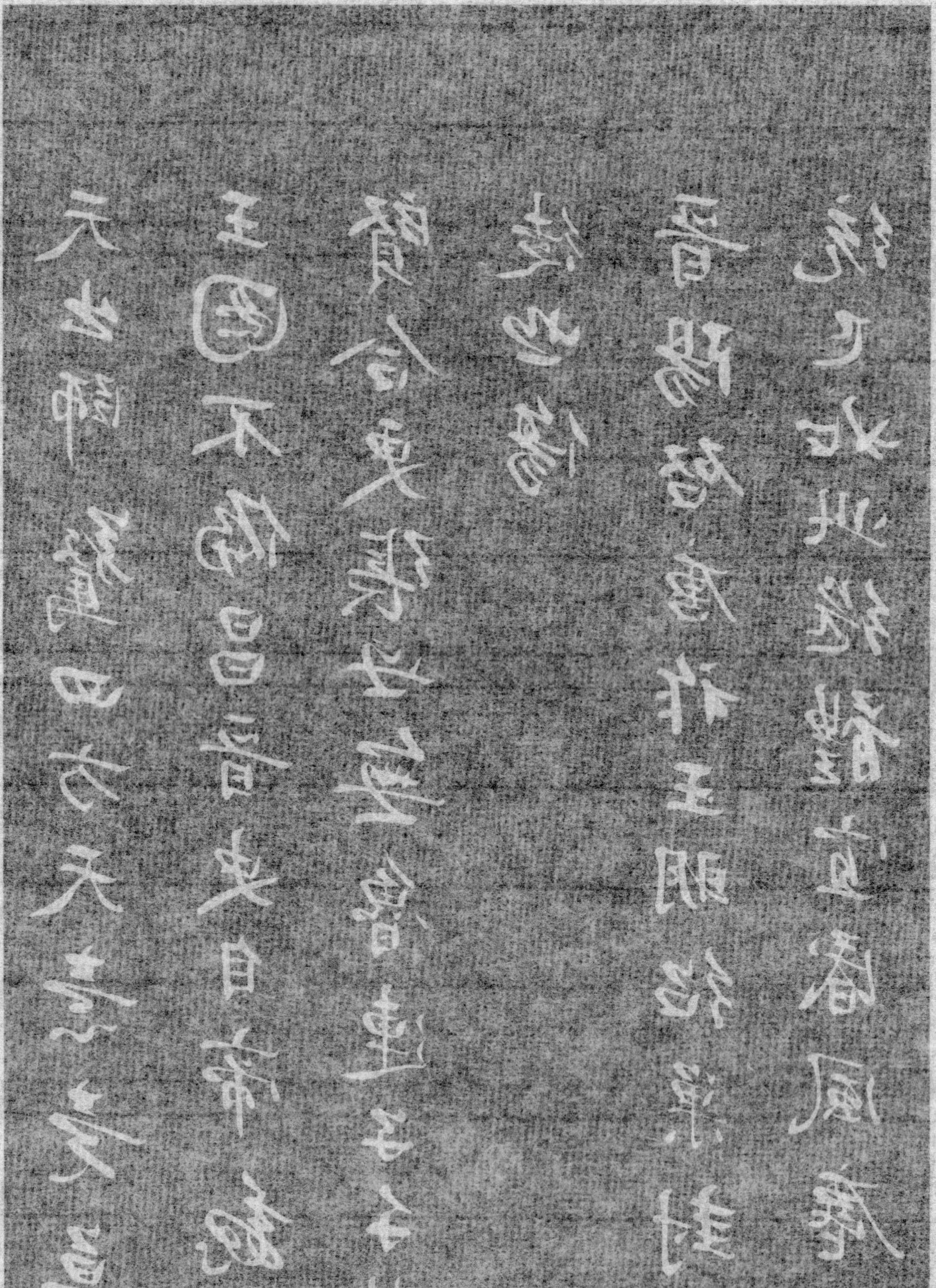

伊川若春秋二三策萬古開
羣蒙
朱光遍炎宇微陰眇重淵寒
威閉九垓陽德昭窮泉文明
昧謹獨昏迷有開先幾微諒
難忽善端本綿綿掩身事

三希堂法帖

齋戒及此防未然閉關息商
旅絕彼柔道牽
微月隊西嶺爛然衆星光明
河斜未落斗柄低復昂感
此南北極樞軸遥相當太一
有常居仰瞻獨煌煌中天照

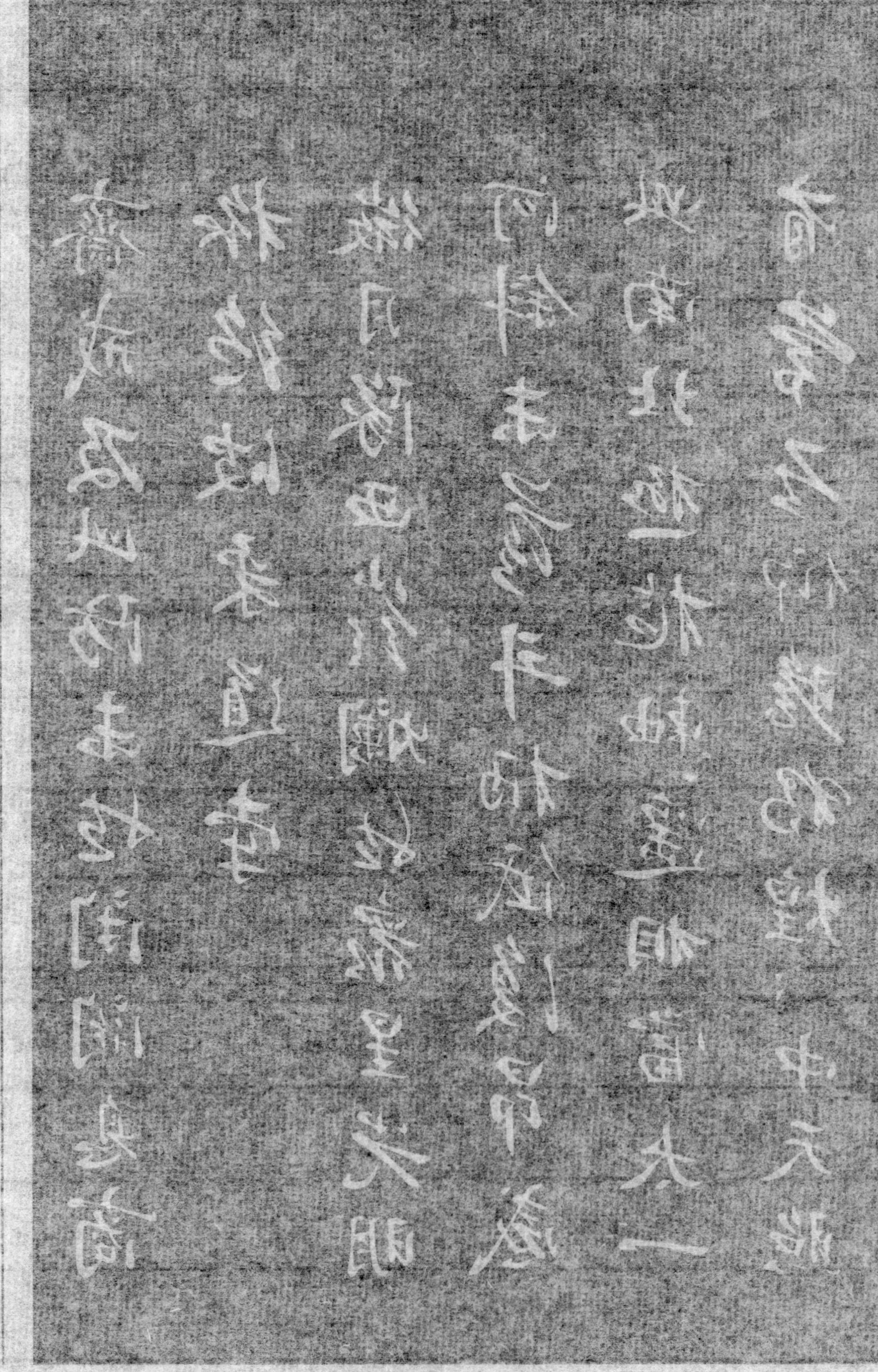

三希堂法帖

米芾·蜀素帖

四五

四國三辰環侍旁人心要如此寂感無邊方

放勛始欽明南面亦恭己大哉精一傳萬世立人紀猗與歎日躋穆穆歌敬止戒獒光武烈待旦起周禮恭惟千載

三希堂法帖

心秋月照寒水魯叟何常師刪述存聖軌

吾聞庖羲氏爰初闢乾坤乾行配天德坤布協地文仰觀玄渾周一息萬里奔俯察方儀靜頹然千古存悟彼

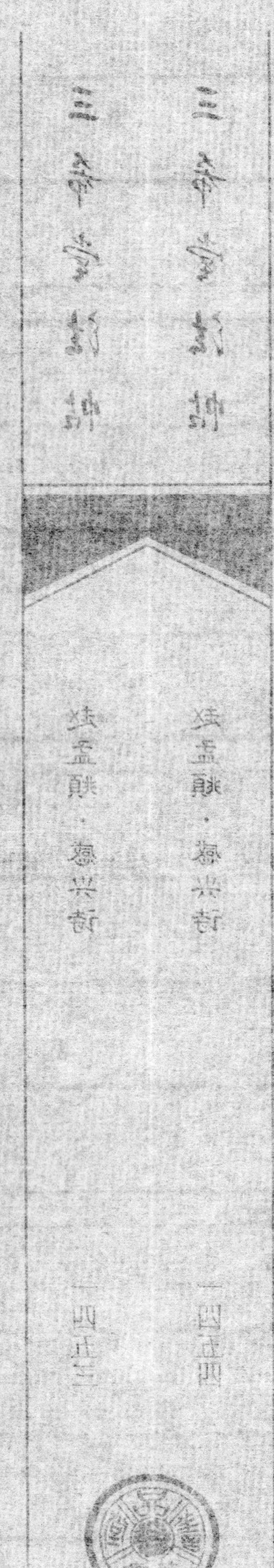

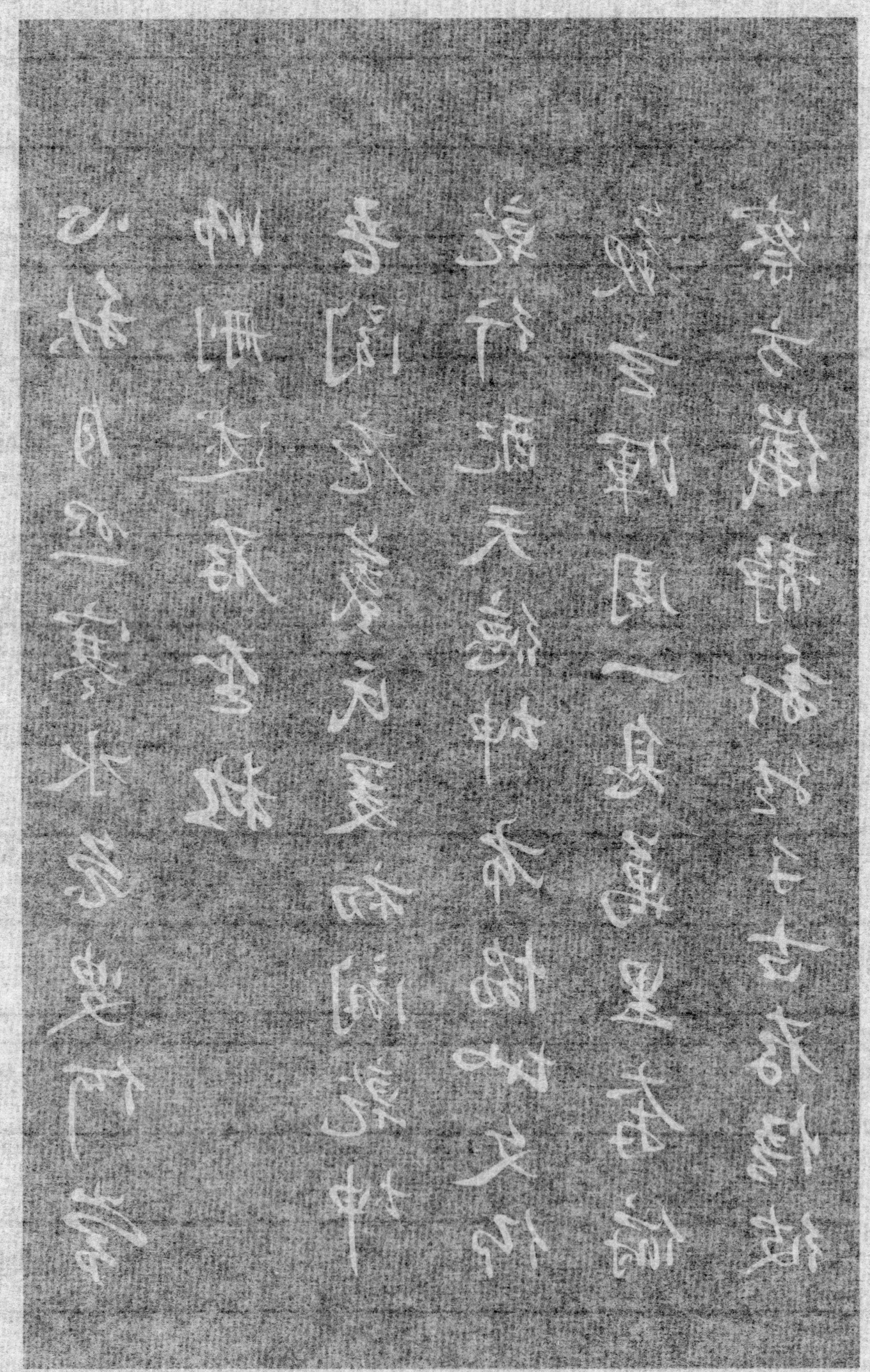

立象盡契此入德門勤行
當不息敬守思彌敦
大易圖象隱詩書簡編訛
禮樂剝交喪春秋魚魯多瑤
琴空寶匣絃絶將如何興言
理餘韻龍門有遺歌

三希堂法帖

顏生躬四勿曾子日三省中庸
思守謹獨衣錦思尚絅偉哉鄒
孟氏雄辯極馳騁操存一
言要為尔挈衆瞑丹青著明
法今古垂煥炳何事千載
餘無人踐斯境

赵孟頫·感兴诗

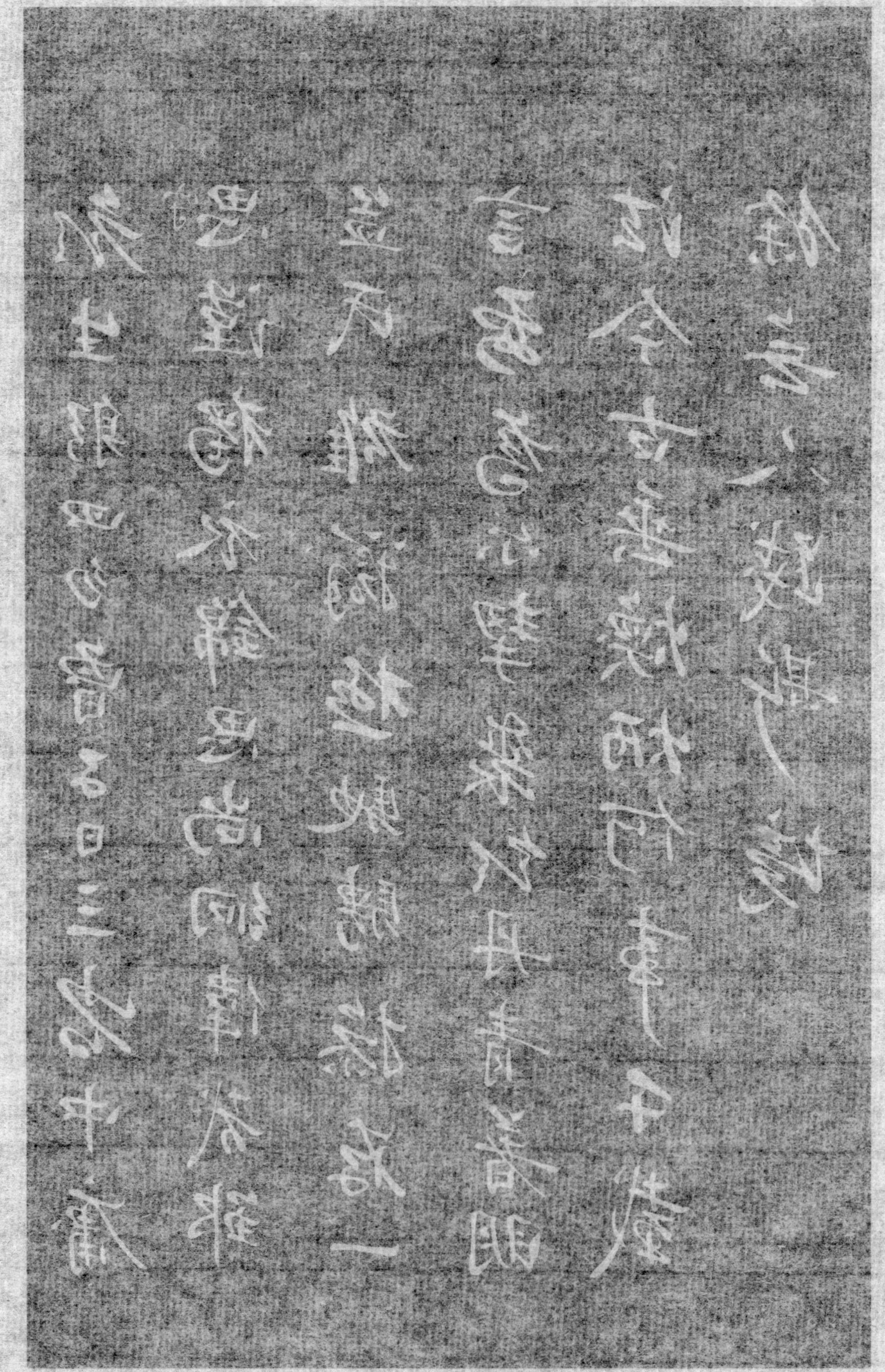

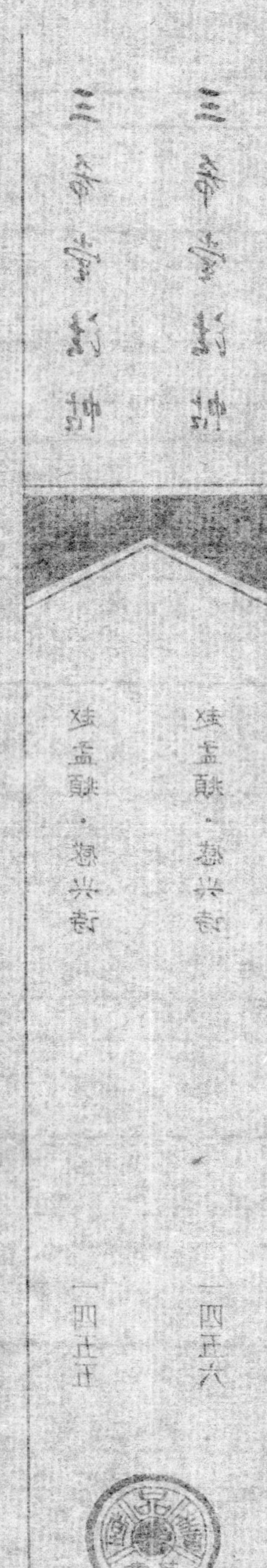
三希堂法帖
一四五六
三希堂法帖
一四五七

元亨播羣品利貞固靈根
非誠諒無有五性實斯存
世人逞私見鑿智道彌昏豈
若林居子幽探萬化原
飄飄學仙侶遺世在雲山盜啓
玄命秘竊當生死關金鼎蟠

龍虎三年養神丹刀圭一入
口白日生羽翰我欲往從之脫
屣諒非難但恐逆天道偷
生詎能安
西方論緣業卑卑喻羣愚流
傳世代久梯接凌空虛顧盼

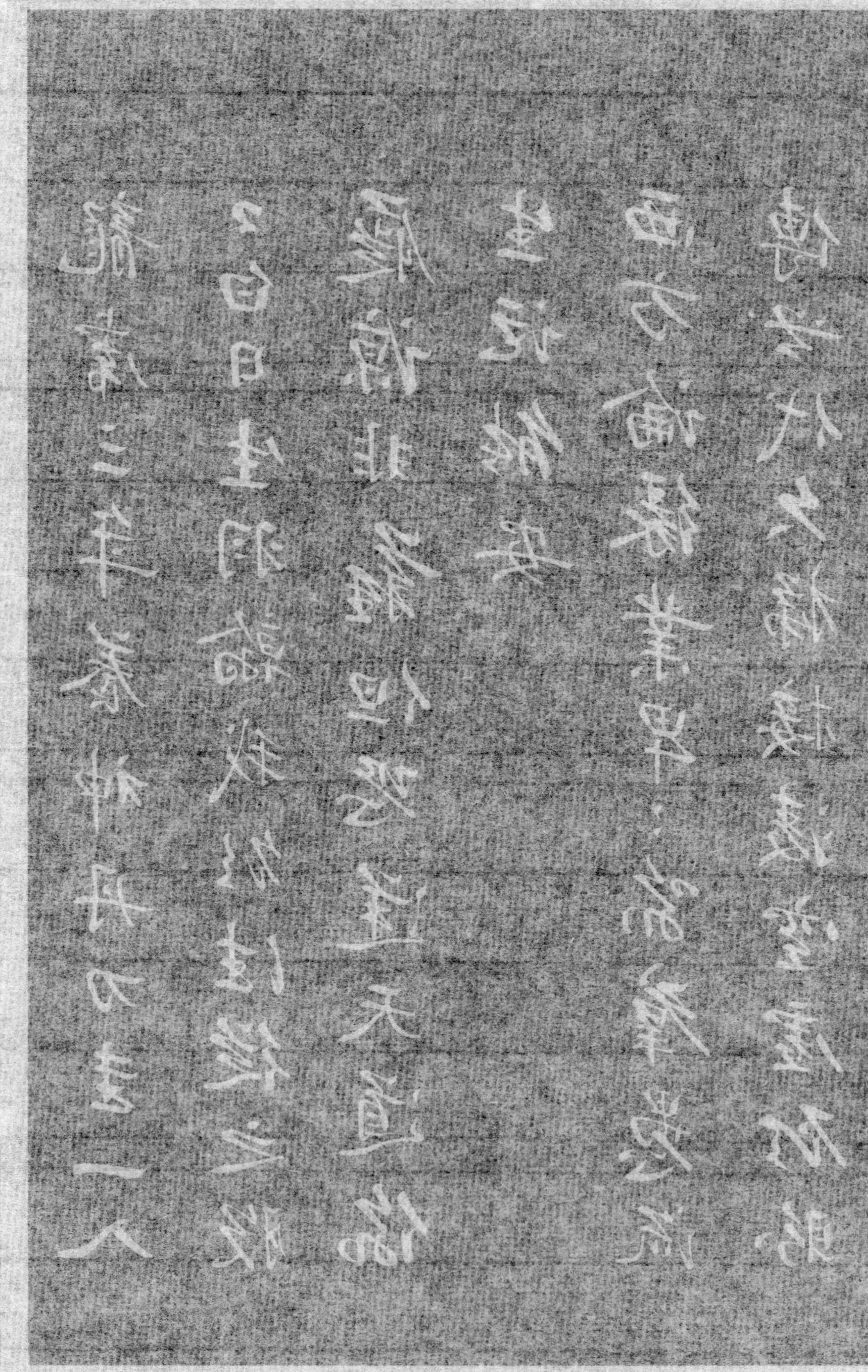

赵孟頫·感兴诗

三希堂法帖

赵孟頫·感兴诗

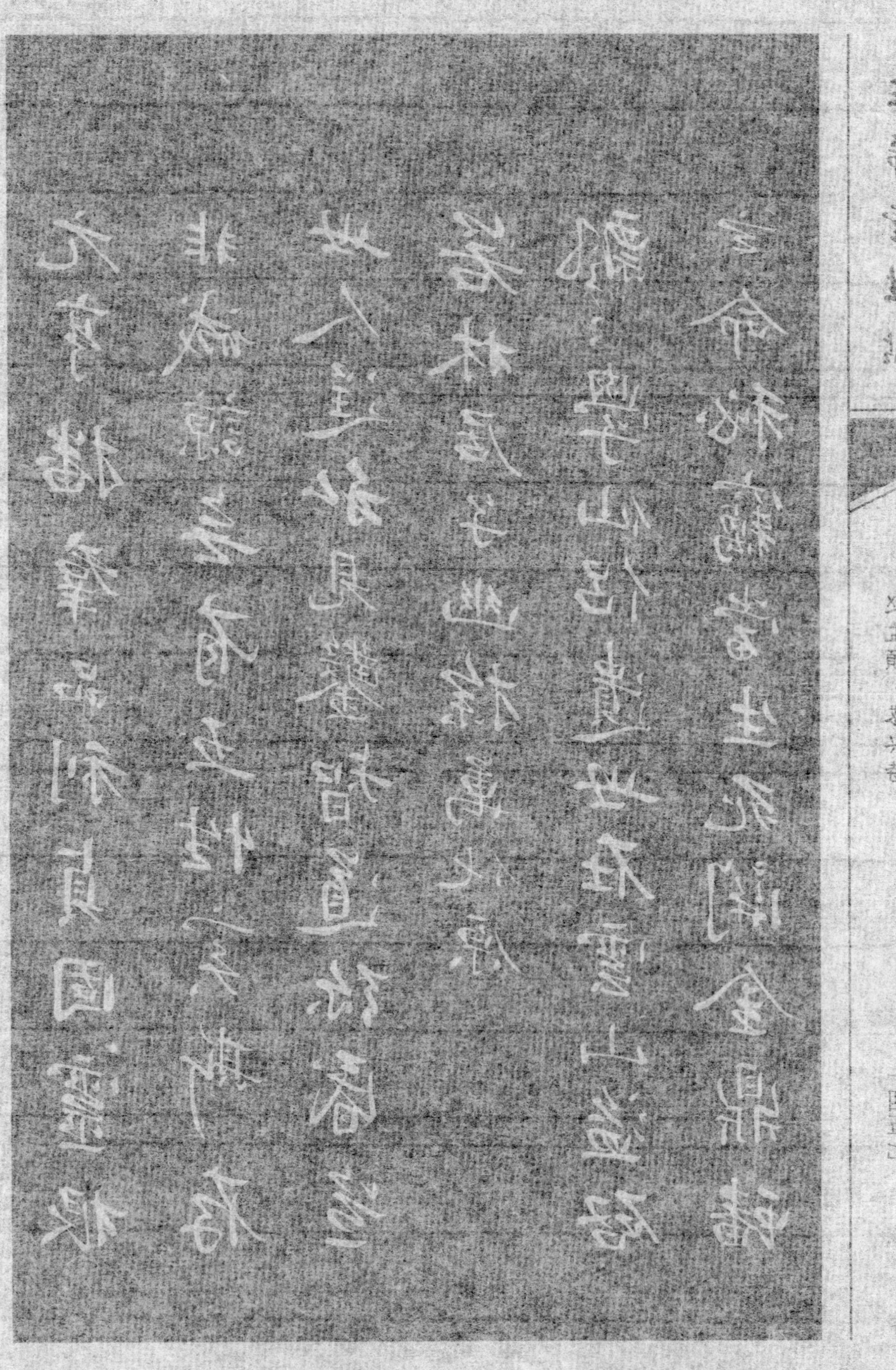

指心性名言超有無捷徑一以
開靡然世爭趨號空不踐實
躓彼榛棘塗誰哉繼三聖為
我焚其書
聖人司教化黌序育群材因
心有明訓善端得深培天敘

三希堂法帖

既昭陳人文亦褰開云胡百代
下學絕教養乖群居競葩
藻爭先冠倫魁淳風久淪
喪擾擾胡為哉
童蒙貴養正遜弟乃其方
雞鳴咸盥櫛問訊謹暄涼捧

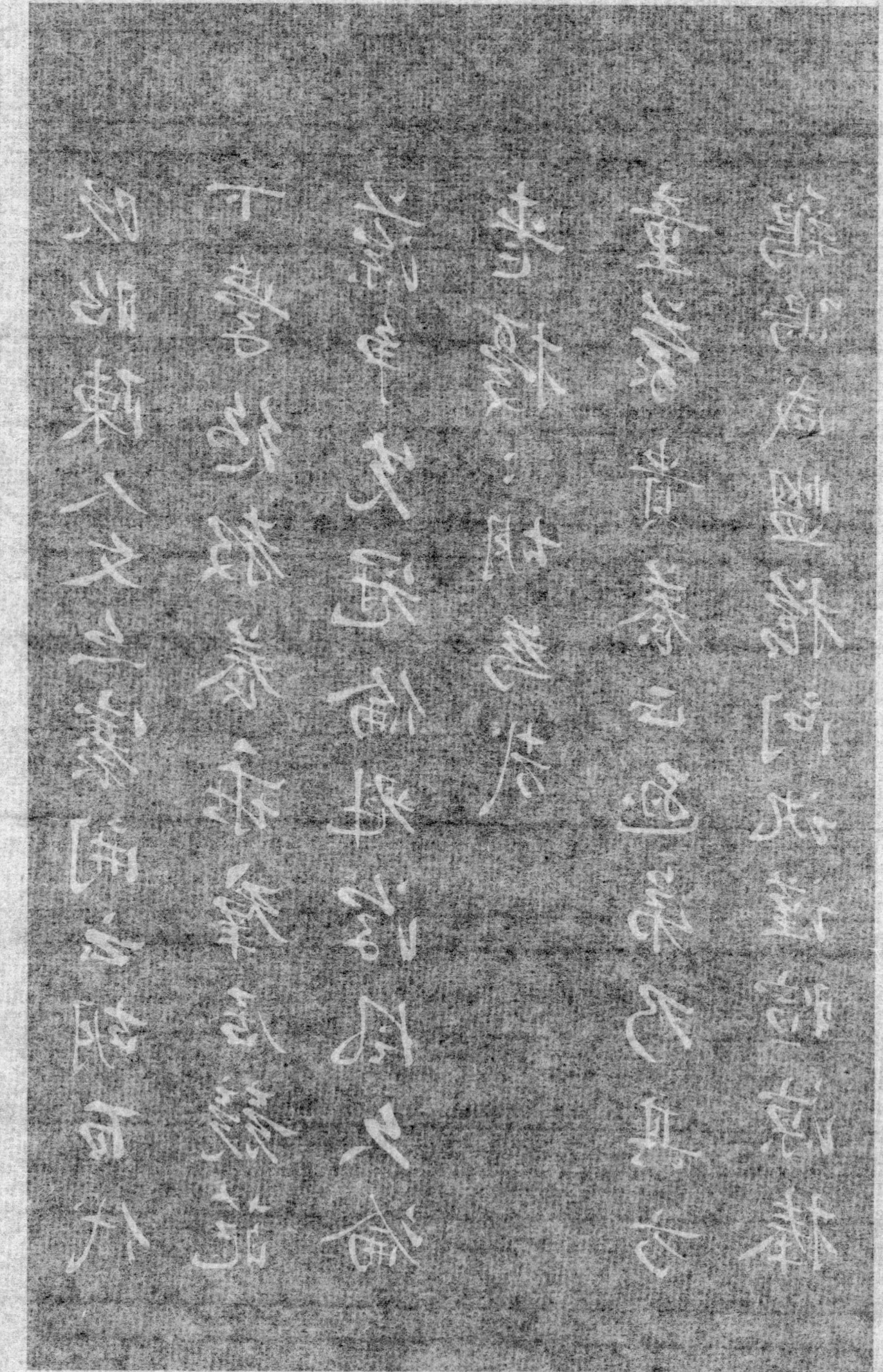

三希堂法帖
一四六〇
三希堂法帖
一四五九

水勤播灑擁篲周室堂進趍極虔恭退息常端莊劬書劉嗜炙見惡逾探湯庸言戒麤誕時行必安詳聖塗雖云遠發軔且勿忙十五志于學及時起高翔

三希堂法帖

哀哉牛山木斤斧日相尋豈無萌蘖在牛羊復來侵惟皇上帝降此仁義心物欲互攻襲孰知根孰能任反躬艮其背肅容正冠襟保養方自茲此何年秀穹林

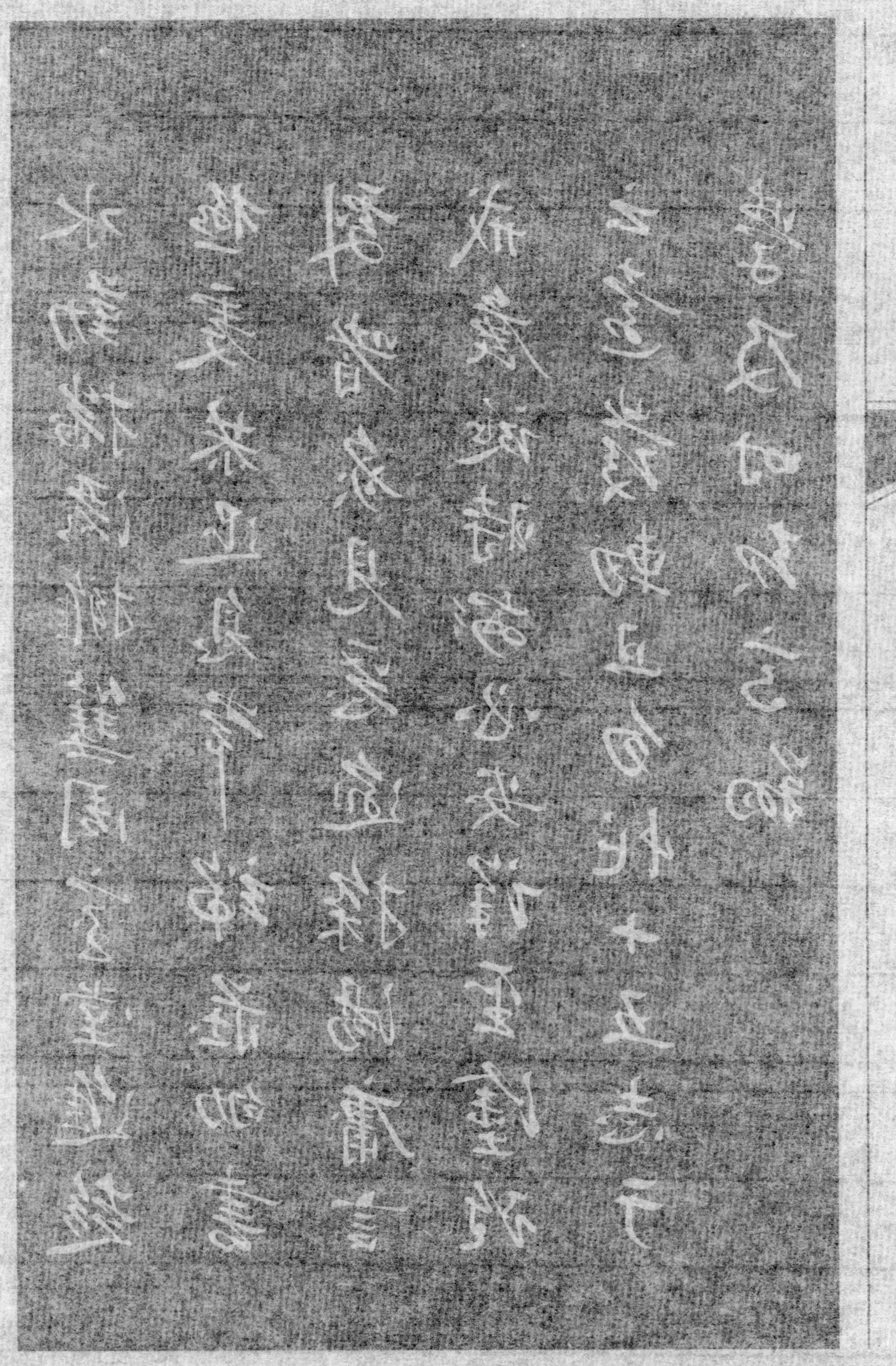

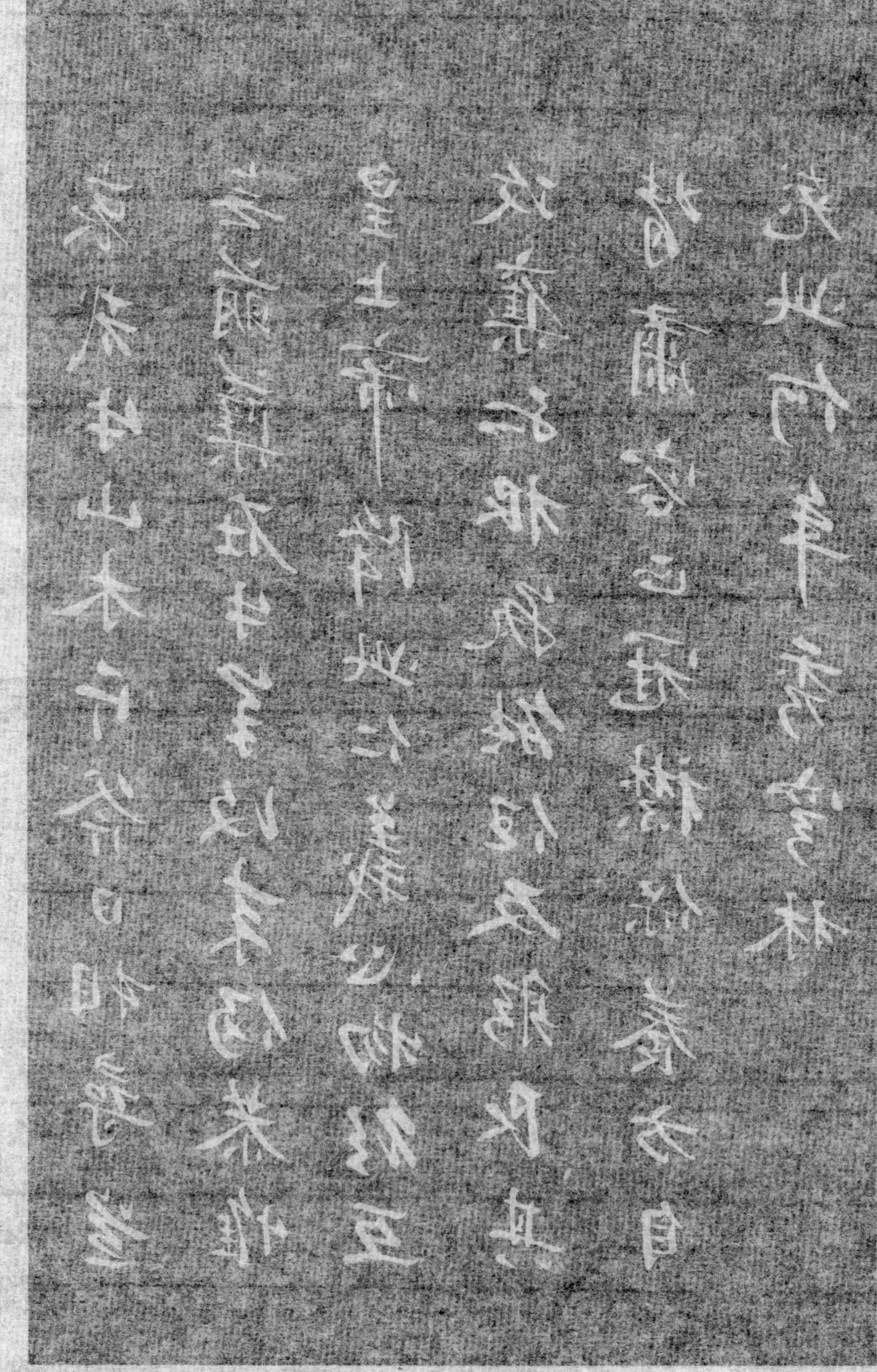

玄天幽且默仲尼欲無言動
植各生遂德容自清溫彼哉
夸毗子呫囁徒啾喧但騁言
詞好豈知神鑒昏曰予昧前
訓坐此枝葉繁發憤永刊
落奇功收一原

後學趙孟頫書

趙文敏以書妙絶
古今序跋集字
每如金玉況此鉅

三希堂法帖
赵孟頫·秋兴诗

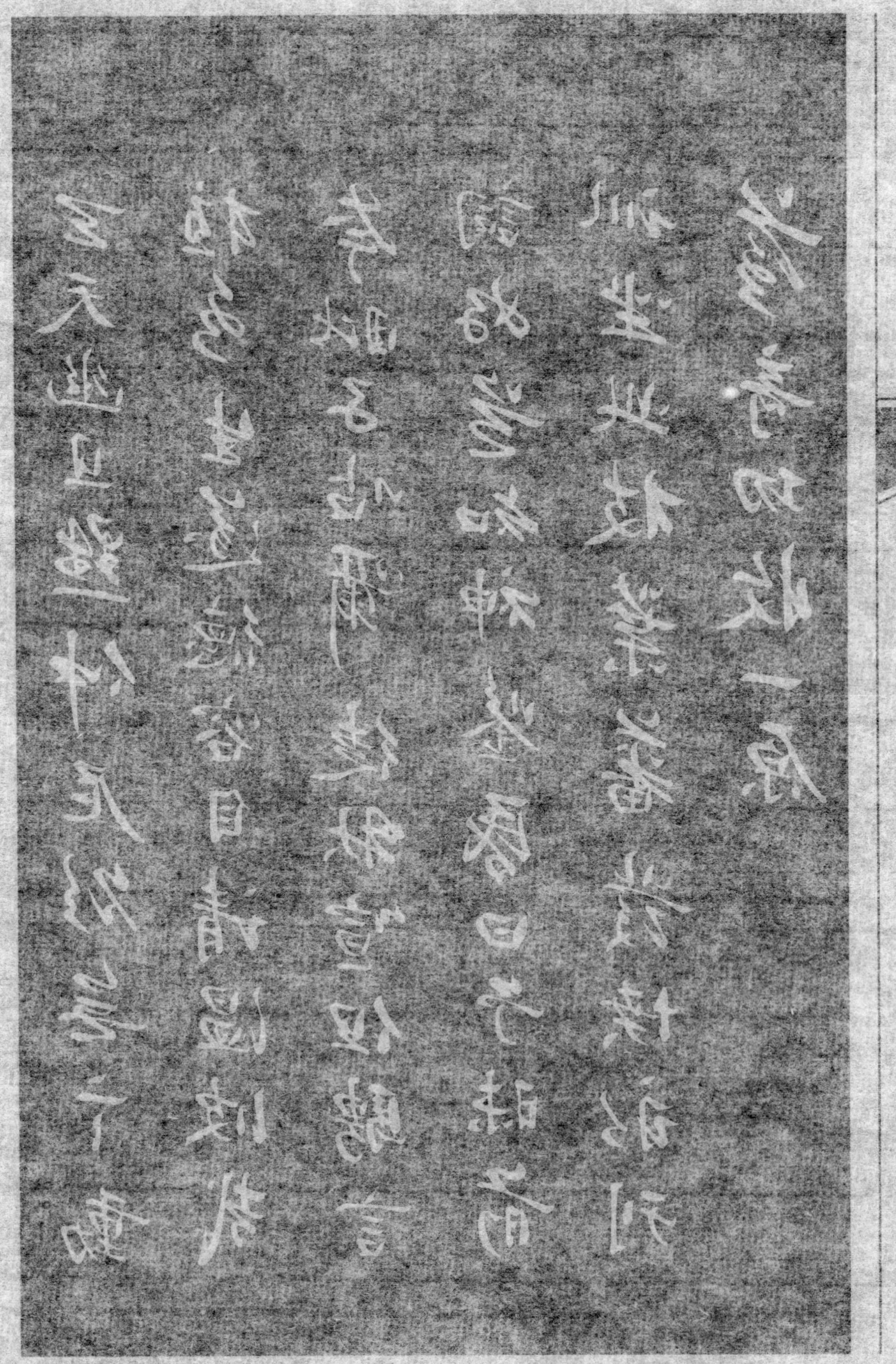

卷尤為罕見余嘗
藏公所書道德經
小楷一卷文賦一卷
今皆散失茲偶得

三希堂法帖

赵孟頫·感兴诗

之于趙伯仲洛川
至用心求購至將
快覩焉
嘉靖癸卯仲冬

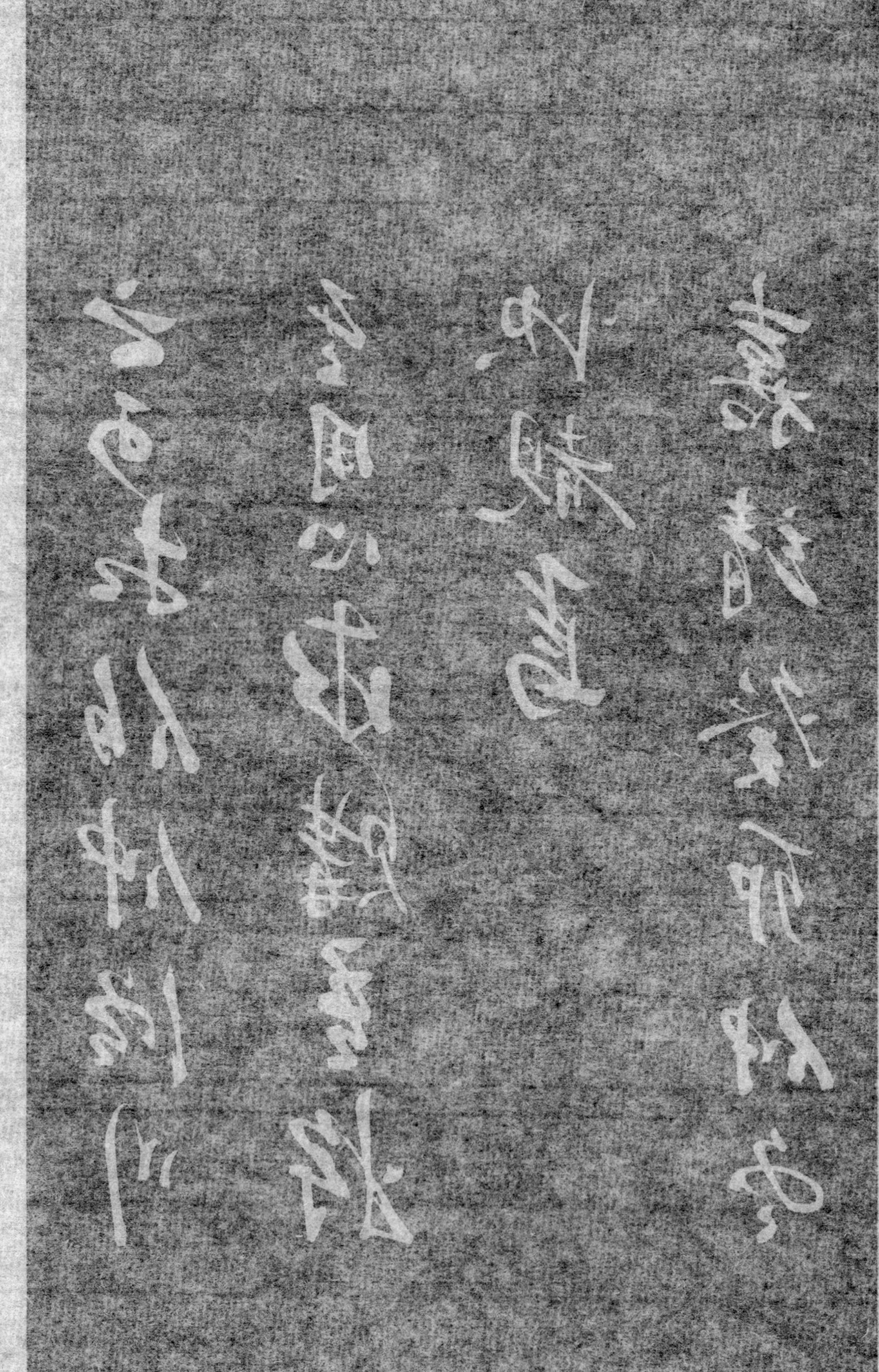

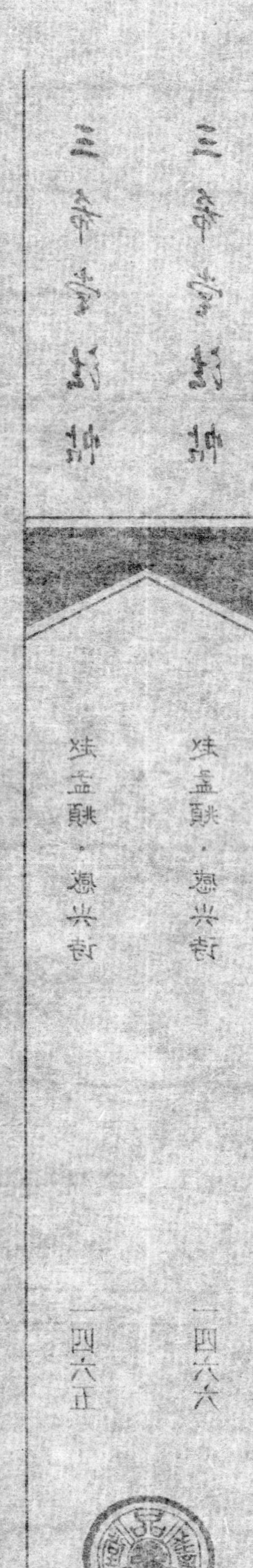

三希堂法帖
赵孟頫·感兴诗

寓居白陽山人陳道復

陽氏

延祐元年十二月孟頫奉

旨於

灌頂帝師毗奈耶室利板的答座下敬

受戒法時康居國沙門般若室利

開府儀同三司普覺圓明廣照三藏（沙津愛護持般若室）

（利）法師實為譯主孟頫多生因緣獲值

妙法既受戒已心地朗朗了悟

佛法廣大知盡微妙精深生大歡喜

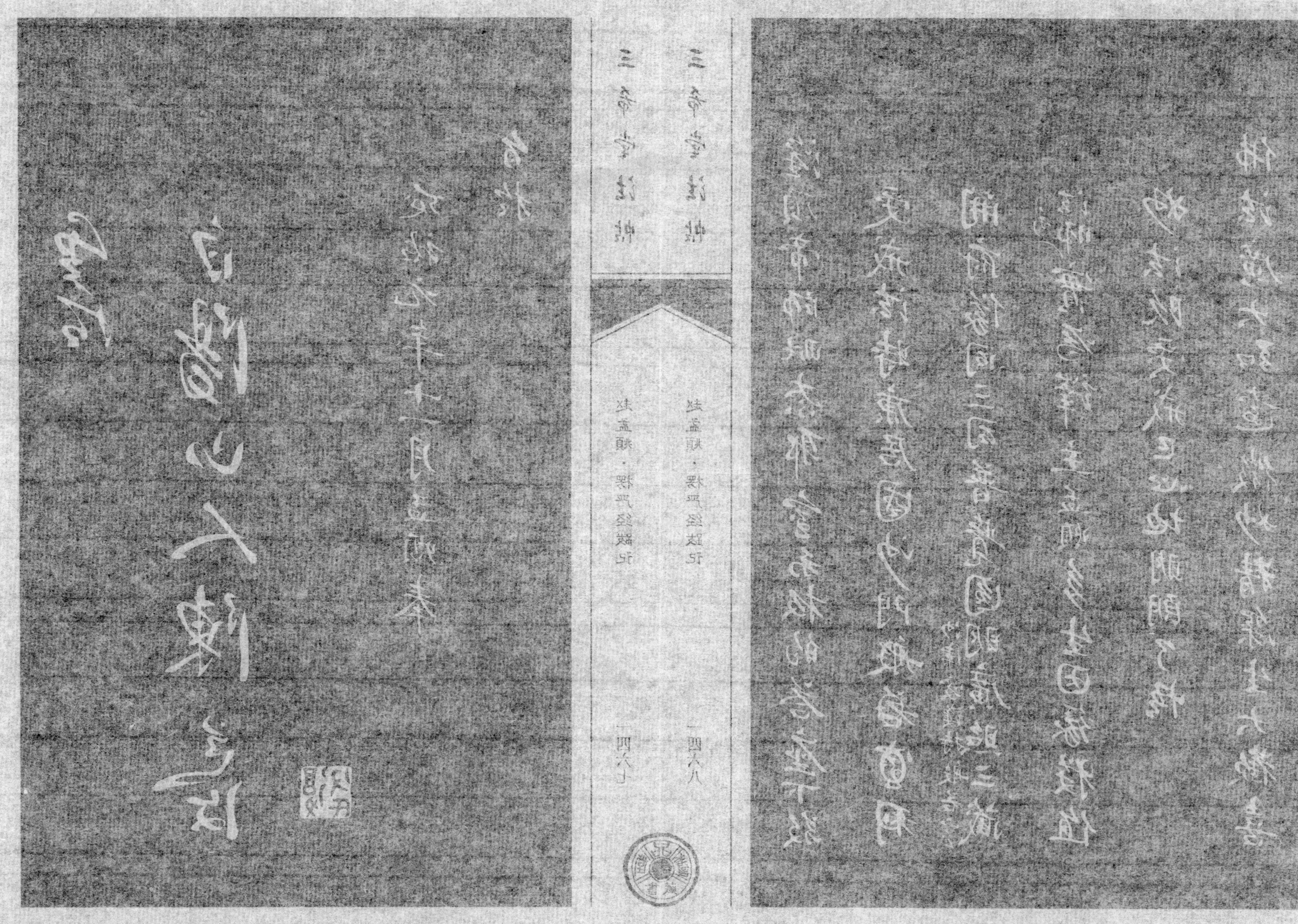

爰發歡心手書
大佛頂如來密因脩證了義諸菩薩
萬行首楞嚴經一部奉施
三藏法師供養讀誦流傳萬世常住
不壞此經在世間在在處處咸知欽
崇豈以孟頫書寫爲重爲輕獨以往劫

來生至于今日得生人身願我不迷
妙明覺心直證佛菩提志願畢矣五年
夏五月十有九日
菩薩戒弟子翰林學士承旨榮祿大夫知制誥兼脩國史趙孟頫記

三希堂法帖

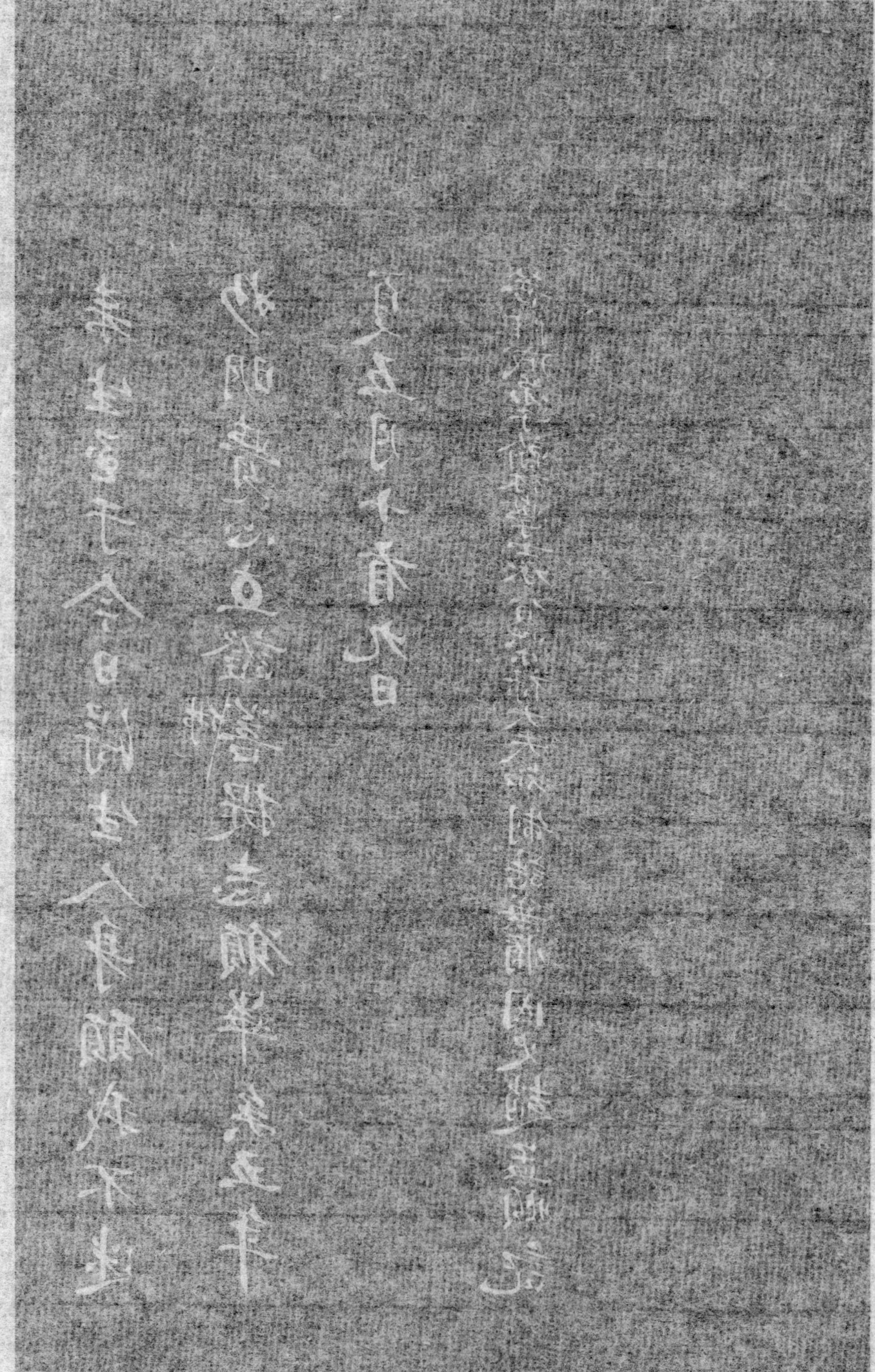

三希堂法帖
三希堂法帖

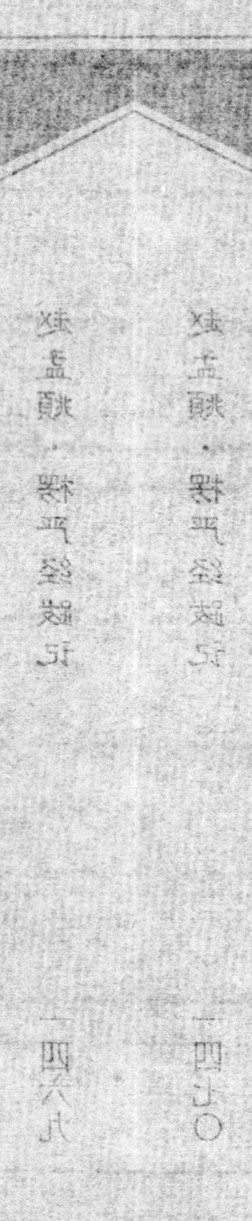

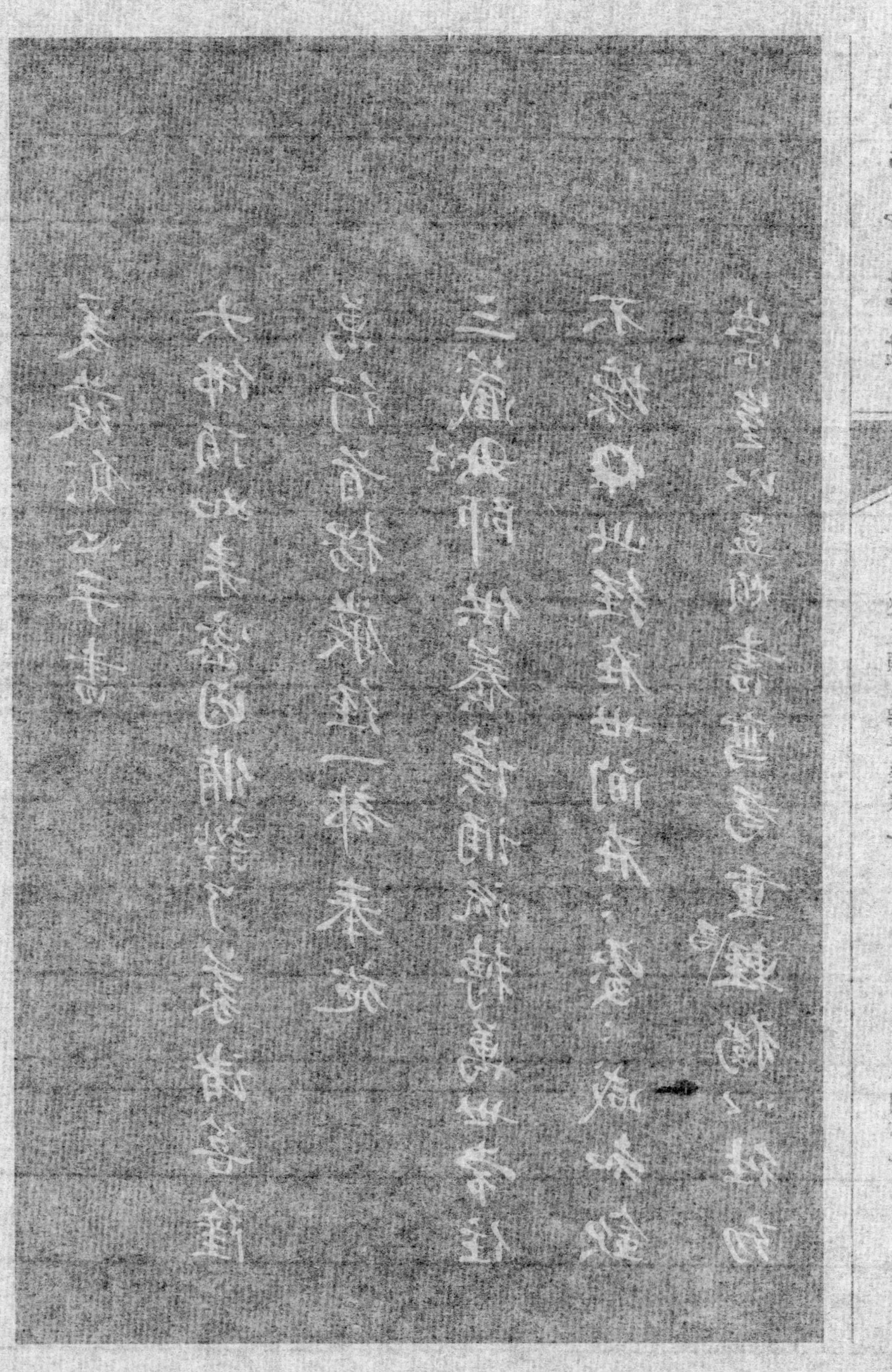